Lionel Noël

L'Ordre du Méchoui

Du même auteur

Louna
Éditions de Beaumont, 1999 – *Prix Arthur-Ellis*

Opération Iskra
Alire, 2004

Brouillard d'automne
Alire, 2013

LIONEL
NOËL

L'ORDRE
DU MÉCHOUI

roman

TÊTE[PREMIÈRE]

L'ORDRE DU MÉCHOUI

a été publié sous la direction de Marie-Chantale Gariépy

Illustration en couverture : © Marc Tellier
Conception graphique : Marie Blanchard & Maïa Pons
Mise en page : Marie Blanchard
Révision linguistique : Fleur Neesham
Correction d'épreuves : Véronique Papineau
Conversion numérique : **marieBdesign**

© Lionel Noël et Tête première, 2016

ISBN papier : 978-2-924207-63-5 | epPDF : 978-2-924207-69-7
ePub : 978-2-924207-70-3

Dépôt légal — 4ᵉ trimestre 2016
Bibliothèque et Archives nationales du Québec
Bibliothèque et Archives Canada

Nous remercions le Conseil des arts du Canada de l'aide accordée à notre programme de publication, et la SODEC pour son appui financier en vertu du Programme d'aide aux entreprises du livre et de l'édition spécialisée.

Nous reconnaissons l'aide financière du gouvernement du Canada par l'entremise du Fonds du livre du Canada (FLC).

Gouvernement du Québec —Programme de crédits d'impôt pour l'édition de livres — Gestion SODEC

Végétariens s'abstenir

Dans le nord de l'Europe de la fin du XIXe siècle, je découvris l'Ordre des Maîtres du Méchoui. Aujourd'hui est venu le temps de conter mon initiation au cœur de l'organisation qui me permit de faire le tour du monde.

Je, Maître Rôtisseur et Doyen Sans Loi.
Montréal, 1962.

PARTIE 1

À l'origine, le feu

Mes parents périrent dans l'incendie de notre domicile alors que j'étais âgé d'à peine trois ans, c'est dire si je m'en souviens peu. Le propriétaire, installé à l'étage, avait l'habitude de vider ses cendres de pipe dans le seau de bois à côté du fourneau avant de se mettre au lit. Le feu se propagea aux armoires contenant ses bouteilles de pétrole à brûler. En explosant, elles enflammèrent la bâtisse, anéantissant les archives de mon histoire. Je fus extirpé de justesse par des pompiers engoncés dans d'épais manteaux de cuir et coiffés de casques métalliques. Il est paradoxal que mon destin ainsi marqué par le feu se soit ensuite lié à la braise de manière à en faire le vecteur de mon existence.

La résilience des enfants face à la mort est plus forte qu'on ne le pense. Sinon, pour preuve, l'homme n'aurait pu survivre à ses turpitudes.

Mes grands-parents exploitaient un magasin de matériel agricole et furent bien forcés de me prendre en charge. Bien que solitaires, mes premières années furent heureuses, dans un milieu modeste où l'on ne parlait pas de végétarisme, quoique manger des soupes de patates et de légumes était la norme. En face de chez nous se trouvait un immeuble à trois étages où vivaient, dans la promiscuité, cinq familles nombreuses, sans électricité et sans eau courante. Ces gens rognaient sur tout. On peut dire que j'étais logé à meilleure enseigne. Mes grands-parents étaient drôles et compréhensifs, parfois sévères. De manière radicale, ils m'intimèrent de m'adapter à mon statut d'orphelin quand j'exprimai ma volonté d'en savoir plus sur mes origines. C'était un soir d'hiver, j'avais dix ans. Mon grand-père venait d'ajouter une bûche dans le poêle sur lequel mijotait une poularde aux légumes.

— Quel travail faisaient papa et maman?

— Ta mère s'occupait de toi et de la maison, pendant que ton père enseignait, répondit ma grand-mère.

— Papa enseignait quoi?

Mes vieux se sondèrent dans le blanc des yeux. Mon grand-père se décida alors à parler:

— Est-ce important de le savoir? Cela ne le ramènera pas!

Ma grand-mère désapprouva la rudesse de son époux.

— Pourquoi lui parles-tu ainsi? protesta-t-elle. C'est un enfant.

— C'est un garçon. Un adulte en devenir. Autant qu'il s'y fasse maintenant, et toi aussi!

Elle détourna le regard. D'habitude, elle tenait à avoir le dernier mot. Là, il avait raison. Pragmatique, j'acceptai cette réponse laconique. Réaliste, je me fis à l'idée que je devrais me débrouiller seul et très vite, vu l'âge avancé de mes grands-parents. C'est ce à quoi je m'appliquai. Cependant, je ne pris pas l'existence avec la gravité solennelle de mes chers aïeux; je la saisis plutôt à la légère, quand, très tôt, je découvris que je n'étais doué pour rien, sauf pour conter des histoires.

— Cela ne te mènera pas loin ! philosopha mon grand-père. Cela risque même de te causer des ennuis ! Les mots dépassent immanquablement la pensée !

Je parle d'un temps où les patrons exploitaient la classe ouvrière, laquelle se tuait à boire pour oublier qu'elle crevait de faim. Les jours de paye, dans les bistrots des Trois-Frontières, les bagarres éclataient.

Vocation ou hasard

Ainsi, tout commença dans la Belgique de mon enfance, cette terre de forêts et de vallées escarpées au carrefour de la culture alémanique et wallonne. Aux Trois-Frontières, position géographique oblige, nous étions plus exposés qu'ailleurs aux vents nouveaux de l'Histoire. Depuis toujours, les habitants de ma cité avaient vécu bercés par l'illusion que ses murailles les protégeaient des envahisseurs. Les nombreuses occupations militaires leur avaient donné tort, pourtant ils avaient continué d'y croire. Aujourd'hui, je réalise que ces murs de forteresse, qui m'empêchaient d'apercevoir l'horizon, m'avaient plutôt donné l'envie de le découvrir. En cette fin de siècle, les idées bouillonnaient comme de la soupe dans une marmite à pression, maintenues sous le couvercle hermétique de la toute-puissante Église catholique. Dans les faits, mon existence bascula dans le giron de maître Trinkwein un samedi, jour de marché. Sur le balcon de la maison communale, un théâtre de marionnettes amusait les enfants. Le son lancinant des vielles à roue s'infiltrait dans les rues de terre battue qui grouillaient de monde. De jolies femmes se pavanaient au bras de nobles et de bourgeois. En toisant les victuailles d'un œil méprisant, ils en critiquaient systématiquement la fraîcheur.

— Sont-ils fâchés ? demandai-je à ma grand-mère.

— Ils le sont, histoire de faire baisser la facture, mon trésor !
Apprends que les riches le deviennent en négociant les prix. Ne
les blâme pas, c'est exactement ce que je fais !

Elle me fit un clin d'œil en ébouriffant ma tignasse blonde.
Autour de nous, de jeunes hommes rivalisaient d'éloquence
sur les terrasses des tavernes pour impressionner les filles qui
minaudaient d'une fausse candeur. Les quilles des jongleurs vire-
voltaient tandis que les voleurs vidaient les poches des badauds.
Fait amusant, la place du Marché avait longtemps été celle où l'on
exécutait les condamnés. J'adorais cet endroit où je ressentais
l'effervescence populaire jusqu'aux tréfonds de mon être. Dans
une joute verbale où elle excellait, ma grand-mère entreprit de
négocier le prix d'un poulet de grain avec la volailleuse. Ce mar-
chandage interminable me permit d'échapper à sa vigilance et de
flâner autour des échoppes, aussi je m'éclipsai. Cela ne lui posait
pas de problème, nous avions l'habitude de toujours nous retrouver au marché couvert en bas de la rue. Malgré mes douze ans,
elle faisait confiance à mon jugement. J'étais méfiant de nature.
D'ailleurs, durant mes escapades, j'évitais soigneusement les ves-
pasiennes ; il y avait toujours des vicieux qui se masturbaient en
observant les gamins se soulager la vessie.

Attiré par les fortes odeurs des fumées de broches et des
marinades, j'entrai au numéro 33, dans l'atelier de celui qui
allait devenir mon maître. Vêtu d'un sarrau bleu avec un foulard
rouge noué autour du cou, une casquette sur la tête et chaussé
de sabots de bois, le maître badigeonnait d'un mélange d'huile
végétale, d'herbes sèches et de paprika une cuisse de bœuf
suspendue au plafond. C'était un petit monsieur sec et nerveux au regard perçant, au teint pâle et à la calvitie prononcée.
Trinkwein descendait d'une famille originaire de la Moselle
allemande. Ses parents étaient venus s'installer dans notre coin
de pays, attirés par la prospérité de l'industrie lainière. Quand

il parlait, il laissait souvent échapper des mots de la langue de Goethe. L'ardeur qu'il mettait à masser cette pièce de bidoche écœurante m'intrigua, aussi je demandai en pointant de l'index :

— C'est quoi, ça ?

— Je fais mariner cette noble botte du Charolais. Elle sera cuite à la broche et servie au buffet d'un marquis qui n'est jamais content !

Je rigolai en ajoutant avec une innocence tout enfantine :

— Vous êtes drôle !

— En quoi le suis-je, *mein Freund*[1] ?

— Pourquoi vous donner tant de mal ? Dès qu'il aura fini de manger, il n'y pensera même plus.

Il frotta son aiguille à brider avec du jus de citron et vérifia la couture sur la panse d'un goret embroché.

— *Ach*, si jeune et déjà iconoclaste ! s'exclama-t-il finalement. Tu viens de comprendre que je pratique un art éphémère, comme toute chose. C'est toujours ça que l'on n'aura plus à t'enseigner.

— Iconoquoi ?

Il me fixa sans dire un mot. J'appris à ce moment que certains silences valent bien des réponses. Confusément, nous comprîmes que nous étions liés par le même destin. On dit au Japon que lorsque l'élève est prêt, le maître apparaît. D'esprit à esprit, je venais de découvrir une caste d'individus redoutables et courageux, d'une volonté sans faille devant la quête de la perfection, à la discipline et à l'abnégation sans bornes, entièrement dédiés à parfaire leur art : l'Ordre des Cinq Cercles, celui des Maîtres du Méchoui.

---

1   « Mon ami », en allemand.

La fleur aux cinq cercles

Deux ans après notre rencontre, en 1892, je suis entré au service du maître. Je venais d'atteindre quatorze ans, l'âge légal de fin de scolarité. Rongée par la maladie de Parkinson, ma grand-mère était morte depuis un an. Désespéré par mes résultats scolaires, mon grand-père décida de mettre un terme à mon passage sur les bancs d'école, à la joie de l'instituteur, excédé par mes bavardages incessants et mes combats de boulettes de papier. C'était un religieux, un fou furieux qui pétait les plombs à chaque équation. Ses méthodes pédagogiques reposaient sur l'humiliation. Il nous tapait de sa règle quand nous faisions des erreurs en récitant nos tables de multiplication. Parfois, il nous obligeait à mettre un bonnet d'âne pour sanctionner nos mauvais résultats. Il alla jusqu'à me déculotter devant toute la classe pour me frapper sur le postérieur. La démarche de mon embauche chez Trinkwein vint du maître lui-même. Je l'appris de la bouche de mon grand-père, qui décéda deux semaines après mon arrivée à l'atelier. Mon maître participa à l'enterrement à mes côtés. Sans le déduire de mon salaire, il s'acquitta des frais funéraires. Ce veuf allait devenir mon unique famille pendant sept ans.

— Dans la vie, tu dois savoir trois choses, m'enseigna-t-il pour première leçon. *Ein*, il y a ce que nous voyons, entendons et ressentons. *Zwei*, il y a ce que nous en interprétons. Et *drei*, il y a ce qui est réellement.

Trinkwein habitait une maison de pierres et de tuiles, près du marché couvert et de la boucherie chevaline Kiehm. Dressée sur trois étages et un grenier, l'habitation était ancienne, à en juger par l'épaisseur des poutres et des solives qui la soutenaient. Au rez-de-chaussée se trouvait l'atelier, avec toute sa logistique de rôtisserie. Trinkwein réservait le deuxième aux marchandises, car il était également grossiste alimentaire. Le dépôt des salaisons capta immédiatement ma curiosité. Un éventail gourmand de charcuteries sèches pendait du plafond en forme de voûte : des jambons d'Ardenne, de Bayonne et de Parme, du filet d'Anvers, des salamis à l'ail et aux piments, de la viande de grison, des saucisses et du lard fumé d'Italie, de France et de l'Empire allemand, de la viande séchée de chèvre, de bœuf, de bison et de gibiers, même des filets d'antilope au poivre. Il y avait partout des conserves au vinaigre et à l'huile : oignons, cornichons, poivrons, artichauts et autres légumes, des olives de tous les coins de la Méditerranée... Le corps de logis était situé au troisième étage. C'est là que se trouvait ma chambre pleine de livres, entre autres des classiques de la Grèce antique, comme Hérodote, et de l'ère romantique, mais aussi Dumas, George Sand, Stendhal, Mérimée, Balzac et Victor Hugo. C'était pour moi un refuge après les longues heures d'ouvrage, chaud en hiver, frais en été. Trinkwein n'y montait jamais, préférant son bureau près de l'atelier où il dormait souvent sur le divan. Il y avait une chambre d'amis, un salon douillet et une mansarde. Sous terre, il y avait deux caves, une pour le vin, l'autre pour les viandes. Les murs de bonne épaisseur les isolaient parfaitement l'une de l'autre, et leur température était contrôlée par un système de ventilation naturelle. À l'entrée de chaque pièce, on notait la présence de cinq cercles incrustés sur les portes, de même taille et formant une fleur.

— Qu'est-ce que c'est? fut l'une de mes premières questions.

— L'emblème de l'Ordre des Cinq Cercles. Je t'en expliquerai la signification en temps voulu.

— Quand?

— La patience fait partie de ta formation. Sache que le principe du compagnonnage structure notre ordre depuis des temps immémoriaux. Un maître forme un initié. Lorsque l'élève atteint le statut ultime, il rend la pareille à un apprenti et ainsi de suite. Traditionnellement, au moment de sa présentation au siège social, l'initié adopte un surnom, en signe de renaissance. Son vrai nom n'est alors plus utilisé. Il œuvre pour la confrérie, jamais ailleurs, ou rarement, car nos lois nous protègent, en cas d'incapacité ou de maladie, mieux que n'importe quel système. Les membres établis gèrent leur entreprise. Les membres administratifs dépendent directement du siège social, ils s'occupent de notre législation, de la résolution des conflits et de la répartition des initiés. Les membres errants assurent les formations dans lesquelles ils ou elles excellent. Nous avons notre service de messagerie. Les critères de sélection d'un initié demeurent secrets, comme la plupart de nos codes, de nos lois et de l'identité de nos membres. Au sommet hiérarchique, notre Grand Élu est choisi par les maîtres. Un comité de sages, qui représente toutes les tendances et toutes les nationalités, supervise cette élection au suffrage universel. Une partie de notre salaire est versée à notre trésorerie. Cet argent va en priorité aux membres dans le besoin.

— Depuis quand existe l'Ordre?

— En un sens métaphorique, il existait avant l'humanité.

— Quand?

— Dès l'apparition des êtres vivants.

Trinkwein m'apprit que son ordre remontait au roi de Tyr Hiram Ier.

— Nos membres ont tourné des broches durant la construction des pyramides égyptiennes et celle de la muraille de Chine, et tout au long des conquêtes d'Alexandre le Grand.

Cette histoire me plaisait.

— *Ach*, c'est vieux tout ça! reprit Trinkwein. Pour un initié, seul compte le geste présent, racine du futur, fruit du passé.

J'analysai en silence. Accroché au-dessus d'un des signes sur la porte d'entrée de l'atelier, je remarquai un grand portrait encadré. Maître Trinkwein posait avec un inconnu. Cette image en noir et blanc, un peu trouble, au papier flétri par le temps, m'interpella instinctivement. Sur la photo, on reconnaissait les bâtiments de la maison communale et les pavés de la place du marché. C'était un cliché d'été, ils étaient tous deux vêtus de chemises légères, de larges pantalons et coiffés de chapeaux de paille. L'intensité du regard de cet homme me sondait jusqu'à la moelle. Certaines sensations demeurent inexplicables. J'allais vivre avec le mystère de ces yeux magnétiques jusqu'au début des années 1930.

Méritocratie organisationnelle

La capacité du maître à mobiliser plusieurs brigades de cuisiniers en un claquement de doigts éliminait toute concurrence dans l'univers de la rôtisserie. Il n'avait qu'un employé permanent, Dugommier, le plongeur. Trinkwein déléguait le travail de transport, les livraisons et toute l'organisation des buffets à des traiteurs spécialisés en événements. Dans le dessein de les engager au plus bas prix, il les mettait en compétition. Ils avaient intérêt à viser l'excellence, et gare à ceux qui ne marchaient pas droit. En fin de compte, tout le monde y récoltait son dû. Durant les réceptions, Trinkwein était secondé par Albin, un majordome de l'école des coups de pied au cul des grands palaces. Dans le milieu, on le surnommait l'Écrevisse, parce qu'il marchait toujours à reculons. C'était un chef d'équipe vicelard qui repérait d'un clin d'œil expert les tire-au-flanc.

— Comment se fait-il qu'il y ait autant de cons dans ce métier ? pestait-il à répétition.

Génie des soirées mondaines, Albin jonglait avec son art comme un prestidigitateur. Nous étions au service d'une clientèle élitiste qui nous gratifiait de pourboires généreux divisés entre nous selon nos niveaux de responsabilité. Mon maître maudissait cette guerre éternelle entre les cuisiniers et le personnel de salle, même s'il lui venait parfois l'envie d'éviscérer un larbin ou deux.

Le maître ne m'autorisa à œuvrer dans l'atelier qu'à la fin de ma première année de formation. Avant cela, l'accès m'en était même interdit. Dugommier m'expliqua que Trinkwein était devenu maniaque de la sécurité après une expérience traumatisante.

— Comprends-le, l'excusa le plongeur, l'initié qui t'a précédé est mort ébouillanté par la chute d'une marmite géante de fond de sauce. *Oufti*, ça devait pas être beau à voir!

Ma pratique débuta dans le dépôt des salaisons. Durant des semaines, à raison de sept heures par jour, Trinkwein me fit activer des broches sur un modèle conçu spécialement pour l'entraînement. Chaque matin, il alourdissait la barre d'acier de poids supplémentaires. À certains moments, je devais tourner très vite et à d'autres, tout doucement. Il m'obligeait à alterner les vitesses et le sens giratoire.

— *Recht, links*, gauche, droite! ordonnait-il sèchement, le buste droit et le torse bombé comme un officier prussien.

À ce régime de gladiateur, mes bras et mes épaules se musclèrent notablement. Il m'affecta ensuite aux méthodes de halage industriel des carcasses de bestiaux. Rapidement, les treuils, les cordes et les poulies n'eurent plus de secret pour moi. Ce savoir assimilé, il me confina dans une pièce au fond du deuxième, avec un établi couvert de couteaux impeccablement rangés. C'était un endroit mal éclairé, les lames brillaient, menaçantes, intimidantes.

— Tu participeras un jour au grand cérémonial Anubis. Tes semblables et surtout l'impitoyable examinateur Urbanus te jugeront à ta dextérité au couteau. La précision d'une coupe détermine si chaque molécule d'aliment sera consommée intégralement ou gaspillée. Dans le cumul d'une pratique professionnelle, les tailles maladroites se chiffrent en tonnes. Retiens cela, *mein Freund*! Tu apprendras à conjuguer fluidité et force. Dans tout travail de boucherie, il est primordial que le fil tranche rapidement. C'est là qu'intervient ton outil de bois et de métal. Chaque lame possède une origine et une âme. La trempe, la flexibilité, la chimie de la fabrication de l'acier du couteau découlent de l'origine des hommes qui l'ont façonné. Chaque culture a raffiné ses méthodes, certaines plus que d'autres! Il ne t'appartient pas de les juger mais de les découvrir. Plus tard, tu choisiras naturellement celle qui te sied le mieux.

Sa confiance en moi me bluffait. Moi qui n'avais jamais réellement désiré quoi que ce soit, voilà que je mourais d'envie d'être à la hauteur de ses attentes.

— Me donnerez-vous cette formation?

— Dugommier t'enseignera les techniques.

— Le plongeur!

Ma réaction l'amusa.

— Dugommier est avant tout mon aiguiseur. Il a un don. À son embauche, il pratiquait sa dextérité au surin dans les tavernes malfamées. En le prenant sous mon aile, je n'ai rien fait d'autre que de canaliser ses énergies négatives. Donc, Dugommier-qui-pue-des-pieds t'enseignera les bases du maniement des lames.

— Pourquoi ce surnom?

— À ton avis?

Couteaux et manuels en tous genres

Le surnom de Dugommier n'était pas surfait. Malgré ses mauvaises odeurs de pieds, c'était un garçon jovial et sympathique. Joufflu, il était toujours vêtu d'un pantalon à carreaux, d'une veste de cuisine et d'un tablier en cuir. Il portait des sabots avec des grosses chaussettes, qu'il changeait après chaque quart de travail pour les plonger dans un seau d'eau savonneuse survolé par les mouches.

— Dugommier incarne la métaphore de l'ours, affirmait Trinkwein. Un prédateur qui semble pataud et malhabile, et dont l'existence subtile nous rappelle la malice de mère Nature.

Pendant douze mois, sous sa supervision, j'aiguisai et maniai des couteaux allemands et espagnols ; désosseurs, chef et demi-chef français ; couteaux belges pour lever les filets de sole ; couteaux d'office italiens et longues lames anglaises pour les services au buffet. Je m'exerçai même au lancer sur cible. Le plongeur s'appliqua à me faire travailler dans le vide et dans la noirceur. Les couteaux devinrent l'extension de mes mains.

— Comme dit le maître : « Dans le vide pour exacerber la fluidité du mouvement, dans le noir pour le contrôle et la précision du geste », me rappela Dugommier en rinçant ses chaussettes, puis en les essorant d'une torsion des poignets.

Trinkwein m'observait attentivement et m'encourageait :

— Continue. Nous, serviteurs du méchoui, sommes des escrimeurs qui s'ignorent.

Entre les tonnes de légumes coupés en brunoise, en julienne et en mirepoix, Dugommier me familiarisa avec les lames asiatiques à l'acier qui combine dureté et flexibilité. Après quelques mois, ma préférence se dirigea vers les couteaux japonais, malgré un entretien et un affûtage complexes, requérant plusieurs longues pierres aux grains différents. Le soir venu, dans ma chambre spartiate située au-dessus de l'atelier, je découvrais des livres à saveur philosophique et ésotérique, dont la signification m'échappait.

— Je ne comprends rien, rouspétai-je au début.

— Parfait. Tu ne dois pas analyser, pas d'un point de vue rationnel du moins. Apprends d'abord à ressentir avec le corps.

Ainsi, j'assimilai des théories hétéroclites, de la préparation du thé à l'escrime, aux manuels militaires vieux de trois mille ans, jusqu'aux codes éthiques d'anciennes castes guerrières. Je fus contraint de mémoriser des chapitres entiers des écrits du moine Dogen, qui parlaient de tout, sauf de cuisine. Ensuite, Trinkwein me passait à l'interrogatoire. Le cerveau fumant, je devais répondre sans faillir.

— Qu'est-ce que la gnose ?

— Tout savoir qui se pose comme connaissance suprême.

— Qu'est-ce que la sapience ?

— La combinaison parfaite entre la sagesse et la science.

— Combien de grammes de viande par personne pour un repas ?

— Cent quatre-vingts grammes, c'est raisonnable.

— Raisonnable?

— C'est une moyenne qui ne relève pas de l'absolu, si l'on tient compte du nombre de services autour de la grosse pièce : bœuf, gibier, volaille, porc.

— *Ja*, c'est logique!

— Pratique, je dirais plutôt!

— Tu commences à nuancer, c'est très bien!

— À quoi servent ces vieux bouquins? demandai-je un jour pendant que j'affûtais sa hache de boucher, fatigué par les questions qu'il me posait.

— C'est à toi de le découvrir.

À ce jour, je ne suis pas certain de l'avoir découvert, mais j'ai fini par comprendre ce qu'était l'esprit neuf du débutant.

Initiation aux curiosités alimentaires

Certaines habitudes alimentaires du maître me stupéfiaient, notamment son petit-déjeuner qui consistait en quatre œufs *balut*.

— Avec mon ami Panjamawat du Siam, qui m'initia à la cuisson aux piments, j'ai adopté autrefois ce rituel des maisons de plaisir de Formose, me confia-t-il. Le *balut* est un œuf de poule ou de cane fécondé et incubé pendant deux semaines. Dans plusieurs contrées d'Extrême-Orient, ce mets est reconnu pour ses qualités aphrodisiaques. À mon âge, l'aspect énergétique a pris le relais.

Trinkwein le consommait suivant un déroulement précis. Il le cuisait de six à sept minutes et le dégustait chaud, en brisant délicatement le dessus de l'œuf puis en enlevant la coquille. Il suçait la membrane gluante, gobait l'eau visqueuse et savourait le poussin de la tête aux pattes. Un jour, devant ma mine déconfite et le dégoût que m'inspirait cette abomination culinaire, il m'expliqua :

— Le succulent *balut* n'est pas une exception dans les aliments qui rebutent. Pour preuve, les Islandais consomment du requin pourri. Le *Hákar* est une tradition des temps de la faim dans un pays où le gibier est rare. Avant d'être séché, le requin du Groenland est coupé en morceaux et enterré six mois, afin d'en éliminer les odeurs d'ammoniaque et la toxicité. Pour faire descendre les bouchées, on boit une sorte de schnaps. Autre exemple, les habitants de l'empire du Milieu et les Européens de l'Hexagone mangent des cuisses de grenouilles, une merveille culinaire qui suscite une vive répulsion chez les Anglo-Saxons. De nos jours, en Amérique du Nord, les huîtres des Rocheuses sont des testicules de veau récupérées à la castration que les cowboys du Colorado mangent en lamelles frites. Les Texans sont friands du crotale poêlé. Pourquoi pas? Les Belges adorent les anguilles au vert. Au Siam, on raffole des sauterelles fraîches en rouleaux. En Mandchourie, les chrysalides de papillons se servent grillées en brochette. Contre le rhume ou l'impuissance, la soupe au pénis de cerf est consommée à Singapour, en cuisine mais aussi en pharmacie. On y ajoute un hippocampe, si mes souvenirs sont exacts. Sautés à l'huile, enrobés d'une purée d'*avocado* et servis dans un taco, les vers de l'agave ravissent les Mexicains. L'empereur aztèque Moctezuma en mangeait dans sa cour, un nec plus ultra pour un festin royal. En ce qui concerne le *balut*, sache qu'il est au cœur de nombreux poèmes et chansons. Ne porte pas de jugement hâtif.

Mû par l'ego, j'acceptai son défi et saisis l'œuf qu'il me tendait, mais, incapable d'avaler, je recrachai tout dans la poubelle.

— Idée préconçue ou pas, c'est infect! m'offusquai-je.

J'eus l'impression que le rire de Trinkwein fit vaciller le portrait de l'Inconnu.

— Qui est-il? demandai-je en pointant l'index vers le cadre.

— Un homme qui m'a appris des choses essentielles.

— Lesquelles?

— Tu en recevras les bases au moment du serment philosophique.

D'étranges personnages

Je constatai rapidement que Trinkwein était insomniaque. Il palliait son manque de sommeil par des siestes occasionnelles. La nuit, il soupait régulièrement avec du monde étrange. Ensemble, ils parlaient des langues que je ne comprenais pas. Mon maître était polyglotte. Je crois que cette aptitude lui venait de la position géographique des Trois-Frontières, où les dialectes romans et germaniques se confondent. Par le trou de la serrure, j'observai ainsi des femmes et des hommes aux crânes rasés, des personnages aux cheveux hirsutes et à la peau sombre, des voyageurs aux vêtements exotiques et colorés ou aux tenues sobres et soignées. Intéressés par la politique et les sciences occultes, certains individus étaient proches des idées révolutionnaires de Marx et d'Engels, d'autres des adeptes des spiritualités qui remettaient en cause les religions traditionnelles trop dogmatiques. Parmi eux, on rencontrait des pseudo-alchimistes, des rosicruciens et beaucoup de charlatans dont les mises en scène mystificatrices amusaient Trinkwein, qui s'en délectait durant nos temps libres. Un soir, avec Albin et Dugommier, il nous prit pour témoins d'un pseudo-Tibétain qui tenta de léviter, en position du lotus. Il me parut qu'il décollait d'une dizaine de centimètres quand Trinkwein commenta, pragmatique :

— Pas vraiment un client potentiel! Il est bouddhiste, donc végétarien.

Quand le bonze sembla retomber sur son cul d'un bloc, il éclata de rire avant de le mettre dehors.

D'où lui venait cet intérêt pour les choses bizarres?

— Elles nous remettent les pieds sur terre! N'oublie jamais que les cuisiniers sont les seuls véritables alchimistes. Parfois, ce qu'ils touchent devient or. Glisse un peu de magie dans ta vie, car la magie est la vie elle-même.

Yasuda

Mes premiers pas dans les cercles de l'Ordre n'eurent rien de protocolaire. Je travaillais depuis quelques mois déjà, lorsqu'une nuit je fus pris en flagrant délit d'espionner le maître par le trou de la serrure. Assis devant sa table de bibliothèque, Trinkwein avait dressé le couvert, il attendait Yasuda. Je sentis mon oreille s'étirer sous la force d'un pincement de doigts. Une main poussa la porte et j'entendis :

— *Haï*, c'est vrai qu'il observe ce garnement, déclara l'étranger aux yeux bridés en s'inclinant devant le maître.

— *Ja*, la curiosité n'est pas défaut, *Kamarade* Yasuda.

En me dégageant de son emprise et en me retournant, je dévisageai l'homme. Il portait un *kasa*, ce chapeau japonais en paille et en forme de panier, enfoncé jusqu'aux sourcils, et une pèlerine ornée des armoiries aux cinq cercles. Des tatouages de dragons et de serpents dépassaient de son col. Il lui manquait la phalange du petit doigt sur la main gauche.

— Vous vous êtes coupé, Monsieur ? lui demandai-je, curieux.

— *Hajimimashite, Yasuda, yoroshiku*, se présenta-t-il avant de me donner pour réponse : Je suis Japonais.

Fasciné par la texture des lames de ce pays, j'enregistrai naturellement dans ma mémoire ces premiers mots d'une langue à des années-lumière de la mienne.

— On a exigé ce geste de moi, il y a longtemps, mon garçon, avoua-t-il alors d'une voix gutturale. C'était le prix à payer pour quitter une confrérie afin d'en rejoindre une autre. C'est aussi ce qui arrive quand on n'écoute pas son maître !

— Mon cher Yasuda, je vous présente un nouveau membre de notre fraternité, annonça Trinkwein, d'un ton joyeux. Voici mon initié.

— Ainsi, c'est lui, émit Yasuda en me massant doucement l'oreille. L'initié dont je serai le premier formateur !

Trinkwein me demanda alors de préparer ma valise d'un ton solennel.

— Ce sera ton premier apprentissage hors de ces murs, dit-il d'une voix rassurante. Je ne pourrais te confier à meilleure personne que Yasuda *Senseï*.

Après le repas, nous saluâmes mon maître et prîmes le train.

À Bruxelles, Yasuda m'incorpora au sein de son équipe. Son atelier se trouvait dans les sous-sols de l'ambassade du pays du Soleil levant. À mon grand désarroi, ses employés et son initié ne parlaient pas un mot de français.

— Ce sera une excellente occasion de t'essayer à une nouvelle langue, me dit-il.

Le Japonais m'enseigna d'abord la propreté dont il était maniaque. Il travaillait vêtu d'un *gi* blanc, qu'il changeait régulièrement. Il m'apprit ensuite à organiser ses équipes et à planifier le travail. Il touchait peu la nourriture. Je ne l'ai vu embrocher un animal qu'une seule fois, un bœuf entier. Vif comme l'éclair, il exécuta la technique avec une fluidité exceptionnelle. Yasuda mangeait peu de viande, seulement les meilleurs morceaux. Par contre, je découvris qu'il adorait le carpaccio italien : de fines tranches crues de filet de bœuf assaisonnées d'huile d'olive précieuse, de sel et de poivre moulu, de basilic frais haché et de quelques copeaux de parmesan, le tout arrosé d'un peu de jus de citron ou de vinaigre balsamique. Je pensais qu'il allait me confier les mystérieux secrets d'îles lointaines. Il n'en fut rien. Il m'enseigna sa science de la découpe du poisson, qu'il mangeait cru et assaisonné de sauce soya. D'emblée, il m'expliqua que le poisson, dans toutes les cultures et dans plusieurs religions, porte chance et bonheur et me fit comprendre que sa découpe est plus délicate que celle de la viande.

— La chair marine glisse, les arêtes sont autant d'obstacles à la fluidité. C'est la raison pour laquelle il faut beaucoup de doigté et de prudence. Un préparateur de sushis et un bon poissonnier peuvent certainement faire un bon boucher, le contraire n'est pas toujours vrai. Tout est dans la technique !

Yasuda me familiarisa avec l'aiguisage à la manière japonaise. Surtout, il me transmit son code d'éthique qu'il résumait ainsi :

— Celui qui possède la maîtrise de son art possède la maîtrise de tous les arts !

La marchandise fraîche arrivait tous les jours d'Ostende. Du thon à la sardine, il me fit lever un nombre incalculable de filets, du plus grand au plus petit et de plus en plus vite. Au bout de quelques semaines de ce régime d'enfer, ma dextérité au couteau atteignit une dimension nouvelle. Le test final fut la taille chronométrée d'un radis en rondelles. Canalisant ma concentration sur le crucifère à la peau rouge, je cherchai à ressentir chaque mouvement de lame débitant les tranches sur la planche de bois, résonnant dans un claquement sec et régulier. Quand Yasuda constata la quasi-transparence des tranches, je discernai dans son visage parfois sévère une satisfaction évidente. Enfin, il m'autorisa à procéder à la découpe d'un bœuf de Kobé, le fameux wagyu, le caviar des viandes rouges. C'était à l'occasion de la visite incognito d'un membre de la famille impériale. L'ambassadeur convoqua d'urgence Yasuda. Le wagyu était suspendu dans une chambre fraîche au sous-sol. Yasuda me fit saluer la dépouille. Il insista pour que je remercie l'éleveur qui avait veillé à son alimentation biologique, versé de la bière dans sa moulée et massé ses chairs avec du saké. Yasuda vérifia attentivement le certificat d'authenticité.

— L'animal provient d'une bonne lignée génétique, celle des Fujiyoshi de la région d'Okayama. La viande est d'un marbré exceptionnel. Il y a vingt ans, avec maître Trinkwein, nous avons embroché un animal similaire. Il l'avait à peine assaisonné de sel, de poivre et d'un peu d'huile en début de cuisson. Il était hors de question qu'une épice en altère le goût. Ainsi en est-il des aliments nobles. Ton maître avait ajouté quelques branches sèches de sarments de vigne au charbon de bois ardent. Le contrat était pour un milliardaire américain qui arrosa ce mets magnifique d'une sauce industrielle. Ce fut une des grandes déceptions de ma vie! Au travail maintenant, commence par le filet.

Ma lame incisa le wagyu et j'eus l'impression de trancher du beurre. Je débitai des morceaux à la chair marbrée et tendre en suivant des courbes précises. Après le service, l'instructeur m'accorda le privilège de déguster plusieurs morceaux. Ce fut un festin digne d'un kami, une de ces divinités de la religion shintoïste que Yasuda vénérait parfois, car il pratiquait le zen.

— Kami un jour, kami toujours, dit-il après la dégustation.

Depuis, je n'ai pas eu l'occasion d'apprécier chair aussi délicieuse.

Les marinades

— Le wagyu était bon? me demanda le maître à mon retour de Bruxelles.

Dugommier se curait les ongles d'orteils au-dessus de sa bassine, Trinkwein me souriait.

— Tu en mangeras peu dans ta vie, peut-être jamais plus! Ferme les yeux et remémore-toi chaque sensation éprouvée quand les tranches fondaient dans ta bouche.

Je venais d'arriver de voyage et déjà mon initiation se poursuivait! Docile, je m'exécutai, disséquant les sensations que mon odorat, mon palais et mes papilles avaient enregistrées. Quand la leçon fut terminée, il me pointa du doigt et me sermonna ainsi:

— Rien n'est permanent, tout change. Rien ne demeure, surtout pas les perceptions. L'enseignement de Yasuda portait au-delà de la découpe du wagyu: il contient l'éternité qui réside dans chaque geste, dans chaque instant. Le présent est l'unique vérité. Seul a compté le moment où tu coupais, celui où Yasuda cuisait, celui où tu as dégusté les tranches fines.

— Le wagyu est la viande ultime, ajoutai-je dans un élan enthousiaste.

— *Ja!*

Le maître se leva et me prit amicalement par le bras.

— Il n'existe que trois points de cuisson. Saignant. À point. Et bien cuit. Les cuissons intermédiaires, si chères à ces bouilleurs de viandes anglo-saxons, ne portent qu'à confusion et finalement au mécontentement du convive et du maître.

Nous étions face à la porte, face au portrait de l'Inconnu. Pour la première fois, le maître m'introduisit dans l'atelier. L'atmosphère me parut sinistre, car le vent qui s'engouffrait dans la cheminée soufflait en hululant. C'était une immense et haute pièce circulaire en forme de tête d'obus et aux murs de pierres. En levant la tête, on apercevait le système d'évacuation de la fumée disposé au sommet et canalisé par une cheminée. Au-dessus des trois points d'eau, plusieurs fenêtres laissaient passer la lumière. Une longue porte coulissante favorisait une aération immédiate. Les broches étaient rangées sur un râtelier mobile. Le point de cuisson central trônait sur une gigantesque plateforme en briques réfractaires. Sur les côtés, deux âtres s'enfonçaient dans les murs. Il y avait aussi une fosse entourée de sable, pour les préparations à l'étouffée. Les sacs de charbon de bois étaient empilés dans un coin délimité par un muret. Des glissières amovibles permettaient de tracter des pièces de viande trop lourdes pour être déplacées à dos d'homme. À la vue de tous ces chaudrons lustrés, de ces étagères où attendaient des herbes fraîches, des racines de toutes origines et des épices aux senteurs inconnues, le sentiment de pénétrer dans l'antre d'un sorcier m'étreignit profondément.

— Les épices sont importantes, précisa Trinkwein. Pour elles, il y a quatre cents ans, Christophe Colomb a cherché une voie vers l'Inde et a ainsi découvert l'Amérique. Mais attention au dosage !

Il me demanda de toucher les bouteilles d'huiles. Dans les armoires, il y en avait de toutes les tailles et de toutes les formes. Je relevai sur les étiquettes les inscriptions calligraphiées : olive, sésame, arachide, colza, carthame, argan, noix, noisette...

— Le gras, c'est la vie ! s'exclama-t-il en tendant la main vers sa panse.

Il me fit ensuite respirer des fioles de vinaigres balsamiques, de vin, de pommes et de fruits. Il me fit zester un citron et une lime, puis une orange et un pamplemousse. Je dus en extraire les jus et les avaler d'un trait. Dès le premier signe de crispation sur mon visage, il s'enthousiasma.

— Bienvenue dans le monde des marinades !

Trinkwein s'installa sur une chaise haute et me fit asseoir derrière un pupitre au bout de l'atelier. Il me fit ouvrir un grimoire à la couverture de cuir patiné. En se caressant la barbichette, un œil malicieusement posé sur moi, il récita textuellement les phrases manuscrites :

— « Les marinades sont des liquides condimentés dans lesquels on met à macérer des substances alimentaires. Dans l'art du méchoui, elles servent à badigeonner l'animal avant et pendant sa cuisson. Ces procédés remontent aux temps anciens. Les premiers chasseurs avaient compris qu'enduire la chair animale d'éléments liquides graisseux et acides permettait de la conserver plus longtemps et d'en bonifier le goût. Les marinades tiennent de la magie. Ceux qui maîtrisent ces bases sont dignes de recevoir le titre suprême de maître du méchoui ! » Si la marinade, *junge* initié, efface odeurs nauséabondes et saveurs putrides, cela ne justifie pas de servir aux convives des mets pourris. Souviens-toi du goût divin du bœuf de Kobé : l'humain mérite toujours le meilleur.

Enregistrant cette phrase empreinte de sagesse, je rejoignis ma chambre, heureux d'en retrouver l'environnement apaisant. Sur ma table de chevet, Trinkwein avait laissé un manuscrit rédigé à la plume et intitulé :

L'abc des acides et du gras. Altération des odeurs et du goût.

Je feuilletai attentivement les pages jaunies. Les méthodes de préparation n'avaient rien d'appétissant. D'ailleurs, cette étape de mon apprentissage est celle dont je suis le moins fier, je l'avoue. Durant de longs mois, je fis mariner des chapons daubés, des venaisons putrides, des abats hors des limites de consommation. Je m'acharnai à faire disparaître les odeurs de pisse de vieux rognons et la puanteur de carcasses de porcs et de bœufs. Souvent, je fus submergé par de terribles nausées. En pratiquant la confection des marinades et en dosant les épices, je découvris qu'une réussite est souvent une question de coup de main, parfois même d'instinct. Le mélange de base est simple. Il suffit d'incorporer une huile à un élément liquide acide tels le vinaigre ou le jus de citron ou parfois un vin bouchonné. Le maître ajoutait systématiquement du sel et du poivre bien que dans le cas d'une marinade à base de sauce soya ces éléments soient inutiles. Dans certains cas, il ne négligeait pas la muscade ou le poivre de Cayenne. Il m'encouragea vigoureusement à développer mes propres techniques sans toutefois outrepasser certains schémas, celui des cultures. Par exemple : le thym et le laurier sont des classiques en marinade, mais traditionnellement, dans l'élaboration de concoctions asiatiques, ils ne sont pas utilisés. Avec le temps, le maître me transmit ses connaissances en ayurveda, en particulier l'usage des herbes et des épices. Nous oublions souvent qu'en Inde, ces cadeaux de la nature sont fréquemment inclus dans la pharmacopée traditionnelle.

— Qu'en penses-tu? me demanda un jour le maître, après une leçon sur les méthodes de conservation.

— Cet enseignement n'a rien d'appétissant! répondis-je sincère.

— Je te l'accorde. Or, maintenant, les fournisseurs ne pourront plus te berner avec toutes sortes de combines destinées à masquer la mauvaise qualité des aliments!

Élie

La saison des méchouis n'avait pas encore débuté, mais déjà les commandes des clients s'accumulaient. La renommée du maître avait dépassé les cinq frontières (comme dit l'adage de notre ordre, celles des terres, des mers, de l'espace, du corps et de l'esprit). Il n'était pas question de risquer sa réputation par manque de planification. Ce n'était pas la première fois qu'il devait composer avec ce genre de situation, mais cette année-là, il fut d'une humeur de chien.

— En cette ère asservie aux théories dogmatiques et avilissantes de la concurrence, notre mère Terre glisse dans une spirale mercantile où la vitesse et le profit menacent les compétences traditionnelles, sermonnait-il. La réputation importe plus que l'argent. Tu peux regagner ta mise aussi vite que tu l'as perdue, mais reconstruire une réputation démolie, c'est beaucoup plus difficile !

Je me souviens que pour fuir les pestilences de volaille daubée, je m'éclipsais régulièrement pour aller respirer l'odeur du lilas printanier et méditer les paroles de Trinkwein. De retour devant mes bassines métalliques, j'aspergeais d'eau citronnée la chair visqueuse et répugnante qui collait à mes mains. J'étais en train d'enduire le poulet de grain d'un mélange d'huile et de vinaigre de riz, de saké, de sauce soya, de gingembre, d'ail haché, d'écorces de citrons et de piments, quand j'entendis une voix puissante :

— Tu vas avoir besoin de toute ta science pour la faire passer celle-là. Je te conseille d'y ajouter du wasabi en poudre.

Un géant au regard sombre et intense se pinçait le nez en me regardant. Il retira le capuchon de sa djellaba en apercevant le maître et s'adressa à lui en posant son index sur sa tempe :

— Espèce de maboul sénile ! Tu ne changeras donc jamais. Pourquoi faut-il que tu bourres le crâne du disciple avec tes inepties ?

— C'est un initié, Élie, un initié !

— Tu sais que je préfère le titre de disciple, il se marie mieux au terme discipline. Ce garçon en est encore aux préliminaires de la formation de l'Ordre. Crois-tu pouvoir en tirer quelque chose avec des méthodes pareilles, vieux rétrograde ?

Intérieurement, j'étais furieux du manque de respect de cet Élie envers Trinkwein. Curieusement, ce dernier ne s'en offusqua pas.

— *Guten Tag*, frère Élie.

— *Shalom*.

Les deux hommes se congratulèrent. En s'approchant de moi, Élie me serra doucement la main, il était si grand que j'arquai le cou pour soutenir son regard. Plus tard, je compris que les maîtres parlent ainsi entre eux. Élie en fut tout un, en vérité. C'était un Juif du protectorat français du Maroc, contrée où le méchoui est roi. Le colosse descendait d'une lignée de forgerons. Il avait la science infuse du feu. Il en possédait plus que la technique ; il était le feu même ; la flamme, la matière qui fume, qui s'allume et rougit avant de cuire et de mourir. Son interaction avec les braises est difficile à expliquer. Cet été-là, Élie m'enseigna quel type de bois et de charbon choisir et la manière de l'entasser avant de l'allumer. Il me montra quand le répandre, comment jouer avec la braise aux différentes phases de la préparation et de la cuisson. Avec une pelle, il déjouait les pièges de la graisse animale qui coulait de la broche et enflammait le brasier. Au moment juste, il tisonnait la cendre car il percevait instinctivement l'âme du feu s'éteindre. Il rajoutait alors une poignée de sel pour en raviver la flamme. Ça crépitait au moment de l'arrosage.

— Tous les maîtres connaissent ce truc ! Le sel est primordial. Rehausseur de goût par excellence, il fut le vecteur essentiel à l'expansion de l'Empire romain parce qu'il conserve les aliments. Il permit donc aux légions une autonomie plus importante durant leurs mouvements tactiques. D'ailleurs, les légionnaires étaient payés en mesure de sel, d'où le mot *salaire*.

Grâce aux différentes essences de bois, Élie ajoutait à ses mets des senteurs subtiles et parfumées. Parfois, en fin de cuisson, il saupoudrait le feu d'une sciure de sa fabrication. Il s'exclamait toujours, émerveillé :

— Observe la braise illuminer le méchoui de myriades d'étoiles microscopiques. C'est de la magie pure !

Il fut d'une patience infinie avec moi. Il faut savoir que la maîtrise du feu ne s'acquiert que par la pratique. Sans la fluidité du geste mille fois répété, l'instinct ne peut s'exprimer.

— Rôtir, braiser, sauter, poêler, pocher, griller ! Tant de méthodes et de procédés de cuisson ! Parmi eux, l'art de la broche est le mode supérieur. À toi maintenant de découvrir pourquoi. La règle élémentaire du méchoui, c'est l'observation.

L'intensité du feu dépend de l'animal à cuire. Les viandes rouges, très chargées en sucs, seront saisies, puis soumises à une chaleur soutenue de façon à en assurer la cuisson des couches successives. Je te montre...

Il m'indiqua comment préparer différentes sortes d'animaux domestiques et de gibiers, comment les mariner et les cuire en broche. Élie ne gaspillait rien. Avec les os, il concoctait des bouillons parfumés qu'il faisait réduire jusqu'à une masse sirupeuse, qu'il réutilisait dans certaines préparations. Il cuisinait les abats, les organes sexuels, les cous, les queues et les pattes en tajine, une science ancestrale aux recettes épicées et harmonieuses. Comme mon maître, il offrait ces mets succulents aux religieux pour qu'ils les redistribuent aux mendiants. Il s'attacha à m'enseigner les découpes des différents animaux, bœuf, agneau et porc, une viande qu'il ne consommait pas mais dont il obtenait des résultats juteux et fondants. Comme Yasuda, il me confirma que celui qui possède la maîtrise de son art atteint celle de tous les autres. Je m'efforçai d'assimiler ce concept. Comment et par où procéder aux coupes, comment casser et détacher les os des pattes, comment briser les nuques et séparer les têtes en un temps record.

— Voici un des secrets du méchoui, disait-il. La vitesse. Car si les pièces sont nombreuses à embrocher, il ne faut pas perdre de temps.

Menés par mon maître, Élie, Dugommier, Albin, ses larbins et moi-même allâmes de réception en réception.

— *Mazeltov*, tu n'as plus besoin de moi, me dit Élie au terme de mois qui passèrent en un éclair. Ma science essentielle est transmise, tu as assimilé les mouvements de base.

L'automne s'achevait. Il n'y avait plus de feuilles sur les arbres. Le géant juif venait de nous annoncer son départ imminent.

— Tu vas me manquer, lui dis-je d'une émotion retenue.

— Toi aussi.

— *Ich auch*[2], avait murmuré Trinkwein en regardant dehors. Il y aura bientôt de la neige.

— Tu as l'air préoccupé, frère Trinkwein.

— *Ja*, je viens de recevoir un courrier de notre siège social de Paris. Il m'a été signalé que l'initié devra se rendre à Calais d'ici peu, pour la prestation du serment philosophique.

J'enregistrai l'information sans un mot.

— Sait-on dans quel endroit la cérémonie se déroulera? demanda Élie.

— *Nein*. J'opterais pour le nord de l'Europe.

— À cette époque de l'année, avec cette température, ce n'est pas le meilleur moment, fit remarquer Élie. C'eût été mieux à Jérusalem ou à Pompéi!

— C'est comme l'armée, on t'envoie toujours où tu ne t'y attends pas, prétendit le maître.

Ensemble, nous vidâmes une bouteille d'alcool de dattes en évitant de revenir sur le sujet. Élie nous prépara un tajine d'amourettes de bœuf avec des petits légumes, de l'ail, de la coriandre, quelques quartiers de citrons confits et une pointe de harissa. En avalant, je cherchai à retrouver le goût de chaque épice. Silencieux, Trinkwein dégusta doucement chaque

---

2 « À moi aussi », en allemand.

bouchée. Visiblement satisfait, Dugommier s'empiffra en émet-
tant des grognements. Élie termina son assiette le dernier. Il
vida son verre de thé à la menthe, chaussa ses babouches, enfila
sa djellaba, puis me serra dans ses bras. Il se dirigea ensuite
vers la porte.

Il marqua un arrêt devant le portrait de l'Inconnu.

— *Shalom*, mes amis.

Le serment philosophique

Deux jours plus tard, la lettre officielle du siège social arriva de Paris. Mon ordre de marche pour Calais, qui me faisait ensuite rejoindre une destination secrète, plongeait Trinkwein dans l'embarras. Le maître avait besoin de moi. Il ne pouvait se permettre de reculer les salaisons et les fumaisons de certaines viandes aux calendes grecques. Au lieu de l'assister, à moins d'un mois des réveillons, je me trouverais on ne sait où.

— Puis-je y aller plus tard ? proposai-je de bonne foi.

— Non, cela ne dépend pas de nous !

À la date prévue, je mis une journée complète pour rejoindre Calais. Sur les quais glissants de la gare, je pris contact avec les frères Hurlusse et Ali. Pour se faire reconnaître, ils avaient déployé un petit drapeau avec cinq cercles. Vêtus de longs cirés de matelots, ils m'attendaient avec une trentaine d'autres initiés, fraîchement débarqués des cinq continents. Plusieurs venaient de pays chauds et leurs vêtements étaient inadaptés à nos climats. Nos guides entreprirent de distribuer des chandails et des écharpes aux plus mal lotis et nous servirent du café et des biscuits dans le hall d'attente.

— Changement de programme! annonça Hurlusse au moment du départ. Les autorités portuaires viennent de nous avertir que les traversiers restent à l'amarrage vingt-quatre heures à cause de la tempête sur la Manche. Nous irons donc rejoindre les autres initiés bloqués à Ostende.

— Quelle bande de glandus! ronchonna une voix derrière moi. Ça fait une semaine que j'ai quitté Marseille!

En me retournant, je découvris un curieux petit bonhomme, chétif, aux cheveux crépus, au visage maigre, au teint mat et aux yeux vifs. Il semblait avoir une certaine emprise sur les autres, qui se regroupaient naturellement autour de lui.

— Hakim, se présenta-t-il, en toussant et en traversant le cercle. Je suis l'initié de maître Luciani.

— Je suis l'initié de maître Trinkwein.

La conversation fut interrompue par le chef de gare qui nous fit changer de voie. Nous nous retrouvâmes sur les banquettes d'un tortillard de dernière catégorie qui crachait de l'huile, de la vapeur et de la fumée par tous les tuyaux. Dans les wagons bondés, ça puait le vêtement humide et le cuir trempé. Durant le trajet entre Calais, Dunkerque et Gand, nous eûmes l'occasion de faire plus ample connaissance. Comme moi, Hakim était orphelin. L'Algérien avait passé son enfance à faire les quatre cents coups, avant d'être recueilli par le maître Luciani, à Marseille.

— J'ai manqué de bol, dit Hakim. J'ai failli y rester à cause d'une pneumonie. Au moment où je venais de m'en remettre, mon maître a succombé à une crise cardiaque.

— Que comptes-tu faire? demandai-je en sondant la plaine flamande noyée sous la pluie.

— Le siège social doit statuer sur mon cas. Normalement, j'aurais dû assister à la prestation du serment philosophique l'an dernier, sur le mont Olympe. Il fait chaud là-bas! Cette galère ne me dit rien qui vaille. Ostende est un port de mer. C'est clair qu'on filera vers le nord, terres bataves, Prusse, îles britanniques, pays scandinaves. Partout, un temps excrémentiel à l'année. Ce sont des contrées peuplées de sauvages qui ingurgitent de la viande bouillie, bien plus portés sur la boisson que la bonne chère!

— Comment le sais-tu?

— Maître Luciani l'affirmait. En tout cas, je ne tiens pas à moisir de gare en gare sous cette pluie qui ne semble pas vouloir s'arrêter. C'est mauvais pour mes poumons, a insisté le docteur. Quand je pense que dans mon pays, on dit que cette flotte qui tombe du ciel est une bénédiction...

— C'est où ton pays?

— La France. Département d'Algérie.

— Ventre-saint-gris, pour un malade, tu me sembles avoir la langue bien pendue, toi! l'interrompit soudain une voix tonitruante émergeant de la banquette arrière.

Nous croisâmes le regard de Hurlusse. Quand Hakim se mit à tousser, le frère éclata de rire.

— Comédien, va! dit-il en rabattant le capuchon de son ciré sur son visage. Essayez plutôt de dormir.

Au milieu de la nuit, nous arrivâmes à Gand, juste à temps pour un autre train. Quatre heures plus tard, nous pataugions dans les flaques d'eau sur la digue d'Ostende. Les nuages noirs comme du goudron nous bombardaient d'une pluie glaciale, on se serait cru en pleine nuit malgré que le jour se levait. Tous les traversiers se bousculaient à quai, ils ne partiraient pas. L'activité portuaire était réduite à zéro. Nous étions d'humeur morose. Les vagues claquaient sur les digues, malgré la marée basse. Le vent vidait les rues.

— On n'est pas sortis de l'auberge! me souffla Hakim.

Nous venions de rejoindre l'autre groupe d'initiés. Au nombre de vingt, ils étaient originaires des pays de l'Est. Il y avait une forte proportion de filles, jolies, grandes et blondes. Sous la pression de la testostérone, le moral remonta d'un bloc, surtout chez les aînés.

Hurlusse et Ali nous conduisirent dans un relais de poste pour nous mettre à l'abri de la fureur des éléments. Il n'y avait pas une seule table libre. D'un air grognon, les équipages des navires et les pêcheurs sifflaient des bocks de bière en scrutant l'horizon. On avala du café, des tartines de pain de campagne beurrées et des harengs fumés. Puis on poireauta, encore. Excédé, Hakim trouva un prétexte pour se dérober.

— Viens, murmura-t-il en me tirant par le bras. Maître Luciani affirmait que dans les ports il y a toujours des pouffiasses!

— C'est quoi, des pouffiasses?

Je le découvris une dizaine de ruelles plus tard, dans un cul-de-sac aux maisons couvertes d'une pellicule de sel de mer. Jambes écartées et jupes relevées, une fille urinait dans la rigole. En me retournant sans cesse, je suivis Hakim. Je craignais que Hurlusse et Ali n'aient découvert notre absence. Le quartier dégageait une ambiance de coupe-gorge. Près des bordels, des malfrats aux visages balafrés relevaient les profits des filles terminant leurs heures de passes. Sous une porte de cabaret, une dame se faisait peloter les fesses par un gros monsieur avec un tablier de boucher. Il n'y avait pas l'ombre d'un policier.

— Ne montre pas que tu as la trouille, recommanda Hakim.

Il se promenait dans ce genre d'endroit avec une aisance déconcertante, pas moi. Sous les lanternes rouges, des dames aux corsets révélant leurs formes rebondies racolaient les quelques clients assez fous pour mettre le nez dehors.

— Combien ? demanda Hakim à une brune pulpeuse qui ne parlait que flamand.

Elle sembla comprendre parce qu'elle montra cinq doigts.

— Cinq sous, pour les deux ensemble ? chercha à marchander Hakim.

La négociation se termina abruptement lorsque la dame cogna sur la vitrine. Une porte s'ouvrit brusquement et un colosse aux proportions d'un lutteur de foire entreprit de nous poursuivre avec un gourdin. On le largua grâce à Hakim qui renversa toutes les poubelles sur notre passage. La brute épaisse finit par s'étaler sur les déchets d'une poissonnerie. Nous l'entendîmes gueuler jusque sur la digue. De retour au relais, nous constatâmes qu'Hurlusse et Ali nous cherchaient dans la foule. On fit semblant de somnoler près des toilettes, stratagème qui ne parut pas les convaincre.

— Où étiez-vous ? nous engueulèrent-ils.

Ils nous passèrent un savon. On décida alors de se tenir à carreau, jusqu'à destination. On embarqua le soir même. Sur le traversier qui tanguait, il était quasi impossible de tenir debout. Nos guides nous avaient recommandé de ne pas trop manger, mais quelques-uns n'avaient pas écouté, ou bien ils avaient mal compris. Sur le rafiot chamboulé de tous bords, avec Hakim mort de rire, on assista au spectacle des initiés slaves vomissant leurs moules et leurs frites dans les flots de la mer du

Nord. Comme ils se mirent à gerber face au vent, ils se prirent une partie du menu ostendais dans la figure. La rigolade ne dura pas, nous n'en menions pas large en posant le pied à Douvres. Les trois quarts des passagers étaient verts, et pourtant il nous fallut grimper encore dans des trains : un jusqu'à Londres, plongée dans un smog jaunâtre, puis d'autres encore roulant à une allure de limace vers des coins paumés, aux manoirs masqués de nuages bas.

— Avec cette grisaille, au moins, on ne voit pas la misère, commenta Hurlusse en scrutant le paysage détrempé.

Après quatre jours de voyage, nous terminâmes à pied dans le brouillard. Grelottants, trempés jusqu'aux os, épuisés, nous ressemblions à une armée en débandade. Hurlusse et Ali nous conduisirent au milieu de nulle part, dans une tente qui ressemblait à celles des garnisons romaines. En toile imperméable, circulaire et gigantesque, elle était confortable et chauffée. Une équipe logistique déployée sur directive du siège social nous avait précédés. Un maître d'hôtel, un chef de rang et deux commis de salle nous servirent du poulet à la broche, de la tarte aux pommes et des boissons chaudes, des délices appréciés, après notre périple. L'Ordre avait même pensé à embaucher plusieurs interprètes qui nous permettaient de communiquer entre nous. Nous revenions à la vie !

Lorsque la pluie cessa enfin, Hakim fut le premier à regarder dehors.

— Où est-on ? demanda-t-il en entourant son visage d'une écharpe.

Personne n'avait eu l'idée de poser la question. Suivi des autres initiés, je me précipitai pour voir. Dans le noir, nous distinguâmes des colonnes de pierres. Le bruit du vent avait quelque chose de lugubre... c'était sinistre.

— L'endroit s'appelle Stonehenge, c'est un site mégalithique, expliqua Ali aux interprètes, qui traduisirent simultanément.

— On est en train de se faire entuber! pesta Hakim. Ils auraient pu nous envoyer à Ayers Rock en Australie, dans l'île de la Lune sur le lac Titicaca, ou même à l'église de Glastonbury! Ici, c'est le trou du cul du monde!

D'un air malicieux, Hurlusse posa la main sur l'épaule du Maghrébin.

— En tenant compte que cet orifice peut être autant une sortie qu'une entrée, je préciserais que cette remarque est judicieuse car non dualiste!

Le serment philosophique eut lieu le lendemain. La matinée fut réservée aux formalités administratives d'usage. Puis nous fûmes rassemblés dans une tente autour de trois agneaux embrochés par Zamad, un initié en fin d'apprentissage.

— *As salam alikoum*, salua l'Égyptien.

— *Wa alikoum salam*, répondirent naturellement Ali et Hakim.

Des drapeaux de toutes les couleurs ornés de notre emblème formant une fleur étaient déployés sur la longueur de la toile.

— Pourquoi la couleur des drapeaux diffère-t-elle et pourquoi les cercles s'éloignent-ils ou se rapprochent-ils d'un drapeau à l'autre? demandai-je à Ali.

— L'éloignement et le rapprochement démontrent le mouvement impermanent des éléments. La couleur n'est qu'une question de sensibilité personnelle. Par exemple, certaines contrées ont plus d'interactions géographiques avec le bleu de la mer qu'avec le vert des terres, d'autres sont des terres sombres parce qu'elles sont volcaniques, elles rappellent la cendre, tandis que les terres jaunâtres des déserts rappellent le sable. Le blanc symbolise la neige ou la pureté, mais dans une île du Pacifique, le bleu du lagon peut également symboliser cette pureté. Tout est relatif ! Sur un même drapeau, on peut combiner plusieurs coloris. Ce qui compte, ce sont les cercles. La couleur n'importe pas. Il devrait en être ainsi des hommes.

Estimant cette explication satisfaisante, je le laissai vaquer à ses occupations. Il se dirigea vers un coffre où s'entassaient des piles de livres. Hurlusse et Ali distribuèrent à chacun son *Codex référentiel*, un livre de la taille et de l'épaisseur d'un dictionnaire. Des motifs et des caractères en formes de courbes, qui ressemblaient à des poignards, à des couperets et à des lames de sabres décoraient la couverture en cuir.

— Si je saisis bien une partie des enseignements de maître Trinkwein, notre ordre prône l'harmonie. Comment expliquer alors que des motifs guerriers soient reproduits sur la couverture ? demandai-je à Ali.

— C'est pour tuer nos ennemis.

— Nos ennemis ?

— La haine et l'intolérance...

En constatant ma surprise, il continua sur sa lancée :

— Tu tombes dans le panneau du dualisme, jeune frère. Une lame peut être une arme autant qu'un outil. N'oublie pas qu'avant de devenir planteurs et agriculteurs, nous fûmes cueilleurs et chasseurs. Nous, bâtisseurs, sommes de terribles prédateurs, non pas à cause de notre force physique ni de notre vitesse à la course, mais surtout par notre capacité à traquer nos proies sur de longues durées...

— Des prédateurs?

— Oui, nous le sommes restés!

Au moment de recevoir le *Codex*, j'inscrivis sur la première page, comme on me l'indiqua, mon nom et celui de Trinkwein. Ali y tamponna les cinq cercles de son sceau. Cette formalité accomplie, Hurlusse insista pour que je tende mon pouce en sa direction. Je m'exécutai sans comprendre; il ne m'en laissa pas le temps. D'une dextérité fulgurante, il l'entailla précisément avec une pointe de rasoir. Quand une goutte de mon sang perla doucement, il saisit mon doigt et l'appuya sur un document rédigé dans une langue inconnue. Mon empreinte s'y incrusta, d'une encre pourpre, en bas du parchemin.

— Tu es désormais lié à nous par le sang! m'expliqua-t-il.

Une heure nous fut accordée pour une prise de connaissance préliminaire. Je feuilletai le livre avec intérêt. Dans nos langues respectives, il y était décrit le système administratif de l'Ordre et son fonctionnement, les codes, les signes, les appellations professionnelles, les droits et les devoirs des membres. Certains passages utilisaient des termes archaïques. L'absence d'explications me perturba dans la compréhension de plusieurs chapitres. En tant qu'esprit rationnel, je trouvai cette lecture difficile.

— Ces écritures sont la sève de nos traditions, dit soudain Hurlusse. Ressentez les subtilités avant de les aborder intellectuellement, car le *Codex* est trompeur. Contrairement à plusieurs maîtres tentés par de folles réformes, ne vous écartez pas de ses enseignements, ceux-ci protègent notre fraternité depuis des siècles.

Il se mit alors à lire la première phrase :

— « Notre monde tourne autour d'une broche activée par les cinq éléments : le vide, l'eau, l'air, la terre et le feu... »

Sur un mouvement de tête d'Hurlusse, Zamad frappa sur un socle de bois avec un bâton pour indiquer la fin de la procédure. Nous fûmes conviés à nous restaurer. Pendant que nous réservions tout un sort aux agneaux, personne ne parla du fameux *Codex référentiel*, comme si son décryptage eut incité plus à la réflexion qu'à la discussion.

— Que pensez-vous de cet ouvrage ? demandèrent Hurlusse et Ali, au terme du repas.

Comme il fallait s'y attendre, Hakim brisa la glace :

— Incompréhensible !

Tout le monde éclata de rire, même les interprètes.

— Je suis persuadé qu'un jour, jeune Hakim, tu ne le comprendras que trop bien !

En fin d'après-midi, notre promotion entama d'une voix commune le serment philosophique. Zamad alluma des feux aux quatre points cardinaux du site. D'abord, Hurlusse et Ali nous firent tourner autour des mégalithes, d'où une fumée âcre se propagea au ras du sol. Des torches gigantesques aux flammes oranges et jaunes balisaient notre parcours en dégageant une odeur de suif. Nos guides conduisirent le cortège d'un pas lent, en jetant des poignées de terre devant eux. Sous le ciel qui se mit à s'obscurcir, le hululement du vent nous accompagna durant le premier tour, puis il cessa brusquement, cédant la place au son lancinant des trompes et des cornemuses émergeant des haies environnantes. Sur le terrain humide et glissant, la température était frigorifiante.

— On caille des billes! rouspéta Hakim.

— Chaud et froid sont des constructions de l'esprit, répliqua Ali. Marchez sans vous poser de questions. Perpétuez la tradition, le cercle est l'harmonie qui régit les forces cosmiques. Découvrez l'interaction ancestrale des rites et des processions de foi, où les fidèles épousent la courbe unique pour se connecter au Tout. Ils ne semblent aller nulle part, ils retournent au point de départ. C'est vrai. Il n'y a nulle part où aller. Le but est le voyage...

Instinctivement, cinquante voix vibrèrent à l'unisson dans la plaine déserte du Wiltshire pour s'élever dans les cieux.

Un seul Ordre respecterai parfaitement.

Ses enseignements suivrai assurément.

Du Codex référentiel les règlements j'appliquerai, chassant paresse et faux-fuyants.

Mes maîtres écouterai.

Sage je deviendrai.

Dans la joie du travail bien fait,

dans l'union des cinq éléments, palais de saveurs, je satisferai.

Que la parole donnée soit mon guide.

Que le Tout me soit témoin.

Nous répétâmes ce rituel au nord, au sud, puis d'est en ouest, avant de terminer au cœur du cercle des menhirs. Quand Hurlusse nous ordonna de nous disperser, la pluie se mit à tomber en cascade, éteignant les feux, étouffant la mélodie des instruments à vent. Nous nous précipitâmes vers les tentes sous les rafales d'air glacial et les trombes d'eau. Je crus un instant que nos abris allaient décoller du sol, puis la colère des éléments se calma aussi vite qu'elle s'était déclenchée. Nos voix figées par l'émotion, nous attendîmes, déstabilisés, silencieux, incapables de la moindre initiative. Nos regards se croisant, nous demeurâmes immobiles jusqu'au moment où Hurlusse s'adressa à nous d'une voix qui vibra doucement :

— Il est temps de partir, mais il reste un rite à accomplir.

Sourire en coin, Hurlusse nous demanda alors de changer de vêtements. Sans poser de questions, nous revêtîmes des robes en toile de jute. Il nous fit aligner et, un par un, il nous désigna une construction carrée aux murs et au toit de bottes de paille, située hors de la limite des mégalithes, qu'il nous faudrait rejoindre. Me trouvant en fin de groupe, je commençai à appréhender la situation lorsque je captai des cris stridents, puis des rires étouffés. Quand mon tour arriva, j'affrontai de nouveau la pluie pour m'approcher d'un pas méfiant. J'entrepris de tirer doucement le rideau d'ouverture. Je découvris par l'interstice que la construction était sommaire, exiguë et faiblement éclairée, reposant sur une structure de poutres.

— Entre ! tonna une voix insistante. Tu ne risques rien.

Après quelques pas, je sentis fondre un liquide gluant et tiède sur moi. Voulant éviter la douche, en m'écartant, je m'étalai sur un monticule à la substance douce et moelleuse qui absorba le choc de ma chute. En me relevant, la lumière s'intensifia, je vis

Ali sur une escabelle tenant un seau dégoulinant de mélasse. Je me tournai vers les autres initiés couverts de plumes des pieds à la tête et écroulés de rire. Ainsi se termina mon baptême officiel.

Au terme de la cérémonie, récurés et déplumés, nous nous préparâmes au retour. Nos maîtres respectifs réclamaient notre présence, plusieurs en avaient pour des semaines de voyage. Avant notre départ, un éleveur de Salisbury photographia notre promotion devant les pierres de Stonehenge. (Nos archives conservent toujours cette photo où je pose à la droite de Boivin, Diouf et Sousa. Nos parcours se croiseraient plus tard.) Hakim fut parmi les premiers à partir. Nous nous séparâmes, non sans émotion. Je venais de me faire un ami. Le quitter ainsi, sans savoir ce que le sort lui réservait, me rendait inquiet, amer presque.

— Tu auras de mes nouvelles, *inch'Allah*.

Je regardai son groupe s'éloigner dans la campagne et disparaître derrière une colline, Hurlusse me confia :

— Ventre-saint-gris, il est attachant ce gringalet ! Je ne le vois pas activer des broches jusqu'à l'heure de sa retraite. Ne te tracasse pas pour lui, je l'ai recommandé à la confrérie Joyal.

— Qu'est-ce que c'est ?

— L'école de formation juridique et administrative de notre siège social. Joyal fut un de nos plus brillants éléments de ces cinquante dernières années. Il dirigeait l'Ordre, lorsqu'il décéda brusquement. Tu pars avec le groupe de Zamad, pour Ostende. Avant, je dois te remettre ceci.

Il me tendit un paquet d'enveloppes destinées à maître Trinkwein. Ensuite, il déroula sur la table une trousse d'un cuir épais et noir. L'emblème des Cinq Cercles apparaissait en relief sur la surface de la peau lisse comme une glissoire. Elle contenait une boîte d'entretien des outils de tranche, un hachoir, une hache de boucher et vingt couteaux protégés par des fourreaux en laque. Mesurant de dix à quarante centimètres, c'étaient des lames de forge artisanales, du pur labeur façonné au marteau. Polies à la main, elles révélaient une ligne de trempe admirable et un grain métallique exceptionnel. Elles étaient d'un acier bleuté appelé *tamahagane*, obtenu après avoir réduit le minerai de fer à l'aide de charbon de bois pendant plusieurs jours. Elles portaient le poinçon des Onami d'Edo, des forgerons à l'expertise transmise de génération en génération.

— Si je me fie à ce que je vois, me dit Hurlusse, maître Yasuda te tient en haute estime. Il est exceptionnel de recevoir un tel présent avant d'avoir fait ses preuves dans notre métier! Tu transmettras toute mon amitié et mon respect à Trinkwein. Après avoir lu le courrier, il te posera certainement des questions sur ce voyage. N'omets aucun détail. Bonne route.

Je saluai le frère d'une poignée de main respectueuse avant de rejoindre une des calèches qui nous conduisirent jusqu'à la gare de Salisbury. Cette cérémonie m'avait épuisé nerveusement. Je n'étais pas enthousiaste de reprendre tous ces trains et ce bateau, surtout sans Hakim pour détendre l'atmosphère. Je me plongeai dans le *Codex référentiel*.

Les interdits alimentaires

Je mis quatre jours pour atteindre les rues grises de la cité des Trois-Frontières. Dans les wagons, je passai le temps en scrutant particulièrement le chapitre des interdits alimentaires figurant au *Codex référentiel*. J'appris que les peuples de l'Islam et les fils de David ne consommaient pas certaines catégories de chairs animales. Un nombre important d'adeptes de l'hindouisme et du bouddhisme n'en mangeait pas. Il était du devoir d'un maître de les respecter tous. J'entendis la locomotive siffler notre arrivée en gare centrale ; je rangeai le livre dans mon baluchon, sachant qu'il me faudrait des années pour en assimiler les subtilités. Après ce périple, ma ville natale me paraissait un peu plus petite. Personne ne m'attendait sur les quais. En ressentant un sentiment profond de solitude, je pensai à mes grands-parents. J'avais l'impression qu'il y avait des siècles qu'ils étaient décédés. Près de la place du marché, j'entendis alors la voix de ma grand-mère résonner dans ma tête :

— Il faudra que tu te débrouilles seul.

En franchissant la porte de ce que je considérais désormais comme ma demeure, j'humai le parfum familier des cuissons. Casquette de toile sur la tête, assis sur une chaise devant la photographie de l'Inconnu, Trinkwein était absorbé par des pages de chiffres. Il me sembla que l'expression du visage sur la photo avait changé, j'y discernai un sourire en coin.

— Bonsoir, maître.

— *Guten Abend, mein Kind*[3].

Je présentai ma trousse de couteaux au maître.

— Prends soin de ces lames jusqu'à ton dernier souffle! fit sa voix à l'accent traînant.

J'en déduisis que Yasuda devait lui avoir touché mot de sa volonté de me les offrir, avant ma prestation de serment.

En entrant dans son bureau, je posai une question qui me taraudait depuis le train:

— Pourquoi certaines cultures ont-elles des interdits alimentaires?

— Je constate qu'il t'est venu la sagesse d'ingérer mentalement le *Codex*! s'exclama-t-il en relevant la tête de sa pile de tracasseries comptables. C'est surprenant. Généralement, les initiés le trouvent pesant.

— Comme une brique à digérer avec le temps, relançai-je.

Sans commenter la boutade, Trinkwein détailla:

— Sous la chaleur des différentes latitudes, la fraîcheur et la qualité de la chair s'altèrent plus ou moins rapidement. Au départ, j'ai le sentiment que ces interdits étaient destinés à protéger la santé des humains. Avec l'avancée constante des méthodes d'hygiène et de conservation, ne doutons pas que

---

3 «Bonsoir, mon garçon», en allemand.

plusieurs de ces règles soient aujourd'hui techniquement obsolètes, ou ne tarderont pas à le devenir. Les humains ont intégré ces traditions dans leurs cultes, pour vénérer la présence divine dans leurs actes quotidiens, et en mémoire de leurs prophètes et de leurs sages. Tu découvriras que les hommes profitent souvent de l'occasion d'asseoir leur pouvoir sur ces lois pour régner au cœur de leur communauté. Parfois, pour imposer leurs errances dogmatiques aux autres...

— La confrérie des Cinq Cercles serait-elle un ordre religieux ?

— Le premier culte est probablement celui des ancêtres, c'est aussi la raison pour laquelle nous attachons autant d'importance à nos lignées de maîtres. Mais non, elle ne l'est pas... Quoique certains agissent comme si elle l'était !

— À Stonehenge, comment se fait-il que j'aie croisé plusieurs initiés arborant divers signes de foi ?

— *Ach*, dualité, quand tu nous écrases les gonades ! Ces signes révèlent le désir de se démarquer culturellement, autant qu'historiquement. L'observation t'apprendra à ressentir ces paradoxes. En atteindre l'intime compréhension te permettra de contrer les extrêmes. Sache que les fanatiques foisonnent, en politique, dans les religions, et même dans les guildes corporatives ! dit-il en se levant pour me faire l'accolade. Bienvenue au bercail, initié officiel. Ce sera ton titre, dorénavant. Ton voyage ?

— Le climat anglais n'est pas accommodant. Un moment, on a eu peur de se retrouver en Scandinavie. Le maître Hurlusse, qui vous salue, m'a chargé de vous remettre ce courrier, dis-je en lui donnant la pile de lettres.

Trinkwein acquiesça d'un long clignement de paupières. Il gratta de l'ongle le cachet de cire, puis s'éloigna.

N'étant pas habitué à ne rien faire, je me préparai à rejoindre mes quartiers pour enfiler un habit de travail. Un chariot encombré de marmites entravait mon chemin, je le poussai et vis Dugommier me faire un signe de la main, puis se gratter l'occiput devant les chaudrons gluants accumulés jusqu'au plafond. Des fournisseurs pressés, chargés de porcs entiers traversaient l'atelier.

— *Oufti*, avec toute cette bidoche, on a du saindoux dans le fion jusqu'aux rognons! râla-t-il, en termes de boucherie. Il était temps que tu ramènes tes jarrets!

Décidément, l'activité n'avait pas perdu de son effervescence ici! Nous étions bien loin du silence des plaines de Stonehenge. Je revins en tenue de cuisinier dix minutes plus tard, mais je n'eus pas le temps de me mettre aux broches. Visiblement préoccupé, le maître déposa brusquement le paquet de lettres sur la table.

— Viens ici, m'ordonna-t-il.

Il déboucha un bourgogne et me versa un verre. Il découpa ensuite des tranches transparentes de charcuteries sèches qu'il disposa sur un plateau entre nous.

— Raconte-moi ton voyage.

Je lui contai mon périple en grignotant le saucisson et en sirotant le liquide pourpre, tenant mon verre à deux doigts comme lui. Je ressentais particulièrement la pression de son air insistant. Je me souvins des consignes d'Hurlusse : « N'omets aucun détail. » Ainsi, je racontai même l'épisode des prostituées d'Ostende. Au final, cet épisode fit rigoler Trinkwein.

— Je connaissais maître Luciani. Avec lui, ton ami Hakim doit en avoir entendu des vertes et des pas mûres! La spécialité de ce rôtisseur corse était le cochon sauvage, animal mythique de son île natale, nourri de glands et de châtaignes.

Son visage se renfrogna quand j'abordai le récit de la journée solennelle du serment. J'expliquai la manière dont Hurlusse décria ces maîtres en proie à la tentation de réformes... Au terme de mon récit, il m'intima d'aller me reposer. Nous avions terminé le vin et je clignais les yeux de fatigue. Je discernai néanmoins dans son attitude lasse quelques inquiétudes, aussi osai-je jouer d'audace en risquant une question :

— Des problèmes ?

Il murmura, comme si quelques espions eurent été dans la place :

— Ton récit confirme la missive du Comité des Sages. C'est une note de service interne, elle me recommande de ne pas déroger d'une virgule du *Codex référentiel*. Il se peut qu'à l'avenir, d'importantes tensions surgissent au siège social parisien, répondit-il. Le plus important, c'est d'abord ta formation.

La Baronessa

Après les brouillards d'automne, en décembre 1894, plusieurs tempêtes de neige recouvrirent Trois-Frontières et les forêts ardennaises. L'atelier se mit au diapason des réceptions de fin d'année. J'étrennai mes lames sur les découpes ; des merveilles de précision, dignes des meilleurs scalpels chirurgicaux. Je ne quittai l'atelier que pour assurer des services de buffet en compagnie d'Albin et de sa brigade de serviteurs débiles et alcooliques.

— L'Écrevisse souffre de rhumatismes aux genoux, me confia Dugommier en essorant une brassée de chaussettes. Ses coups de pied au cul ne décollent plus comme avant. *Oufti*, quelle chance !

Je me préparai à la concoction de quelque marinade, quand le facteur frappa sur les vitres gelées de l'atelier.

— Bonjour, grogna Trinkwein en lui ouvrant. Pas de facture ?

— Non, dit le postier. Un recommandé de Paris pour votre apprenti.

Trinkwein interrompit mes activités afin que je signe l'accusé de réception. Immédiatement, le sceau sur le papier parchemin intrigua mon maître, tout autant qu'il sema de l'inquiétude dans son esprit.

— Il émane du siège social! Normalement, les initiés ne reçoivent pas ce genre de missives.

— Non, il provient de la confrérie Joyal, annonçai-je en lisant les premières lignes. Hakim vient de réussir l'examen de passage de l'école de formation juridique et administrative. Il dit qu'il ne veut pas trop parler, mais qu'il se trouve au cœur du système!

— Intéressant! commenta Trinkwein. Dans l'incertitude, il est consternant de découvrir comment les astres s'alignent parfois en notre faveur. Recommande-lui d'étudier avec une discrétion absolue.

Je suivis ce conseil dans mon retour de courrier.

Notre clientèle ne tarissait pas d'éloges sur la finesse de nos broches. À l'époque, les fortunés ne manquaient jamais de converser à propos de la nourriture. Pour eux, c'était un temps d'abondance. Sachez que tous les peuples en parlent, surtout en temps de guerre, ceux qui descendent des anciennes civilisations comme ceux de jeunes nations. En fait, je l'ai appris durant mes voyages, les jeunes peuples sont plus perméables à l'art culinaire que les anciens, qui ont souvent lutté durement pour sauvegarder leurs coutumes. Malheureusement, ces combats ont fermé leur esprit. Ils ont perdu l'acceptation de l'autre, jusqu'à nier son mode de vie, pour chercher à l'assimiler.

La Baronessa apparut le lendemain de la réception de la lettre de Paris. À la demande du maître, je m'étais levé très tôt pour allumer le tas de charbon de bois de l'âtre qui chauffait l'atelier. Tranquillement, j'avais attendu qu'il devienne rouge sang avant d'étendre la braise avec ma pelle. Accompagné d'un nuage de neige fraîche, Trinkwein ouvrit la porte à ce moment-là. Il poussait une charrette à bras contenant une belle quantité de chapons bardés de lard à l'odeur d'herbes aromatiques. L'Italienne suivait avec plusieurs servantes habillées en noir qui gloussaient comme des pintades.

— Initié, je vous présente officiellement la Baronessa.

— Bonjour madame, dis-je en lui tendant la main.

— *Alora*, c'est lui lé nouvèl inizié ? *Ma* comme il est jeune et beau ! roucoula-t-elle avec un accent exotique.

C'était une dame âgée, grande et mince, qui portait toujours des longs gants blancs, des perruques multicolores et des vêtements bizarres. On devinait dans son regard aux traits réguliers et patinés par le temps qu'elle avait été très belle. Ses yeux pétillaient, démontrant d'ailleurs que mon état de jeune homme ne la laissait pas indifférente. Sans ajouter mot, elle me palpa les bras, les cuisses et le torse comme si je fus un gros dindon. Puis elle me gratifia d'une petite tape sur les fesses. Nous nous affairâmes derechef à embrocher les chapons, cinq par cinq, et à les rôtir. En fredonnant des airs de Verdi, la Baronessa et Laura, son assistante, une brune capiteuse de dix ans mon aînée, arrosèrent les mets d'une réduction de vin au parfum léger de muscade, de poivre rose concassé et de miel. Elles balançaient régulièrement des morceaux de sarments de vigne dans la braise. En fin de cuisson, Albin et ses valets décrochèrent les broches et prirent le chemin d'une réception toute proche. La Baronessa et le maître étaient contrariés. Je peux comprendre. La température extérieure avait chuté de dix degrés. Le froid et les pièces fumantes font mauvais ménage. La graisse se fige sur les tiges métalliques. Une pâte peu ragoûtante apparaît alors. Le croquant de la peau, salé et épicé, tant recherché par le convive, se ramollit. Il faut aussi réchauffer le mets, ce que les maîtres désapprouvent.

— C'est *uno* crime de lèse-majesté ! s'indigna la vieille dame.

— *Ja*, mais on ne peut tout contrôler, ô Baronessa ! Cette commande m'est tombée sur le râble en dernière minute. Je ne pouvais la refuser à ce noble sire qui est un de mes meilleurs clients.

— *Lo so*[4]. La réputation est parfois à ce prix, acquiesça la Baronessa d'un air désespéré. Celui de tout perdre !

Elle se versa une grappa en critiquant le métier qui se perdait dans la médiocrité.

— Le monde ne prend plus le temps, affirma l'aristocrate en me reluquant goulûment. Le monde veut tout, tout de suite, *subito*, à *l'ultimo* minute. Il brade les prix, rogne sur les salaires, prostitue les compétences en glorifiant l'excellence, un terme galvaudé quand on n'a plus le temps de planifier, de peaufiner la qualité et de corser les goûts par de lentes réductions. *Mamma mia*, quelle tristesse...

Ah, ignorant que je fus ! À l'époque, je ne savais pas que cette conversation relevait de la prophétie ! Depuis, la situation se détériore. Aujourd'hui, je suis en mesure d'affirmer haut et fort que la qualité n'est plus celle d'autrefois. Que les professionnels du métier le sachent, au risque de déplaire à ces rats visqueux et spéculateurs, leur rapacité en est responsable... Cette Méditerranéenne fut la personne la plus excentrique que je croisai au cours de ma vie. Pour elle, l'art du méchoui était aussi noble que la poésie ou la musique, la peinture aussi. Pour comprendre, il suffisait de la voir enduire ses bécasses de

---

4   « Je le sais », en italien.

marinades avec un grand pinceau. Tant de passion ! Elle ajouta à mon enseignement sa touche féminine si particulière et la légèreté qu'un homme aurait été incapable de m'inculquer. Cette dame délicieuse m'a appris à accommoder les pièces de petit calibre et à préparer des farces, des panades, des godiveaux et des duxelles. Je fus initié aux faisans, aux bécasses, aux perdrix et aux canards sauvages. Elle me fit apprêter des méchouis miniatures avec des grives, des merles et des cailles, que j'arrosai de réductions issues de son savoir. Les volailles à la broche n'eurent plus aucun secret pour moi, pas plus que les gibiers à plumes. J'organisai des méchouis avec des pigeons ramiers au gros sel, des coqs de bruyère au mélange poivré et farcis de figues fraîches, des gélinottes et des grouses marinées à la menthe et aux sirops parfumés d'alcools fins. Pendant des semaines, sous l'œil impitoyable du maître, les sarcelles et les poules d'eau tournèrent dans l'atelier, arrosées de décoctions d'agrumes et d'épices traditionnelles et exotiques. Je découvris ainsi toutes sortes de volatiles comme les alouettes, les béguinettes et le becfigue. Comme c'était charmant d'entendre la Baronessa rouler les *r* en parlant des viandes qu'elle embrochait.

— *Una manièrrra* d'être en symbiose avec les mets à serrrvir, affirmait-elle en terminant sa phrase en gazouillant une ritournelle. Lâââlalalala !

Jusqu'à ce jour, en dehors et dans le cercle fermé des grands maîtres, ses farces ne furent jamais égalées, tant sur le plan du goût que de l'onctuosité. Ce qui assura sa réputation, dans un univers traditionnellement réservé aux hommes, fut son génie de remettre à jour la méthode moyenâgeuse de préparation des godiveaux, soit, en gros, un mélange de chair de veau hachée à la main et de graisse de bœuf. Elle étendit d'abord ce principe aux gibiers à poils et ensuite aux gibiers à plumes et aux volailles. Elle ajoutait à ses farces des petits légumes divers, des champignons sauvages et parfois des truffes. Elle farcissait l'animal de ses mélanges qui scandalisaient les traditionalistes de la profession, mais qui firent fureur auprès des cercles d'épicuriens, avides de sensations nouvelles. Et elle osa, jusqu'aux limites du *Codex référentiel*! Elle combina le sucré, l'épicé et l'amer, les fruits et les légumes, la semoule même, dans des préparations comme l'agneau, une méthode qui n'est pas rare en terre d'Islam. Elle adapta surtout ses méthodes dans le domaine des petites pièces, comme les cailles et les poussins. Elle arrosait parfois un peu trop ses cuissons d'alcool de qualité, mais elle y mettait tant de joie et de bonne humeur que jamais ses inconditionnels ne lui en firent la remarque. Dans la science du méchoui, le cœur est aussi important que la technique et le croquant.

De nouveaux sommets s'offrirent à moi quand la Baronessa m'autorisa à cuisiner l'ortolan, un délice culinaire et une vérité gastronomique depuis longtemps proclamée par les maîtres occidentaux.

— *Emberiza hortulana*, précisa la Baronessa en latin.

L'ortolan est un oiseau chanteur de la famille des embérizidés, d'une taille d'environ seize centimètres et d'un poids qui varie entre vingt et vingt-cinq grammes. Recherché pour sa chair délicate, assez grasse due à un gavage naturel, le bruant ortolan est la quintessence des gourmets et des rois. Dans cette préparation, que le maître considéra comme un examen, la Baronessa écarta la tradition qui veut que l'oiseau soit noyé dans l'armagnac. Notre fournisseur nous apporta une quinzaine de belles pièces d'un élevage reconnu des Landes. Les ortolans avaient été fraîchement tués et déplumés sans qu'aucune odeur d'alcool altérât leur goût naturel. Bien sûr, les embérizidés n'étaient pas vidés (puisqu'ils s'apprécient comme tel). J'installai donc mon matériel : une cuve en métal de la grandeur d'une grosse bassine, pleine de charbon de bois. Je procédai comme d'habitude pour la braise. Pendant qu'elle prenait sa couleur active, j'embrochai les oiseaux sur une tige métallique adaptée à leur taille. Je les assaisonnai de sel et de poivre du moulin. Rien d'autre. La Baronessa et mon maître n'osèrent pas altérer une saveur naturelle si exceptionnelle. Fidèle à sa réputation, elle me demanda d'enduire six volatiles de quelques gouttes d'une huile de truffe de première qualité.

— Pour comparer! dit-elle.

Méthodiquement, j'adaptai la hauteur de la broche et tournai méticuleusement. En palpant la chair qui rebondissait doucement sous la pression de mon index, je contemplai les ortolans rôtir en suintant leur graisse. Leur peau devint croquante. La cuisson fut assez rapide et nous dégustâmes ce repas, dans la plus pure tradition, en réduisant doucement les oiselets dans notre bouche, sans presque mâcher, lentement, et sans rien recracher. À mon grand regret, la Baronessa allait bientôt nous quitter. Plusieurs contrats princiers la rappelaient dans son pays.

J'ignore si la Baronessa et Trinkwein furent au courant de ma relation avec Laura. Oui, je fus dépucelé par la belle Milanaise! Elle me conforta dans la certitude que l'art de la séduction est moins complexe que celui du méchoui. Dans ce dernier, on ne peut tricher avec le résultat final. Il est vrai que l'approche préliminaire avec l'animal est différente de celle de la personne désirée. Mais si nous abordons le sujet en termes purement techniques, on notera immanquablement que plusieurs similarités s'imposent, principalement dans le vocabulaire de ses deux disciplines. Jugez par vous-mêmes les termes qui suivent : croupe, croupion, fesses, cuisses, jarrets, poitrine, masse musculaire et gélatineuse, fluide corporel, odeur fraîche, orifice, embrocher, farcir, lubrifier, écarter, braise ardente... Il en existe d'autres, plus populaires, moins sages. Je vous les épargne. Certains métiers n'emportent pas la faveur des dames. (Elles vous diront toujours que c'est faux, ne les croyez pas). Statistiquement, les grands séducteurs sont rarement des maîtres du méchoui. Mais il est prouvé que celles sur lesquelles ils ont jeté leur dévolu se sont rarement refusées à eux. Ils n'eurent pas à étaler leurs deniers, ou de belles paroles, comme l'enjôleur a coutume de le faire. Ils restèrent eux-mêmes. Et s'ils furent choisis, ce fut essentiellement pour leurs valeurs personnelles et non pas pour une sécurité recherchée par leur partenaire, tout illusoire d'ailleurs. L'art du méchoui, autant que celui de la séduction, est l'art de l'instinct. Je n'ai pas besoin d'expliquer. Quand vous débrochez une pièce rôtie, vous savez qu'elle sera succulente ou pas. Intuitivement, il en est ainsi avec une personne que vous rencontrez. Ne pas respecter cet aspect irrationnel de l'interaction complexe de deux personnalités ne peut qu'entraîner des déboires.

— On ne devient pas intime avec une personne quand on butine avec, on le devient quand elle vous parle de ses croyances et de sa spiritualité, disait Trinkwein.

Avec Laura, ce fut un coup de foudre. Elle était délurée et d'un tempérament explosif. De la cave au grenier, nous batifolâmes gloutonnement. Entre farces et cuissons, les étreintes étaient passionnées. Elle m'enseigna la vraie intimité, la fusion du corps et de l'esprit, mais surtout, celle d'esprit à esprit. Combien de fois ai-je bâclé une préparation et failli louper une cuisson en folâtrant avec elle? Plus qu'à mon tour, je l'avoue. L'art du méchoui, c'est aussi l'art du risque!

L'agneau avec une barbichette

Je poursuivis ma correspondance avec Hakim, lequel, au cœur de la vie du siège social, m'informait des bruits de couloir de l'Ordre. Or, tel que le suggéra Trinkwein, je décidai de me tenir loin de ces luttes intestines. Je n'avais ni l'expérience, ni la maîtrise de mes aînés pour émettre des opinions. Je devins donc observateur. En gardant le silence, j'appris énormément. Ma formation continua. À la dure. Mais le maître fut toujours très respectueux avec moi, même si parfois il entrait dans des colères hystériques. J'ai vu des animaux entiers passer par les fenêtres. Un jour, une pièce de charollais fit un saut sur le trottoir.

— Il est devenu fou ! s'écrièrent les voisins pris de panique.

Prévenue, la maréchaussée assiégea l'atelier.

— Que se passe-t-il, Monsieur Trinkwein ? demanda l'officier responsable.

Le maître fit alors la leçon aux gendarmes médusés.

— Le bœuf ne respecte pas les critères de qualité de notre caste !

— Et quels sont-ils ? l'interpella une voix.

— Que la viande soit de trois ans d'âge, persillée et veinée de gras! Le gras nourrit la chair, appuya le maître. Il la rend moelleuse, juteuse et savoureuse. J'aime que les viandes aient au moins trois semaines de maturation. Cette qualité est de plus en plus difficile à trouver. Et ces rats visqueux de fournisseurs en profitent. C'est inadmissible, déclara-t-il devant la maréchaussée qui commençait à refluer. Intolérable, honteux, scandaleux...

— C'est bon, Trinkwein! approuva l'officier. À l'avenir, évitez de balancer votre bidoche avariée au-delà du périmètre de votre propriété. Sinon, la prochaine fois, nous verbaliserons.

Après cette histoire, il essaya de contenir ses ardeurs. Cette attitude ne dura que peu de temps. Une semaine plus tard, je vis des chapons et des canards de Barbarie renaître en vol et atterrir sur le crâne des livreurs. J'ai même vu mon maître poursuivre un type à la pointe d'une broche. Nous devions honorer un contrat prévu depuis belle lurette, un méchoui d'une douzaine d'agneaux pour une réception de trois cents personnes. Mes marinades étaient prêtes. J'avais nettoyé mon pinceau. Les broches et les fourches avec le fil de fer mou, ma pince coupante, mon marteau, mon fusil, un désosseur, un couteau de chef et une hache de boucher étaient disposés sur l'établi. En un temps record, j'avais embroché six agneaux que le maître vint inspecter. Il palpa les gigots, le carré et la selle. Il goûta la marinade, un mélange pâteux d'huile d'olive, d'ail, de thym, de romarin, de gros sel marin et d'une harissa artisanale du cap Bon. Il vérifia les attaches aux pattes et sur l'échine.

— On reconnaît le travail d'un expert à la méthode employée pour ligoter l'animal sur la broche, répéta-t-il. Les fils doivent être serrés précisément pour éviter la chute de la préparation dans la braise, mais aussi pour pouvoir détacher la bête en quelques coups de pince. L'économie du mouvement est le secret de tous les métiers. Beaucoup d'amateurs entourent le mets d'un grillage métallique. Ça marche, mais c'est inesthétique et au détriment du croquant de la peau. Sans compter que le grillage peut imprégner la chair de saveurs métalliques.

Il se dirigea vers les agneaux posés dans un coin frais de l'atelier. Il déchira les toiles de protection et en déballa un au hasard, puis un autre. Froid comme un glaçon, il grogna soudain :

— Embroche ceux-ci, mais pas celui-là.

Puis il se tourna vers Dugommier-qui-pue-des-pieds.

— Va me chercher ce scélérat de Gotran ! lui ordonna-t-il.

En obtempérant, le plongeur me fit un clin d'œil en passant.

— *Oufti*, ça va chier dans la chaumière ! murmura-t-il en se débarrassant de son tablier.

Trinkwein était retourné dans son bureau, d'où je captai des bribes d'un monologue en allemand. De retour dans l'atelier, il déposa une des pièces à embrocher sur la table en dessous du portrait encadré.

— Regarde où le métier s'en va, frère Joyal ! se plaignit-il à l'inconnu sur la photo.

Je venais de découvrir son nom, sous l'impulsion de la colère du maître. Quand le fournisseur Gotran se pointa à l'atelier, Trinkwein se mit à baver de l'écume.

— Ça sent la viande bouillie, glissa Dugommier à mon oreille. On ferait mieux de ne pas moisir ici, *ouftiiiiiiiiiii* !

— Que veux-tu encore, vieux rouscailleur ? le piqua Gotran.

— Connais-tu la différence entre un agneau et une chèvre ? esquiva Trinkwein.

— Heu, non ! émit Gotran en rigolant grassement.

Enragé, le maître empoigna mon désosseur, ouvrit la housse de toile, en extirpa la tête et fit glisser la lame sous le menton de l'animal avec une dextérité d'égorgeur.

— Une différence de barbichette ! hurla-t-il en agitant comme un trophée une barbe de bouc.

Avec Dugommier, nous entendîmes le couteau de boucher siffler dangereusement dans le périmètre du fournisseur.

— Colossale merde, larve putride, vermisseau gluant, chien galeux ! Je m'en vais honorer de ce pas tes gonades pour en concocter un tajine parfumé au meilleur safran d'Espagne.

Le maître empoigna une broche et fonça sur Gotran qui, terrorisé, se mit à courir entre les tables et les étagères. La course épique se termina dans la rue et alimenta quelque temps les conversations des estaminets de notre quartier. Une fois encore, l'intervention de la maréchaussée fut requise. L'histoire se termina au palais de justice : le maître en fut quitte pour une amende.

— Sache que la relation entre maître et fournisseur est la plus complexe qui soit, m'expliqua-t-il à la sortie du tribunal. Ils ne peuvent rien l'un sans l'autre. Ce lien peut virer de l'amour à la haine, le temps d'une facture impayée ou d'un critère de qualité bafoué.

L'expérience parlait d'elle-même. Toute sa carrière, Trinkwein construisit et assura son succès sur un réseau tentaculaire de commerçants. Il leur accordait une confiance raisonnable. Gare à celui qui la trahissait. Tous ses grossistes s'approvisionnaient directement chez des producteurs réputés et au sceau de qualité irréfutable.

— Le tour du monde est sur ta table, blaguait-il en arrivant le matin.

Il avait raison. L'art du méchoui, c'est aussi l'art des contacts. Gotran fut rayé de sa liste.

Wang

Durant les semaines qui suivirent cet épisode, les factures s'accumulèrent plus rapidement que les commandes.

— *Ach*, sale argent, maudite énergie stagnante! s'écriait Trinkwein dans l'atelier. Je sais que rien n'est permanent, mais on ne peut accéder à une qualité maximale sans deniers.

La veille, il m'avait signalé qu'il devait s'acquitter de quelques dettes chez le banquier. Dans notre métier, c'est chose courante, surtout quand les comptes client s'entassent. À l'époque, il ressassait :

— *Himmel*[5]! On sanctifie les plaisirs, le luxe, la démesure, mais on refuse d'admettre qu'ils ont un coût. Depuis l'accession généralisée au crédit, cette situation s'est aggravée, car on les veut tout de suite et au prix des plus viles bassesses!

Lui, il payait toujours rubis sur l'ongle, ce qui lui valut une grande confiance des institutions bancaires et des fournisseurs. Cette forme de gestion lui permit de prospérer, même s'il se serra quelquefois la ceinture. Quelques jours plus tard, les affaires redémarrèrent. La signature d'un contrat juteux pour une association de bouilleurs de cru tomba du ciel.

---

5 «Diable», en allemand.

— Il suffit de demander! s'exclama alors le maître.

Avec une seringue à marinade remplie de cognac, j'étais en train de piquer un cuisseau de veau. Pendue à un crochet inséré dans le plafond voûté de la cave, la viande se gorgeait des effluves boisés de barrique de chêne se disséminant jusque dans l'atelier. En haut de l'escalier, Trinkwein m'annonça:

— Tu t'en vas pour la capitale, *jetzt*[6]. Yasuda et moi t'avons recommandé à l'instructeur Wang. Son initié est en formation chez Yasuda. Nos règlements stipulent qu'un initié suppléant lui porte aide. Mais surtout, il est venu pour toi le temps d'apprendre le volapük.

— Le volaquoi?

— Le volapük, la langue officielle de l'Ordre des Cinq Cercles. Tu devrais retrouver d'autres initiés. Cet idiome nous permet de nous reconnaître partout et en tout temps.

Avec une pensée pour Hakim, je signifiai mon approbation en hochant la tête. Trinkwein m'invita alors à m'asseoir dans son bureau et m'offrit un armagnac de sa cuvée personnelle.

— Ce sera aussi une excellente occasion de te familiariser avec de nouvelles techniques. *Prosit*[7]!

Je levai le nectar en réponse à son souhait. À son instar, je fis rouler le liquide dans le ballon de cristal, j'en respirai ensuite l'arôme et le portai doucement à mes lèvres. L'alcool piqua agréablement mes papilles gustatives.

— Tu aimes?

— Oui. L'odeur ressemble à celle de l'écorce d'un arbre.

---

6   «Maintenant», en allemand.

7   «Santé», en allemand.

— Lequel ?

— Le chêne, mais je n'en suis pas sûr.

— *Ja, gut !* s'exclama-t-il en cognant son verre contre le mien. Et je ne l'offre qu'à mes amis.

Après deux armagnacs, Trinkwein m'accompagna à la station de Trois-Frontières.

— Yasuda t'attendra à la Gare du Nord, me dit-il, en payant mon billet au comptoir. Il te présentera à Wang.

Effectivement, au terme d'un voyage de deux heures, le Japonais en *kasa* et en pèlerine était là à m'attendre, sur les quais de Bruxelles plongée dans la grisaille d'une pluie fine. Au pied du train, je le saluai la main tendue, avant de le remercier :

— Je suis honoré d'avoir reçu vos lames, Yasuda *Senseï*.

— *Haï*, sache qu'un guerrier qui se respecte en prend un soin méticuleux, dit-il en s'inclinant avec respect. Surtout, profitons de chaque jour pour ne rien avoir à regretter !

Nous fîmes une promenade sur la place de la Bourse avant de nous rendre au marché aux poissons, endroit, affirma-t-il, qu'il appréciait tout particulièrement. Sous les échoppes couvertes de toiles imperméables, des Flamandes en tablier proposaient des marchandises arrivées directement d'Ostende :

— Sole limande, *scharretong* ! Rouget, *rode poon* ! Diable de mer, *zeeduivel* ! criaient-elles.

— J'aimerais te faire découvrir une taverne japonaise où l'on sert de succulents fruits de mer, me proposa-t-il, alors que nous venions de prendre un passage étroit entre deux immeubles.

Je pensais déguster quelques viandes, mais j'acceptai de bon gré. Accompagnés d'un air de koto et de *shakuhachi*, nous passâmes la soirée dans une *izakaya*, un restaurant où la clientèle criait en même temps ses commandes au chef. Nous fîmes honneur à une cuvée de saké servi dans une coupe plate. Un expert de la découpe nous prépara une entrée de poisson cru, un thon fondant à la chair translucide et de fines tranches de fugu, un mets traditionnel nippon de la famille des tétrodons.

— C'est une espèce propre au Pacifique, mais le chef en fait l'élevage. Paradoxalement, son attrait vient de sa toxicité fulgurante, et donc des qualités requises pour sa préparation, expliqua Yasuda. L'art du chef consiste à réaliser une découpe méticuleuse du poisson, car en cas d'erreur, les neurotoxines contenues dans les viscères empoisonnent la chair, qui devient mortelle. Mon père a été un artisan reconnu de cette méthode si particulière, glissa-t-il en nous reversant de l'alcool. Il n'a jamais tué personne. Ce qui n'est pas le cas de mon oncle, avoua-t-il en s'esclaffant. Le fugu est un poisson typique du pays du Soleil levant, car il allie plaisir et mort. Chez moi, vie et mort sont des concepts indissociables, que nous respectons l'un comme l'autre. Et puis n'oublions pas que dans la langue de Voltaire, il n'y a qu'un s de différence entre *poisson* et *poison*. *Itadakimasu*[8] !

La suite consista en une gigantesque roue d'huîtres. Reposant sur de la glace pilée et des algues fraîches, ces délices répandaient une odeur d'iode. Disposés un peu partout, des quartiers de citrons parfumaient le plateau.

— Pourquoi tant de générosité et de plaisirs ? insistai-je.

---

8   «Bon appétit», en japonais.

— Ta formation vient d'éclore à une dimension nouvelle. Fêter n'est pas péché dans notre ordre. Méfie-toi de ceux qui prônent des principes de stricte abstinence, comme ceux qui appliquent à la lettre les règlements du *Codex référentiel*, me confia-t-il en souriant. Ce sont généralement ceux qui sont capables de se perdre dans les pires excès !

Guettant ma réaction, il se mit à tourner le moulin de poivre en grains au-dessus d'une zélandaise baignant dans un jus limpide comme le cristal. Je demeurai impassible, je ne me sentais pas de taille d'aborder un tel sujet en dehors de l'atelier.

— Sur quels critères se base un maître pour décider de faire accéder un initié à un niveau supérieur ? continuai-je afin de faire dévier la conversation.

Sa réponse fut surprenante.

— Un instructeur aguerri ressent instinctivement quand son étudiant est prêt pour l'étape suivante. Les niveaux de graduations se font de cœur à cœur, d'esprit à esprit, cela ne s'explique pas. Du moins pas avec des mots !

La nuit fut longue. Entre les bouteilles qui défilèrent en tsunami, Yasuda me conta son enfance à Kamakura. Sa famille était originaire de Koga, le berceau des espions ninja. Adepte du zen iconoclaste, il avait été éduqué dans le giron des arts subversifs de la guerre, mais aussi dans celui du *kaiseki* ou *kaisiki*.

— Cette cuisine si particulière utilise les produits de chaque saison, uniquement pour la mettre en évidence...

L'une et l'autre de ces formations illustrait sa dextérité redoutable dans les travaux de précision, mais aussi son indiscutable raffinement culinaire.

Rue des Flandres, dans l'appartement sobre de mon hôte, décoré de calligraphies et d'estampes érotiques, nous récupérâmes de nos excès en une journée. Yasuda me présenta Wang le lendemain.

— Wang a été mon maître, me confia-t-il dans le fiacre qui nous conduisit dans le haut de la ville. Ce qui démontre combien notre caste œuvre au-delà des conflits, la méfiance entre nos peuples étant chose connue.

Le Chinois œuvrait sous les ordres de l'ambassadeur de l'empire du Milieu, envoyé par Cixi, dernière impératrice mandchoue de la lignée Qing. Une aura de mystère et de gentillesse se dégageait du personnage au crâne rasé et vêtu d'un habit orange qui le couvrait de pied en cap. Situé près du parc du Cinquantenaire, son atelier se trouvait au dernier étage de l'ambassade et débouchait sur le toit transformé en un jardin d'herbes médicinales et aromatiques. C'était une cuisine remplie de fioles avec des étiquettes aux inscriptions idéographiques. Une quantité incroyable de grimoires s'empilaient dans les armoires. La langue, utilisée en notice explicative des croquis précisément dessinés, me surprit. Tous nos secrets reposaient ici, dans un idiome hermétique. Ce fut mon premier contact avec le volapük. Sage aux gestes lents, regard rieur et corps grassouillet, Wang était l'opposé de l'énergique Yasuda, sec et aux muscles forgés par les pratiques des arts de combat. Doyen de notre confrérie, le vieillard en était l'historien officiel, la mémoire vivante. Biographe des anciens, ses connaissances étaient édifiantes. Au restaurant, Yasuda m'avait laissé entendre que Wang avait dirigé l'Ordre durant douze ans. C'est dire combien il était respecté, car il est exceptionnel qu'un maître assure cette fonction très lourde plus de deux mandats.

— *Tsé!* C'est toi, Yasuda! Ma vue baisse. Avez-vous mangé? nous accueillit-il en aspirant bruyamment une soupe aux nouilles garnie de bœuf et tendons.

— *Haï*, assura Yasuda, qui évita d'aborder la soirée excessive de l'avant-veille.

Installés sur des tabourets, nous laissâmes Wang terminer son repas. Il dégusta son *Pho* d'une manière presque religieuse. Il en mastiqua chaque bouchée et décortiqua la saveur du bouillon comme si elle fut la dernière qu'il eut goûtée avant de mourir.

— Observe, *kohaï*[9], chuchota le Japonais. Il devient philosophe à la moitié de son bol.

— *Tsé!* Ne sois pas impertinent, Yasuda. J'entends très bien! Sachez que les gens de nos jours mangent et boivent trop vite. Quand ils mangent, ils ont la tête à l'amour ou au travail. Quand ils boivent, ils pensent à ce qu'ils feront après, ou à ce qu'ils ont fait avant. Quand ils font l'amour, ils pensent à manger, à boire, ou à d'autres distractions. À la fin, quand ils meurent, ils n'ont rien fait en état de pure conscience, leur existence s'est déroulée comme s'ils avaient été somnambules.

Il arrosa ses nouilles de sambal ulek indonésien artisanal et d'un mélange broyé au pilon, fait de coriandre, de gingembre, de racine de ginseng et d'ail sauvage. De ses deux mains, il prit le récipient et en avala le liquide en gargouillant. Ensuite, il releva la tête en se frottant les yeux et en essuyant la transpiration sur son front. Il éructa des effluves d'épices et flatula bruyamment.

---

9 « Élève », en japonais.

— Le grand Laozi dit que l'évacuation des gaz, des excréments et de l'urine doit se faire en totale conscience. *Tsé*, ça fait du bien ! dit-il soulagé et en se frottant le ventre. Va prendre un peu d'air frais, Yasuda. Je prends l'initié en main.

Quand nous fûmes seuls, Wang se leva et me prépara du thé vert. Avec des gestes cérémonieux, il déclara en m'offrant la tasse :

— *Tsé !* On me dit que Trinkwein se bagarre de plus en plus souvent avec ses fournisseurs. Entendre cela me ravit. C'est le signe que notre ordre est plus vivant que jamais. Raconte-moi !

La laque et la couture

En cette année 1895, effectuant régulièrement le trajet entre Trois-Frontières et la capitale, je partageais donc mon temps entre Trinkwein, les leçons de volapük et celles de l'instructeur chinois. Seule certitude, mon maître et Yasuda ne me prévinrent pas de la maladie de Wang. Je ne m'étendrai pas sur le sujet, par respect pour sa mémoire, mais il était pétomane. En plus, il souffrait de reflux gastriques. Entre les rots et attaques de gaz pestilentiels, j'allais découvrir le monde des aiguilles à brider et des laques. Le doyen était issu d'une famille d'artisans de vêtements en soie de Xian. Cela explique, partiellement, sa grande technique. Avec ses aiguilles à coudre en cuivre ou en métal et du fil de boucherie, il refermait une pièce farcie avec la précision d'un couturier. La régularité de ses points de couture était à faire pâlir de jalousie n'importe quel créateur de mode. Avec le recul, je suis en mesure d'affirmer qu'un nombre très restreint de maîtres atteignirent son niveau. Il me remit un trousseau en cuir, que je possède encore, contenant une panoplie d'aiguilles à brider, à larder et à piquer. Pointues à une extrémité et avec un chas à l'autre pour passer du fil, d'une taille variant entre quinze et trente centimètres et d'un diamètre allant de un à trois millimètres, la plupart de ces tiges d'acier servent à maintenir les pièces de viande afin qu'elles ne se déforment pas à la cuisson. Les pointes à larder servent à faire pénétrer des petits morceaux de lard ou des truffes dans la viande. Elles se présentent comme une tige en fer de lance, ou comme un tube creux et pointu ouvert aux deux extrémités, que l'on enfonce dans la viande et à travers lequel on pousse le lard au moyen d'une autre tige, appelée aiguille à piquer. Le vieux Wang était exigeant et, souvent, tyrannique. Mais à la fin de son école, je fus capable de désosser complètement des volailles, des gibiers à plumes, des porcelets et des agneaux, de les farcir et de les reconstituer entièrement avant de les embrocher. Il m'inculqua ses techniques de marinade et de cuisson à la laque. Dans son empire natal, les laques s'utilisent traditionnellement pour le canard, servi froid ou chaud, mais il appliquait la méthode de cuisson à d'autres viandes avec des résultats surprenants. Mélange de sauce soya, de Maïzena, de poudre aux cinq-épices, de miel liquide, d'un peu d'huile d'arachide, de vinaigre d'alcool et d'ail, les laques sont le fruit d'une recherche absolue du dosage juste. En cours de cuisson, une laque trop liquide ne tiendra pas sur la viande, ou laissera des stries peu esthétiques. Si elle est trop dense, la laque formera une croûte noire au goût de sucre carbonisé et ruinera la préparation. La distance entre l'élément de cuisson et la braise est également primordiale. Wang remplaçait parfois le miel liquide par une réduction de sirop de fruits. Il innova en aromatisant ses laques de parfums divers. Il introduisit également un système pour précuire à la vapeur certaines grosses pièces avant de les terminer sur la braise. Entre les concertos de pets intempestifs, l'instructeur du Shanxi supervisa donc ma formation durant huit mois. Sur plusieurs photos encadrées et posées sur l'armoire métallique de son office, l'Inconnu se rappelait à mon souvenir, placé entre Wang, Trinkwein et la Baronessa.

— Qui est-il? demandai-je un matin à Wang.

— *Tsé*, lui! Frère Joyal.

— Joyal? insistai-je.

— L'ami de Trinkwein, ils faisaient les quatre cents coups quand ils étaient jeunes, répondit-il d'un ton évasif. Il fut un de nos plus grands maîtres. Le meilleur!

— Qu'est-il devenu?

— Ce qui nous arrive à tous.

— C'est-à-dire?

— *Tsé*, il est mort.

Nelson et Nilson

Je retrouvai Hakim à notre première session de volapük. Habitué au rythme effréné de la vie parisienne, il exprima d'emblée qu'il trouvait Bruxelles trop tranquille à son goût.

— À l'écart des turpitudes de la Ville lumière, cela te permettra de te concentrer sur nos études, plaisantai-je.

— J'espère que nous trouverons le temps de bambocher quelque peu, glissa-t-il d'un air malicieux avant notre entrée en classe.

Les semaines défilèrent au rythme d'horaires chargés où nous trouvâmes l'occasion d'assister à quelques pièces de théâtre. Il n'était pas très bavard, et moi non plus. Wang siphonnait mon énergie. Et quelque chose de lourd semblait préoccuper Hakim. Après une représentation tardive d'une pièce de boulevard, nous décidâmes de veiller dans une taverne de la rue des Bouchers. Nous y commandâmes des entrecôtes grillées qu'un serveur nous apporta saignantes. Des chiqueurs de tabac, installés au comptoir, envoyaient de temps à autre quelques jets de salive gluante et noirâtre dans un crachoir en étain.

— Bon appétit, me souhaita Hakim.

Il me confia les tensions qui régnaient au siège social parisien.

— Je suis entre l'enclume et le marteau, avoua-t-il, d'un ton qui dénotait sa lassitude. D'un côté, je me sens privilégié de ma présence au siège. Je rencontre des travailleurs aux compétences professionnelles et humaines exceptionnelles. De l'autre, l'Ordre se sclérose graduellement, chuchota-t-il, comme si des espions pouvaient l'entendre.

Depuis plus de dix ans, les conservateurs et les réformistes se tranchaient les jarrets allègrement, s'étendit-il. À un point tel qu'ils en étaient venus aux mains à la dernière assemblée générale.

— Manoukian, le Grand Élu, est un radical, consacré par l'aile ultraconservatrice. Ses membres tracent notre futur avec une vision strictement littérale des enseignements du *Codex référentiel*. La situation s'est détériorée depuis le mandat de Wang, qui était un réformiste.

J'appris ainsi que son successeur Joyal avait dirigé l'Ordre dans la même lignée idéologique ; malheureusement, il était décédé avant la fin de sa gouvernance. Selon la procédure mentionnée dans le *Codex*, le flambeau avait été confié à Manoukian puisqu'il était l'adjoint désigné par l'élu. Comme le spécifie l'alinéa 23, il restait éligible pour deux mandats de cinq ans. Au début de sa première gouvernance, Manoukian avait placé ses fidèles à la tête des différents services administratifs et dans le Comité des Sages. « Pas les plus compétents, pas les plus intègres ! », critiquaient les réformistes. En gagnant sa seconde élection, de justesse devant Madame Falstaff, Manoukian n'avait pas réussi à contenir les dissensions émergentes.

— Il arrive au terme de son règne, pointa Hakim le doigt levé. La majorité des réformistes se trouve à l'étranger. Techniquement, Madame Falstaff rassemble l'unanimité, mais elle enseigne, loin, en Amérique. Au siège social, le Comité des Sages accepte mal le manque d'orthodoxie de ses enseignements, plus proches de la fantaisie de maîtres comme la Baronessa, ou même Wang. En sachant que la garde rapprochée parisienne de Manoukian n'appartient pas aux lecteurs les plus éclairés du *Codex référentiel*, la prochaine élection s'annonce rude. Dans le cas d'une victoire des réformistes, la tâche du prochain Grand Élu risque de devenir intenable.

— Il n'aura qu'à changer les membres administratifs qui dirigent les départements !

— Impossible ! L'alinéa 78 du *Codex* précise qu'ils occupent ces positions *ad vitam æternam*.

— À vie ! Comment est-ce possible ?

— Cela remonte au Moyen Âge, une période où l'espérance de vie n'excédait pas quarante ans.

— Ça n'a plus de sens !

— C'est ainsi. Officieusement, Wang et d'autres avant lui avaient changé progressivement cette pratique. Ni lui ni son successeur n'eurent le temps de réformer officiellement cet alinéa.

— Donc, il est valide ! Qui figure en tête de liste des élus potentiels ?

— Madame Falstaff, Clarence Marmaduke, N'goma du Nyiragongo, la Baronessa, Perang de Batavia et Razor Barbakos sont des noms qui reviennent souvent.

— Le favori ?

Hakim musela ses opinions, je n'insistai pas.

— Les pouffiasses ? demandai-je alors dans une vaine tentative pour alléger l'atmosphère.

— Alinéa 69 : « Les membres administratifs en formation respecteront un code moral et éthique très strict. » La date sur le
Codex référentiel remonte au début de l'inquisition.

— Quelle mémoire, tu m'impressionnes !

— Mieux le connaître, mieux le contourner !

Devinant le fond de sa pensée, je ressentis une admiration
profonde pour Hakim, plongé dans cette clandestinité mentale. Établissant un lien solide de confiance entre nous, cette
discussion à cœur ouvert nous fit du bien. Par la suite, nous pour-
suivîmes nos activités ludiques sans aborder ces sujets délicats.

Le jour, Wang me familiarisait avec sa science. Le soir, Nelson
et Nilson m'enseignaient les rudiments du volapük avec une
quinzaine d'initiés. Il me fallut peu de temps pour comprendre
ce que Wang voulait dire en parlant d'eux.

— *Tsé !* Ce duo d'intellectuels excentriques raffinés et délicats
pratique des méthodes d'embrochage très particulières, avec
des techniques de lubrification éprouvées, mais ils enseignent
surtout le volapük, notre langue commune.

— *Ach !* L'effort sincère que nous mettons quotidiennement
dans la pratique de notre art est notre plus grand secret, évo-
qua Trinkwein. Le reste n'est qu'une suite d'adaptations aux
aléas de notre époque.

En parlant ainsi, mon maître se démarquait nettement des
conservateurs. Mais je crois qu'il n'a jamais tenu de tels propos
dans nos assemblées générales, où il était considéré comme
un conservateur modéré. C'est du moins toujours ce que j'ai
entendu dire dans le cercle des maîtres. Bon, le volapük ! Ce
langage a passé le filtre de l'étude de linguistes chevronnés. Les
documents existent, plus éloquents que je ne pourrais l'être.

Le volapük est notre tradition la plus récente. Construite et inventée par Johann Martin Schleyer, un prêtre catholique germanique, cette langue répondit au désir de notre caste de s'internationaliser et d'être administrée par une langue qui lui est propre. Durant une assemblée générale, Leibowitz et Madame Khan, deux membres établis, décidèrent d'écarter les langues les plus répandues. À l'époque, plus de la moitié du globe était sous la férule des puissances coloniales européennes, et les deux tiers de nos frères venaient de ces pays sous dominations étrangères. Le volapük, langue nouvelle, sans velléité dominatrice, s'imposa donc comme langue commune. Des volapükistes reconnus comme Auguste Kerckhoffs, et même Schleyer, le fondateur, prirent en charge l'éducation de nos maîtres et de quelques très jeunes initiés (dont Trinkwein). Mes professeurs, Nelson et Nilson, me remirent les manuels scolaires de l'association mondiale, la très austère Volapükaklub Valemik, et tous les journaux officiels *Volapükabled Zenodik*. Ils allaient devenir mes ouvrages de chevet pour le reste de mon apprentissage. Cheveux blancs crépus, lunettes rondes, toujours vêtus des mêmes redingotes brunes et élimées, ils se ressemblaient comme des jumeaux. L'un commençait une phrase que l'autre terminait systématiquement. Ils ne se quittaient pas une minute. On percevait chez eux un sentiment fusionnel inexplicable, un peu comme des siamois séparés par un bistouri à la naissance. Il leur arrivait de bégayer ensemble.

— La la langue est très simplifiée, commença Nelson.

— Très simpli-plifiée, même, appuya Nilson.

— La volonté du fondateur était d'employer une phonétique facile à prononcer pour certains peuples.

— À l'exception des lettres q et w, son alphabet est composé des mêmes lettres que l'alphabet latin.

— Le r, pour faciliter la prononciation à nos membres asiatiques, est quasiment inexistant.

L'alphabet contient aussi les lettres ä, ö et ü.

— Sa grammaire est constituée des déclinaisons suivantes : le nominatif, le génitif, le datif et l'accusatif.

— Les mots se composent d'un radical, lequel peut être modifié par un ou plusieurs suffixes, mais aussi se composer de deux ou de plusieurs radicaux. Tout cela est bien théorique, mais par exemple...

— *Volapük*, soit « langue universelle », vient de *vol* : « monde » et de *pük* : « langue ».

— Les chiffres d'un à neuf commencent et finissent par une consonne. La consonne de fin est toujours un l.

— *Bal* : 1, *tel* : 2, *kil* : 3, *fol* : 4, *lul* : 5, *mäl* : 6, *vel* : 7, *jöl* : 8, *zül* : 9. En rajoutant un s, on obtient les dizaines correspondantes, par exemple 10 se dit *bals* et 20 se dit *kils*.

— Le livre le plus connu est le *Mallonga gramatiko de volapuko*, mais d'autres existent. Ils sont rares !

— C'est incompréhensible ! ronchonna Hakim, dès les premières leçons. À quoi cela sert-il d'apprendre une langue qui n'a aucune assise culturelle ?

— Pour casser tout schéma formaté dans ta langue maternelle, justifia immédiatement Nelson.

— Dans l'absolu, c'est aussi valable que d'en maîtriser plusieurs, renchérit Nilson.

Je crus vraiment qu'ils étaient frères, jusqu'au moment où je découvris qu'ils étaient amants et qu'ils formaient un couple. C'était durant une de nos soirées libres, nous traînions avec Hakim dans quelque endroit à la mode, où nous avions vu les deux compères s'embrasser... J'en touchai un mot à Trinkwein quelque temps plus tard et lui fis part de ma réprobation. Mon maître me répondit, visiblement courroucé :

— L'art du méchoui est aussi celui de la tolérance.

La Ville lumière

Ma formation au sein de l'Ambassade de Chine cessa abruptement en septembre 1895. Trinkwein me l'annonça alors que je me préparais à rejoindre la capitale.

— Le Vénérable Instructeur ne m'en a pas touché mot ! dis-je en croisant le visage de l'inconnu sur la photo.

— Wang ne va pas bien, me confia Trinkwein en frottant soigneusement le cadre. Il doit se reposer.

Cette nouvelle m'attrista énormément, surtout que Wang n'avait jamais rien laissé paraître. Je pensai reprendre une certaine routine. Il n'en fut rien. Le maître vérifia scrupuleusement si les techniques du Chinois avaient été assimilées correctement. Il me fit reconstituer sur-le-champ un cochon de lait farci avec un godiveau parfumé d'essence de truffe, mélangeant chair de veau, graisse de bœuf et duxelles de morilles, de cèpes, de chanterelles et de bolets.

— *Gut !* Tu as fait des progrès. Tant mieux, nous avons du pain sur la planche ! dit-il l'index tendu vers le tableau des réservations.

Je constatai que la liste des commandes s'étalait sur quatre colonnes. Nous mîmes dès lors les bouchées doubles. Pendant la semaine qui précéda notre incursion à Paris, nous avons enchaîné réception sur réception. Nous dormions peu, nous mangions mal, la métaphore du bagne. Après le boulot, avec les équipes du service, nous buvions trop, pour oublier nos dégaines de morts-vivants reflétées par le miroir de la Jument Balance, une taverne enfumée située dans une ancienne écurie, près du Grand Théâtre. En octobre, un messager à l'accent parisien apporta une missive à mon maître, le convoquant à une assemblée générale.

Je compris en ouvrant la fenêtre de ma chambre, tandis que le messager tambourinait comme un demeuré sur la porte, que c'était de première importance. Ce serait l'ultime assemblée avant le jour du vote.

C'était au terme d'une journée passée à préparer le méchoui d'une association caritative pour les enfants démunis. Trinkwein devait s'attendre à recevoir ce messager, car il l'invita à se restaurer d'une généreuse assiette de charcuteries et de fromages, qu'il m'avait demandé de dresser avant de terminer le rangement de l'atelier.

— Je dois me rendre impérativement à Paris, entendis-je à travers la porte de ma chambre. Tu m'accompagneras avec Dugommier.

L'heure n'était pas si avancée, mais j'avais déjà enfilé ma chemise de nuit, tiré les rideaux et commencé à parcourir un ouvrage de Jules Verne à la lueur d'un chandelier. Les romans fantastiques de cet auteur m'extirpaient des affres de la grammaire en volapük et des alinéas complexes du Codex référentiel.

— Qui s'occupera de l'atelier durant notre absence? demandai-je en ouvrant la porte.

Il tenait la lettre cachetée d'une main et de l'autre, une lampe à pétrole, dont la flamme vacillante avivait les ombres sur les murs de pierres. .

— *Ach,* ne t'en préoccupe pas ! Quitter les fumées de graisse vous changera les idées. Il faut de temps à autre prendre du recul. Mais ne t'attends pas à des vacances. Chasse de ton esprit les cocottes — je ne parle pas ici des marmites — et le cancan. Ta présence à l'assemblée te familiarisera avec les visages de nos membres. C'est important d'être vu, presque autant que d'être entendu. Considère ce trajet comme un aller-retour ludique. Nous voyagerons demain par le train de nuit.

— Pourquoi pas de jour ?

— Parce que le couturier nous attend !

Le lendemain, nous fîmes ajuster nos tenues chez Aaron Cohen, un client de longue date de mon maître. Les membres de sa famille travaillaient dans l'industrie du vêtement et dans la taille de diamants à Anvers. Lorsque nous quittâmes sa boutique de la rue Spintay en toute fin d'après-midi, nous avions fière allure. Le couturier avait ajusté nos redingotes au poil, et la coupe de nos gibus était proportionnelle à nos tailles. Nous profitâmes d'une pause de quelques heures et du souper avant de rejoindre la gare centrale. La locomotive crachant des gerbes de fumée se pointa vers 11 heures du soir. Les wagons étaient flambant neufs. Les compartiments du train de nuit, bondés d'une faune en goguette partant bambocher à Paris, furent notre seul bémol. Il n'y avait pas une place assise. Le maître remédia immédiatement à cette situation. Il me tendit un mouchoir et une pince à linge.

— Fais comme moi ! recommanda-t-il.

En ajustant le tissu sur son nez, il y appliqua une pince en bois et d'une voix nasillarde demanda à Dugommier-qui-pue-des-pieds de se déchausser. La manœuvre s'avéra percutante. Le compartiment se vida en un clin d'œil. Jusqu'à l'aube, nous parcourûmes le trajet dans une tranquillité relative. Paris se réveillait quand nous arrivâmes. La station Paris-Nord ressemblait à une ruche d'abeilles ; c'était un enchevêtrement de rails et de convois qui se croisaient en sifflant. Des centaines de voyageurs arrivaient de tous les côtés. L'odeur de fumée de charbon était suffocante. Des jets de vapeur chuintaient des chaudières. Sur le quai, une horde de soldats embarquait dans un convoi réservé aux militaires.

Des tirailleurs en partance pour le Tonkin, parvins-je à comprendre.

Nous traversâmes le hall bondé de monde. Le plafond décoré de ferronneries était d'une hauteur vertigineuse. La lumière filtrait au travers de vitrages spacieux et démesurés. À la sortie des quais, deux voyous entreprirent de se suriner avec des lames de rasoir, mais ils furent contenus par cinq policiers qui leur aplatirent la face, avant de les embarquer dans le panier à salade. Hakim et Hurlusse nous attendaient à l'entrée du terminus Nord. Devant un fiacre, Hurlusse dissertait sur la beauté poétique d'anciens alinéas du *Codex référentiel*. Quand il nous aperçut, Hakim se précipita vers nous. En me serrant la main, il me confia qu'il était au courant de notre arrivée. Je n'en fus pas surpris. Il était stratégiquement placé pour l'apprendre.

— Hurlusse a réclamé au Comité des Sages l'honneur d'assurer ma formation. Je suis officiellement son initié, m'annonça-t-il.

— Fini les belles histoires de maître Luciani ! Fini les pouffiasses ! insistai-je.

— Mieux connaître, mieux contourner! répéta Hakim.

Nous éclatâmes de rire de concert. À quelques pas de nous, nos maîtres se congratulaient chaleureusement.

— Ventre-saint-gris, que je suis heureux de te revoir, frère Trinkwein.

— Moi aussi, *mein lieber Kollege*[10].

Hurlusse nous fit monter dans le fiacre. Les sabots des chevaux se mirent à marteler les pavés des grandes allées. Enfoncé dans le siège, je découvris le cœur d'un empire qui rayonnait sur tous les continents. Je vis au loin la tour Eiffel, terminée six ans auparavant pour l'Exposition de 1889. Je ne connaissais de Paris que ce que j'en avais lu dans les romans. Je n'imaginais pas que c'était aussi grand, aussi peuplé. Et le plus incroyable dans tout cela, c'est que je m'y trouvais. En face de moi, Trinkwein et Hurlusse prenaient connaissance de documents à la hâte. Dugommier et moi écoutions Hakim jouer au guide touristique. Dans un chaos d'embouteillages et d'engueulades, le long d'avenues gigantesques, des hommes distingués et tirés à quatre épingles faisaient des courbettes à de belles dames, élégamment vêtues. Les rues grouillaient comme une fourmilière. Ce foisonnement de boutiques et d'étalages soigneusement décorés me fascinait, autant qu'il m'étourdissait. L'architecture, les vêtements, la mode, même le mode de vie des gens semblaient dédiés à l'esthétisme. En assistant à ce spectacle indescriptible, on comprenait instinctivement que tout arrivait ici et repartait d'ici. Sur les trottoirs, les passants s'arrêtaient pour admirer des commerces aux mille merveilles. Ils entraient dans des galeries pour en ressortir avec toutes sortes de paquets et

---

10 «Mon cher collègue», en allemand.

de marchandises. Sur les murs des théâtres et des cabarets, on voyait des affiches aux couleurs vives et aux personnages jouissant des plaisirs de la vie nocturne. C'était magnifique, au-delà du rêve.

— Qui a peint ces images? demandai-je.

— C'est un artiste qui vient de Toulouse. Mais je crois qu'il est d'origine bretonne. Il s'appelle Lautrec, un nom comme ça, répondit Hakim.

— Il n'y a pas de pauvres ici! fis-je remarquer.

— Détrompe-toi, la police fait la chasse aux clochards et aux mendiants sur les grands axes.

Le fiacre nous déposa devant l'ossature métallique des Halles.

— Le siège social de l'Ordre se trouve dans un secteur où s'échangent des tonnes de produits de boucherie, indiqua Trinkwein. C'est le marché central principal de la capitale, un point de transit tous azimuts pour les denrées alimentaires. Ah oui, soyez attentifs à vos bourses!

Hurlusse nous fit traverser des allées aux étals croulant sous les aliments. Il y en avait dont j'ignorais jusque-là l'existence.

— Oui, il te reste beaucoup à apprendre! émit Trinkwein.

Par un labyrinthe de couloirs et de passages, nous fûmes introduits au cœur du cénacle de l'Assemblée générale. C'était une salle aux murs recouverts de boiseries, sobre et immense, formant une moitié de cercle. D'innombrables sièges de velours étaient disposés sur une dizaine de paliers.

— Aujourd'hui, ils sont presque tous occupés, précisa Hakim.

Trinkwein m'expliqua que le groupe conservateur se tenait traditionnellement à droite et que celui des réformistes choisissait généralement le côté gauche. Ce n'était pas un clivage officiel, mais il s'était installé avec le temps. Parfois, pour signifier son désaccord, un maître changeait de place, pour se rapprocher du centre, rejoindre les extrémités ou passer de l'autre bord. Ce système semblait recevoir l'approbation de tous les membres, sans qu'il perturbe le déroulement des débats. Hurlusse s'installa à droite. Nous nous assîmes plus vers le centre. Dans l'assemblée, sur la gauche, je reconnus la Baronessa, Yasuda et Élie, ainsi que quelques initiés avec qui j'avais prêté serment à Stonehenge. Mon regard se porta vers le Comité des Sages, cinq gérontes qui disparaissaient derrière des piles de papiers, et vers un siège vide qui trônait tout en haut, juste en face de moi.

— Tiens, je ne vois pas ce farfelu de Pablo le *borracho*, dit mon maître.

Le Grand Élu, un homme de haute taille, au visage allongé, au teint blanc comme un cierge de Pâques et aux cheveux sombres et lisses, fit son entrée. Tout le monde se dressa en retirant son gibus. Je fis de même.

— Honorables membres, soyez les bienvenus aux Halles de Baltard, nous accueillit Manoukian. Ainsi qu'il est de coutume et de politesse, je salue ici maître Trinkwein, un de nos anciens grands élus, et la première présence de son initié. Je déclare ouverte l'assemblée générale, déclara-t-il alors. Comme d'usage, nous commencerons par les formalités administratives.

— J'ignorais que vous aviez siégé au poste suprême ! murmurais-je, surpris.

— *Ach*, ça n'a pas d'importance. Tais-toi, ça commence !

Quand les membres furent assis, Olafsen le Doyen prit la parole en volapük. Il énonça la liste des maîtres récemment promus et leur filiation académique, ensuite celle des nouveaux initiés. Je découvris ainsi mon nom au sein de l'Ordre : *Sans Loi*. Toute l'assemblée me dévisagea en chuchotant. Je n'en compris pas la raison.

— Est-ce une impertinence, maître Trinkwein ? gronda Manoukian, interrompant ainsi la procédure (lui seul avait le droit de le faire). Quel nom singulier pour un initié !

— Il ne pourrait en avoir de meilleur pour le conservateur que je suis. Le *Codex référentiel* ne prône-t-il pas l'harmonie des contraires, Grand Élu ?

Estomaqués, les membres retinrent leur souffle. Sans détour, Trinkwein remettait en cause un des commandements clés du livre devant celui qui en justifiait la plus petite virgule. Occultant l'esquive, Manoukian approuva :

— Bien sûr ! Continuez, doyen.

Tout le monde nota que le visage du Grand Élu s'était assombri. Chez les réformistes, on se mit à sourire en coin. Ça sentait le bras de fer électoral. Après avoir débité une litanie de points à l'ordre de la séance, Olafsen annonça :

— Vous aurez remarqué l'absence du Vénérable Wang. Il a rejoint sa ville natale de Xian, à la suite d'une maladie incurable des voies respiratoires...

Il flotta un moment de silence et d'émotion. Durant le banquet qui marqua la pause de la journée, cependant, certains esprits irrévérencieux ne manquèrent pas de commenter de manière désobligeante la maladie de Wang, en prétendant qu'elle résultait probablement des émanations putrides de son système intestinal. Personne n'osa se prononcer sur le sujet.

— Le vieux Wang serait le premier à en rire, pouffa Trinkwein. « *Tsé*, ainsi je meurs dans l'interaction des cinq éléments », dirait-il.

Zamad, qui avait obtenu sa maîtrise après Stonehenge, nous débrocha des rôtis de bœuf et de volaille enduits de moutarde de Montcuq (prononcez sans le q), dont les tranches garnirent nos pains de campagne. Les animosités semblèrent s'évanouir le temps de quelques toasts. Nous eûmes le privilège d'assister à une représentation privée du célèbre Harry Houdini. En quelques minutes, enchaîné de la tête aux pieds, l'illusionniste s'extirpa d'un aquarium rempli d'eau. Trois heures après, la séance reprit de plus belle.

— Le doyen est la marionnette de Manoukian, nous chuchota Trinkwein à l'oreille. Préparez-vous à des échanges de muscles, de chair et de sang !

Effectivement, Olafsen se lança alors dans un véritable réquisitoire :

— Il est parvenu à nos instances que des membres ne respectent pas nos principes fondamentaux. Ils ajoutent des sauces de type industriel à leurs préparations, ignorent l'interaction des cinq éléments et tolèrent la giration mécanique lors de la cuisson à la broche, et ce, au prix de sanctions et même de l'exclusion de notre ordre. Je tiens à rappeler que l'article numéro 1 du *Codex référentiel* sur les méthodes de cuisson est on ne peut plus clair : « Un espace protégé, une broche, une viande, un feu, un maître ou un initié... »

Deux blocs aux regards acérés se dévisagèrent. D'un air méprisant, Manoukian toisa la partie de gauche de l'auditoire et attendit la contre-attaque de Madame Falstaff. Les mots et les regards assassins du doyen la ciblaient personnellement. L'Acadienne était une grande joufflue, aux joues rondes et roses, possédant un franc-parler qui n'épargnait personne. Elle n'était pas du genre à s'en laisser imposer. Surtout pas par Manoukian.

— *Calvinus!* jura-t-elle. Ces propos sont d'une vile bassesse visant à discréditer la réputation de frères inspirés par une vision créatrice de notre art! Il y eut des précédents dans notre histoire, sans que des sanctions disciplinaires fussent appliquées. Des méthodes mécaniques de cuisson giratoire existent depuis deux millénaires. Si notre doyen avait la volonté de consulter nos archives, il redécouvrirait que de brillantes civilisations utilisaient des principes rotatifs activés par la force hydraulique et éolienne.

— *Yes but*, ces procédés demeurèrent au stade expérimental! fusa la voix de Clarence Marmaduke, le Britannique.

— C'est le signe que l'innovation a toujours trouvé place dans nos débats! déclara Perang l'Indonésien.

Personne n'eut la sagesse d'écouter. Au comble de la frustration, les extrêmes avaient envie d'en découdre. Gâchée par des propos disgracieux et regrettables, la discussion tourna rapidement au vinaigre. Le doyen en perdit le contrôle lorsqu'un membre de la droite balança un document officiel en direction du centre gauche. Bombardée de papiers, l'assemblée ressembla aux salles de classe de mon enfance, sauf que l'instituteur n'était plus là pour nous frapper. Impassible, Manoukian laissa la dispute s'envenimer. Il n'avait rien à perdre, son temps d'élu était quasi échu. Son favori, Razor Barbakos, jouait du coude dans les sondages avec Madame Falstaff. Il restait plusieurs mois de luttes chaudes avant la journée d'échéance des votes. Enfin, Manoukian frappa avec son bâton de cérémonie pour rappeler à plus de décence.

— À l'ordre, à l'ordre, cria-t-il d'une voix apaisante.

Quelques dernières insultes fusèrent avant que ne se calment les membres les plus agressifs.

— Maître Trinkwein, as-tu quelques opinions sur ce que le doyen Olafsen vient d'exposer? lui demanda-t-il.

Un grognement filtra des deux bords ; les membres n'étaient pas dupes. En confiant la suite du débat à mon maître, de centre-droit, le Grand Élu écartait son aile radicale des tirs groupés de l'auditoire de gauche.

— Concernant? émit Trinkwein, qui avait probablement compris la manœuvre.

— Concernant le respect de nos bases fondamentales! appuya d'un ton perfide Manoukian.

— Ceux qui se souviennent de mon mandat, il y a de cela plus de vingt-cinq ans, savent que mes opinions n'interfèrent jamais avec mon jugement. Je n'ai qu'un seul guide.

— Lequel?

En ajustant son gibus sur le sommet de son crâne, Trinkwein se dressa d'un bond. Il tira de sa redingote un bouquin jauni et usé jusqu'à la reliure et l'ouvrit à la troisième page.

— Le *Codex référentiel*! Souvent décrié, cité et perverti dans son intime compréhension, mal interprété. En fustigeant maître Évangéline Falstaff, que je salue au passage, notre doyen a exposé le non-respect de nos enseignements fondamentaux. En fait, en citant textuellement ce passage décrivant la cuisson, il vient de tomber dans le piège de la dualité comme un débutant. Je lis : « Un espace protégé, une broche, une viande, un feu, un maître ou un initié... » Trois points de suspension qui ne sont jamais cités verbalement ! Le voilà, le problème. L'exemplaire que je détiens est une des premières traductions en volapük. Cette version, éditée d'après l'étude des textes de langues modernes comme l'allemand et l'anglais, mais aussi de plusieurs idiomes anciens comme le sanskrit, le chinois de la dynastie Tang, le latin, le grec, et même le slavon, révèle une précision on ne peut plus symbolique. Cette nuance de trois points apporte un espace à une interprétation plus large. Il ne dit pas laquelle et n'indique pas de direction précise. Mais ignorer ce non-dit est contraire aux enseignements du *Codex référentiel*.

Cette affirmation déclencha une confusion perturbatrice dans les esprits ; on entendit des grognements et des soupirs. Mon maître venait de disserter en pure sagesse. Manoukian, pas plus que les membres potentiellement éligibles comme Razor Barbakos, Madame Falstaff et Clarence Marmaduke n'eurent envie de prendre la parole. Quelqu'un devait argumenter, au risque de perdre toute crédibilité ou bien d'empocher tout le crédit du discours de Trinkwein. N'goma du Nyiragongo, assis devant le maître, un peu plus bas, s'infiltra dans la brèche. Conservateur dans ses choix, l'Africain possédait une éloquence bienveillante. C'était surtout un bon vivant, rien à voir avec l'attitude rigide et austère de Manoukian et de Razor Barbakos. Négociateur habile, capable de jongler avec les alinéas abstraits du *Codex*, il grugeait parfois des votes dans le camp des réformistes, ce qui suscitait automatiquement les foudres de sa droite radicale.

— Effectivement, nous devons aborder de front cet aspect du livre, approuva-t-il en levant la tête vers Trinkwein, ensuite en la pivotant vers Madame Falstaff, pour revenir soutenir le regard de Manoukian. Je suggère que le Comité des Sages puisse soumettre le problème à nos juristes, afin qu'ils apportent une solution. Il va de soi que des sanctions ne pourront s'appliquer durant cette période de questionnement. Et que celles qui sont en marche seront automatiquement déboutées.

Les membres applaudirent à tout rompre N'goma, qui posa ainsi le premier jalon de son ascension. À la satisfaction des belligérants, Olafsen accepta la proposition d'inclure la nouvelle procédure suggérée par N'goma, au nom du Comité des Sages. Sur ces faits, le doyen dévoila à l'assemblée les cinq têtes de liste électorale au poste suprême de l'Ordre. Il décacheta le document, le déroula et demanda à Hakim de le faire circuler parmi les membres après l'avoir lu à haute et intelligible voix :

— Razor Barbakos, Évangéline Falstaff, Perang de Batavia, N'goma du Nyiragongo, la Baronessa. Je déclare la séance levée. Bon retour à vos ateliers, maîtres, initiés et indispensables.

Les membres prirent congé avec les politesses d'usage. Dans l'allée débouchant sur les étals, mon maître serra des mains à n'en plus finir, en silence bien sûr ! Personne ne s'adressait la parole, une procédure pour éviter les rumeurs. En jouant sur la ponctuation, il venait d'éviter une crise majeure à notre fraternité. Sur le trottoir de la ligne des fiacres, je lui fis part de ma surprise et de mon admiration devant le fait qu'il ait dirigé l'Ordre. Il m'avoua que la politique n'apparaissait plus dans son plan de carrière, depuis son unique mandat qui l'avait comblé.

— À l'époque, j'ai tracé les voies de Wang et de Joyal. Mes deux successeurs ont accompli un travail remarquable. Bientôt, le Vénérable Wang ira se fondre avec les éléments, surtout sous forme de gaz. Comme lui, je laisse toujours une porte ouverte. Il reste à nos membres la possibilité de choisir, murmura Trinkwein d'une voix lasse. Sache que le choix est parfois une illusion pour séparer ceux qui ont le pouvoir de ceux qui ne l'ont pas.

— *Oufti*, l'optimisme suinte des chaumières! haussa d'un ton Dugommier.

Il n'avait pas articulé un mot durant les palabres. Trinkwein grimpa dans un fiacre en nous annonçant :

— Les cabarets sont un exutoire à nos frustrations. Fouette, cocher, emmène-nous à Montmartre!

Dans un estaminet situé près de la butte, nous nous délectâmes du plat au menu du soir, un succulent navarin d'agneau arrosé de bordeaux. Nous passâmes le reste de la soirée au Lapin Agile, un cabaret où, en buvant du champagne, nous écoutâmes le chansonnier Aristide Bruant nous faire un pot-pourri de ses succès. À mon grand regret, ce voyage se terminait. Nous reprîmes le train de nuit. Dugommier n'eut pas besoin d'exposer ses doigts de pieds, il y avait un compartiment de libre. En quittant la Ville lumière, je repensai à tous ces événements, aux Halles, à Houdini, à Bruant, à ces belles personnes entrevues au gré des rues. Mon coin de pays allait devenir trop petit pour moi...

Pablo le *borracho, churrascaría, asado*

Le travail reprit dès notre retour. Trois-Frontières n'était pas Paris, elle était cependant prospère, à cause de sa position stratégique. Avec l'apport des matières premières de sa colonie africaine, notre royaume réclamait la place enviable de cinquième puissance économique mondiale jusqu'au début de la décennie suivante. Comme dans le reste du pays, nos manufactures et nos usines régionales tournaient à plein régime. L'argent coulait à flots, mais le niveau de vie de la classe ouvrière restait bas. Spa, la ville d'eau voisine, était un centre thermal reconnu par les empereurs, les rois et les magnats de la finance et de l'industrie. Inconditionnels des chairs rôties de notre atelier, ils commandaient à n'en plus finir. Pour fournir à la demande, nous trimions parfois quinze heures par jour. Pour compenser, mon maître nous payait très au-dessus des salaires misérables de l'époque. Derrière nos buffets, nous participions à toutes les fêtes où il faisait bon d'être vu. Trinkwein jubilait lors de ces mondanités, du moins en apparence, parce qu'elles lui permettaient de développer des liens commerciaux. Fondamentalement, il aimait les choses et les situations simples. Il souhaitait partager et améliorer l'expertise de l'Ordre. Les tiraillements aux Halles ne suscitaient pas son intérêt. Je notai tout de même une recrudescence de sa correspondance avec le siège social. Je me doutais qu'il se préoccupait de l'état de santé de Wang. D'ailleurs, le pétomane lui écrivit régulièrement de Xian.

— Bien qu'il souffre de ballonnements, affirmait Trinkwein en rangeant la lettre dans sa poche de sarrau, son état reste stable.

À coups de cuissons carnées, nous fîmes tourner les semaines de labeur. En veillant à ce que je m'applique dans les règles de mon art, Trinkwein me concéda graduellement de l'initiative. Dans ses lettres, Hakim m'expliqua qu'au siège social, les membres ne jasaient que de l'élection du Grand Élu. Razor Barbakos et Madame Falstaff émergeaient des sondages internes du Comité des Sages, talonnés par N'goma. L'Ordre traversait une période houleuse. Des membres administratifs réglaient des contentieux avec des maîtres rayés de nos registres parce qu'ils prônaient des réformes. Et, fait rarissime, des initiés avaient changé de maître. Des experts renommés, comme Madame Falstaff, cherchaient à inclure la mécanisation dans nos techniques de cuisson des broches. Ce genre de suggestion suscitait la colère des puristes.

N'en faisons pas mystère, cher Sans Loi. Comme toute organisation qui se respecte, notre fraternité n'échappe pas aux tensions les plus courantes, celles qui sont entre les humains de terrain et les humains des bureaux. Je devine qu'une éruption rebelle se propage entre les braises, une guerre entre conservateurs et réformistes. J'en connais suffisamment pour affirmer que l'harmonie fraternelle de l'Ordre a du plomb dans l'aile. Ce que tu as constaté aux Halles n'est que la partie visible. Dans l'ombre, ses membres se tirent souvent dans les sabots, m'écrivait Hakim dans son dernier courrier.

Perplexe, je ne parvenais pas à me faire une opinion sur le sujet. Ainsi, on arriva au quatrième automne de ma formation. J'avais paré sept sangliers destinés au rassemblement annuel d'une association de chasseurs. Dans un endroit frais, les venaisons reposaient à des crochets. J'étais en train de préparer nos huiles aromatisées. Savoureux et aux parfums d'une variété infinie, ces mélanges typiques des pizzerias napolitaines sont rapides à concocter. En laissant macérer une herbe de base dans le gras liquide, ou plusieurs comme du thym ou du romarin, on peut jouer avec les piments frais et sec, l'ail, le gingembre et des écorces d'agrumes, même avec des noix de muscade et des grains de poivre de toutes les couleurs. À l'origine, notre fraternité utilisa ce procédé pour passer les huiles plus anciennes et celles de moindre qualité, les premières pressions, les meilleures, devant toujours se consommer pures et froides.

— Tu pars demain en Argentine, m'avertit Trinkwein alors que j'achevais de verser mes préparations dans des bouteilles.

— En Amérique du Sud! m'exclamai-je stupéfait. Pourquoi?

— *Ja, Herr* Sans Loi! Décision du siège social. Il est venu le temps pour toi de parfaire ton expérience internationale. Fais tes bagages. Tu vas en formation chez Pablo le *borracho*.

Je refis le trajet entre la gare des Trois-Frontières et le Terminus nord parisien, puis une diligence de l'Ordre me conduisit au port du Havre. Sur les flots de l'Atlantique me portant vers l'Argentine, je ne savais pas à quoi m'attendre. Au terme d'un périple éreintant de quatre semaines, dans une cabine près d'une soute de cargo, ensuite dans des wagons bondés, entre les odeurs de transpiration, de saucissons rances, de fromages malodorants et de fientes de poulets, j'arrivai chez Pablo le *borracho*. Son atelier au cœur de la pampa dominait une hacienda à une heure de marche de San Miguel, la ville la plus proche. Partout, des cavaliers regroupaient des troupeaux de bovidés aux cornes taillées. Quand les bestiaux pénétraient dans les enclos, ils dégageaient une poussière infernale.

— *Buenas tardes*, me salua un gros gaucho en s'approchant de moi.

— Pablo? demandai-je.

— *El Jefe borracho*, me dit-il en m'indiquant le logis principal.

J'entrai dans l'immense pièce aux plafonds hauts, aux poutres massives et aux murs de pierres, mais ne vis personne. Pablo cuvait son vin, étendu dans la plonge humide de son atelier. Avant de le rencontrer, j'ignorais la signification du mot ibérique *borracho*: ivre. La soixantaine passée, il confisait dans l'alcool, autant que Wang lévitait dans ses gaz. Assis sur un fauteuil dans un coin d'atelier, j'attendis qu'il dessaoule. Dans un panier à côté de la porte du bureau, un cabot me sondait d'un œil glauque en se grattant les puces. Finalement, je m'endormis et ce fut Pablo qui me réveilla.

— *Ahi, mucho gusto, chico!* Tu es l'initié de ce vieux cuir de Trinkwein, je suppose. Excuse-moi de t'avoir fait attendre. Je faisais la sieste, se justifia-t-il en volapük, et surtout avec une haleine rance de pinard.

En titubant, le latino me conduisit à ma chambre. Le mobilier était primaire, mais pas inconfortable. De la fenêtre, on voyait les sommets enneigés de hautes montagnes. Entre nous s'étendait un espace infini. J'aperçus le vol majestueux d'un condor. Avant de m'endormir d'un sommeil de plomb, j'honorai le plateau-repas sur la table et la bouteille de vin rouge, la première d'une série éthylique. Sans les vibrations des machineries du bateau, le claquement des rails et les bruits de pistons des locomotives, je passai une nuit de rêve. Le petit-déjeuner du lendemain démarra avec un poulet de grain à la broche, du pain de campagne et un rioja capiteux.

— Bois, *Chiquito*, bois, insista-t-il. Une chair est plus tendre quand elle est marinée. Je cultive la vigne pour ma consommation personnelle, *ahi!*

Pablo me demanda de concocter du Nectar de Néron, rien à voir avec une cuisson à la broche. Je connaissais cette préparation de grand-mère, plus médicinale que culinaire, destinée à soigner les rhumes et les maux de gorge. Sous son œil attentif, je hachai finement des oignons et j'étalai du miel dessus, dans une proportion de deux oignons pour deux cuillerées à soupe de miel. Je laissai la concoction reposer toute la nuit. La journée suivante, j'en remplis une centaine de pots en terre que je scellai à la cire. Pablo arriva à l'atelier alors que je rangeais ma table de travail. Il me déballa des *bocadillos*[11] de pain tomaté remplis de tranches de jambon de Bayonne, délice que nous accompagnâmes d'une cuvée pas piquée des vers.

— *Buen provecho*[12], *ahi!* criait-il à chaque bouchée.

Au troisième jour, je crus que ma tête menaçait d'éclater. Inquiet, je me demandai si nous allions maintenir ce rythme effréné de soûlographie. À mon soulagement, Pablo apparut à jeun. Il tenait une perche en bois taillée en pointe, qu'il agita au-dessus de sa tête.

— *Buenos dias, chico!* Ceci est la base du méchoui! déclara-t-il. Au départ, il s'agissait de la lance, ou du javelot, destiné à tuer l'animal. Tout cela pour te remettre à l'esprit que tu dois éviter

_____

11 «Sandwichs», en espagnol.
12 «Bon appétit», en espagnol.

de raisonner en termes dualistes : bien et mal ; vie et mort. *Vida, muerte*. Les premiers humains piquaient la viande et la faisaient rôtir à même les flammes. Ils l'apprêtèrent ainsi, car la concentration des sucs résultants de ce mode de cuisson décuple les sensations agréables sur les papilles gustatives. Épicurien un jour, épicurien toujours, dit-on depuis. *Ahiiii !* Avec le temps, en suspendant leurs proies entre deux branches plantées dans le sol, ils raffinèrent le procédé avec une manivelle. De nos jours, certains rebelles utilisent la force mécanique. *Por Dios*, j'adore, surtout parce que c'est interdit par le *Codex référentiel*. *Prohibido !* Avant l'âge du métal, les maîtres trempaient leurs broches dans l'eau, afin que les fibres de bois se gorgent de liquide empêchant ainsi qu'elles ne s'enflamment. Cette méthode est employée de nos jours par les grillardins avec leurs bâtons de brochettes. Avec les années, le poids de la charge, et surtout la chaleur, les broches en métal se déforment. Quand elles tournent mal, il est préférable de les recycler à d'autres tâches. *Madre dé Dios*, j'ai vu beaucoup de radins s'obstiner avec du matériel usé. En fin de compte, ce sont des économies de bouts de chandelles, préjudiciables à la marche des affaires, puisqu'elles altèrent la qualité de la préparation. Sache que l'on ne fait pas du neuf avec du vieux, *no Señor !* C'est vrai pour les humains, aussi et malheureusement !

Ainsi, à grand renfort de vin rouge, cet ivrogne impénitent me transmit les méthodes de cuisson hispaniques et lusitaniennes, riches d'histoires et de traditions.

— *Me gusta mas el rojo*[13] ! disait-il avant d'entamer une bouteille.

---

13 « Je préfère le rouge », en espagnol.

Nous débutâmes par la préparation de la fameuse marinade *chimichurri*, mélange d'huile, d'eau tiède, de vinaigre, de vin, de sel fin, d'ail et de persil haché. On y ajoute aussi des poivrons rouges et des tomates en dés, du paprika, du cumin et du poivre noir moulu, de l'origan sec et des feuilles de laurier. On arrose les méchouis avec, mais Pablo l'utilisait parfois pour ses cuissons sur un gril toscan, en métal et avec quatre pieds, qu'il déposait sur la braise. Il l'huilait directement avec la moitié d'un oignon piqué dans une fourchette, une belle habitude que je conservai. Il était également éleveur, ce qui lui permettait de contrôler la qualité de sa production, de l'étable jusqu'à l'assiette. Sur les marchés aux bestiaux locaux, il me montra comment sélectionner les bovidés sur une échelle de qualité. Nous passâmes ensuite à l'*asado*. Je devais m'en délecter, car les idées premières d'*el asado* sont l'invitation au plaisir, à se rassembler et à préparer un repas collectif.

— *Por favor*, jamais individuel, insistait Pablo.

Toujours l'objet d'une réunion, sa préparation est associée à une fête ou à une célébration. Pendant neuf mois, j'allais m'initier à sa spécificité, sa braise faite de côté et sa cuisson verticale comme l'*asado al Calafate* où la viande est mise sur une sorte de croix et où la cuisson commence le matin pour être prête le midi. Ensemble, nous éprouvâmes ces techniques héritées des gauchos de la pampa. La première leçon de Pablo et son accent résonnent toujours à mes oreilles :

— *Ahi*, dans l'*asado*, la cuisson est longue et la viande reste juteuse. On forme la braise petit à petit à gauche dans le foyer. Quand elle est blanche, c'est qu'elle est à la température parfaite. À l'aide d'une barre de fer, l'*asador* la fait à ce moment glisser sous les grilles de cuisson et la broche. L'avantage, c'est qu'il n'y a jamais de flammes. Si on manque de combustible, il suffit de rajouter du bois sur la gauche du foyer.

Après maintes beuveries, et quand je fus habile avec l'*asado*, nous passâmes au *churrasco*. Dans cette institution culinaire brésilienne, le cochon, le poulet, le mouton, mais également des viandes des jungles amazoniennes, reposent dans des marinades à base d'ail, de jus de citron et d'huile salée et poivrée. Les broches sont posées sur la verticale à côté des braises de charbon de bois. Souvent, elles sont grillées. On les sert avec une sauce à base d'oignons en dés, de tomates et de poivre de Cayenne. On peut l'inclure à la marinade, et certains maîtres mettent un peu d'origan ou de marjolaine. Du point de vue de la cuisson, proche de l'*asado*, la particularité du *churrasco* est principalement son service. En effet, les serveurs s'approchent des tables avec la broche entière et ainsi les convives peuvent choisir les morceaux qu'ils désirent. Accompagnés d'une samba endiablée, ils passent, repassent et proposent, jusqu'à ce qu'on leur demande d'arrêter. Pour éviter de semer la confusion dans les esprits, parfois on appelle aussi *asado* ou *churrasco* toutes sortes d'assortiments de grillades. Peu importe en fait, car c'est toujours un délice. J'appris énormément au contact de Pablo. Même s'il buvait comme un trou et qu'il allumait ses feux avec les pages arrachées au *Codex référentiel*, *El borracho* conjuguait magnifiquement techniques ancestrales et raffinement des saveurs. À la fin, il me fit découvrir sa grande cuvée. Je fus content de le quitter. Mon foie n'eut pas résisté. Nous fêtâmes mon départ dans un bouge du *puerto* de Buenos Aires, où débarquaient des centaines d'immigrants italiens faméliques. Au milieu d'un groupe de prostituées pratiquant des pas de tango entre elles, il m'apprit l'élection de N'goma du Nyiragongo au poste suprême de Grand Élu.

— *No me gusta!* J'aurais préféré la Baronessa, zozota-t-il, passablement éméché. J'ai plus d'affinités avec ses fantaisies culinaires qu'avec l'orthodoxie gastronomique des rats visqueux, suppôts de Manoukian. L'âge de notre Florentine a certainement joué en sa défaveur. *Ahi*, j'aurais peut-être dû voter *por* Madame Falstaff. Mais j'ai peu de points communs avec les Anglo-Saxons. J'imagine que N'goma est un moindre mal, en considérant que Razor Barbakos était le grand favori dans le dernier sondage...

À ce moment, des policiers effectuèrent une descente musclée dans la place. Soi-disant qu'ils cherchaient un maquereau impliqué dans un meurtre. Pablo, qui semblait les connaître, leur glissa quelques billets sous la table et nous en fûmes quittes. Quelques millésimés défilèrent. En me retrouvant dans le lit d'une fille de joie, aux yeux de braise et au corps souple comme une liane, je vomis avant de conclure. Ma tête se mit à tourner et je perdis complètement le souvenir de ce qui se déroula ensuite. Je me réveillai tout habillé sur une banquette en bois, dans les troisièmes classes du navire qui me ramenait en Europe. Mes vêtements puaient l'eau de Cologne, la vinasse et le dégueulis.

— Comment peut-on se mettre dans des états pareils? me demandai-je en déglutissant de la bile à la toilette.

Posé sur ma valise, je trouvai un casse-croûte emballé et un mot de Pablo me souhaitant un excellent voyage de retour avec ce post-scriptum : « L'art du méchoui est certainement celui des excès, *chico*. Le poison est aussi l'antidote, tout est question de dosage. »

— *Ahi!* m'exclamai-je en rigolant.

L'alcool, les drogues et la fête

La nostalgie de cette expérience latino-américaine perdura plusieurs mois, jusqu'à notre départ pour Bruxelles, afin d'organiser le Congrès Anubis. L'air pur de l'hacienda et les sommets des montagnes sillonnées du vol des condors m'avaient donné un sentiment de liberté indéfinissable. Ce n'était pas l'unique raison de mon état d'esprit. La saveur des broches de Pablo éclipsait son ivrognerie et ses coups de gueule. Certaines personnes nous manquent sans que l'on puisse en expliquer la raison. Je crois qu'il m'avait, au-delà de la connaissance de ses techniques, insufflé le désir de voyager à travers la pratique de mon métier. C'est à ce moment-là que je décidai de devenir membre errant. En me faisant comprendre le sens de la non-dualité en quelques mots, il changea mon existence : « Le poison est l'antidote... » Aussi, filles et fils de David, de Mahomet, de Jésus, de Bouddha ou de Shiva, zoroastriens et adeptes des cultes chamaniques, les maîtres sont des épicuriens, je le clame. Cette condition est *sine qua non* pour le devenir. Wang, la sagesse incarnée, était l'exception. Sous ses airs réservés, Trinkwein était un jouisseur impénitent. Élie fumait du haschich. La Baronessa appréciait la grappa, plus que de raison. Yasuda n'a jamais caché ses virées arrosées de saké dans les bordels de Yokohama. Entre deux cours de volapük, Nelson et Nilson écumaient les bars interlopes et les soirées roses. Pour Pablo, c'était différent. Il était alcoolique, son ivresse rimait avec tristesse. Quand il rigolait, c'était par dérision, comme un bras d'honneur aux turpitudes de l'existence. C'est cela qui le rendait tellement attachant.

À mon retour, Trinkwein, Albin et Dugommier discutaient boulot dans l'atelier ; ils venaient de terminer un banquet.

— Bonsoir, maître. Bonsoir, Monsieur Albin, dis-je en entrant. Le maître d'hôtel me salua de la tête. Et Dugommier me fit un signe de la main.

— *Oufti*, t'es revenu !

— *Guten Abend*. Je n'aurai pas le mauvais goût de te demander si tu as tâté de la bouteille chez ce soûlographe... s'avança Trinkwein.

Il parlait de Pablo, bien sûr.

— Un nombre incalculable de bouteilles, en fait.

Accompagné du rire de Dugommier, Trinkwein acquiesça.

— *Ach*, Pablo picole par dépendance, pas par goût de la fête, affirma-t-il, avant d'y aller d'une tirade. C'est ça, son problème. Pourtant, c'est paradoxal ce que je vais te dire. Méfie-toi de quelqu'un qui n'aime pas boire et manger. Mon ami Joyal ne crachait pas sur la bière. Il est impossible de pratiquer longtemps notre métier, d'en supporter le stress, la bassesse et l'avarice des employeurs, la veulerie, la roublardise de certains employés et les exigences déraisonnables de beaucoup de clients, sans la faculté de compenser ces frustrations par l'envie irrépressible de s'amuser, de boire, voire de consommer des substances illicites. Quelques proches, un peu d'alcool, de la musique et voilà la fête qui allume nos sens ! Si une broche tourne au cœur des réjouissances, c'est mieux encore. Généralement, les meilleures fêtes sont improvisées. Les plus ennuyeuses sont souvent les plus branchées. Insidieusement, elles relèvent généralement du désir d'un mécène de flatter son ego en se plaçant au centre de l'attention de ses invités et de leur rappeler ainsi son pouvoir. Ces orgies sont principalement des vecteurs de relations publiques, outils de négociations commerciales. Avec Albin, nous avons fait des méchouis pour les plus grands mécènes du spectacle, nous connaissons la musique. Tous brûlent d'y être invités, mais au risque de les décevoir, ces bacchanales sont les plus superficielles et les plus insignifiantes, malgré tout le luxe et les vices qui y sont déployés. Elles n'ont que la valeur de l'argent, c'est d'ailleurs la raison essentielle de leur importance. Le reste n'est qu'artifice. La fête, c'est quelque chose d'essentiel, qui soude nos affinités, un sentiment de cœur qui rassemblait les premiers humains autour d'un feu et d'une broche, aux sons de la flûte et du tambour. Ils consommaient des plantes hallucinogènes et des boissons enivrantes pour communiquer avec l'Irrationnel, mais aussi pour atténuer leurs angoisses, bien avant l'existence de la prière et de la méditation. Rien n'a changé depuis. À toutes les époques, on a soigné les malades et atténué les souffrances avec des substances illicites. Elles sont le symbole de la ligne entre le bien le mal, si chère à nos sociétés occidentales. Le plus important dans toute consommation est de ne pas perdre le contrôle. L'ivresse doit être festive, elle ne peut jamais surpasser la joie. C'est tout ce que j'ai à dire sur ce sujet. Quant à mes maîtres, je salue leurs faiblesses au même titre que leur joie de vivre. Ta formation de base est terminée, Sans Loi ! Ta compétence dépend de ton vouloir. À toi de l'approfondir, au risque de sombrer...

Le Congrès international Anubis

J'ai le souvenir que la connexion directe avec l'Inconnu se fit à l'approche du congrès de l'Ordre. Je fixais la photo d'un regard insistant et celle-ci se mit à me parler intimement. Je parvins surtout à capter des mots rassurants : *Tout ira bien. Reste calme. Concentre-toi.* Je ne cherchai pas à analyser l'événement rationnellement, car au-delà de ces mots, j'y trouvai une forme naturelle d'apaisement. Durant ma carrière, j'ai œuvré à cinq Congrès Anubis, un record partagé avec Wang. Mon premier se déroula dans notre capitale. Quand Trinkwein en aborda les préparatifs, je ne compris pas de quoi il s'agissait.

— Le Congrès international Anubis est l'événement majeur de l'Ordre, m'expliqua-t-il deux mois avant sa tenue. Il se déroule chaque décennie à une date variable.

— Qui est Anubis?

— Le dieu égyptien à tête de chien qui embaumait les morts avant de les faire passer dans l'au-delà. Anubis nous rappelle que la vie est éphémère.

— Pourquoi un corps humain avec une tête d'animal? demandai-je.

— *Mein Gott*, tu replonges immanquablement dans la dualité, Sans Loi! gronda-t-il. Au début de la conscience, nos anciens vivaient en symbiose avec tous les éléments et tous les êtres. Certaines Écritures nomment ces premiers temps le jardin d'Eden. N'étant pas séparés, ni de corps, ni d'esprit, ils fusionnaient, comme partie prenante de l'univers. Les créatures hybrides des légendes, comme le Sphinx avec sa tête d'homme et le corps d'un lion, ou le centaure mi-homme mi-cheval, sont l'expression de ce sentiment. Pour l'humain de cette époque, il n'y avait rien de contradictoire dans la représentation d'animaux mythiques, comme le Garuda, le Minotaure, l'Hydre, le Griffon ou les dragons, car ils révèlent toute la symbolique de l'unité des espèces : la force de l'un avec la mobilité de l'autre, une créature nautique qui vole, un serpent créature de terre qui crache du feu, même Anubis au flair de chien. Pour les humains, avec les âges, cette illusion d'être séparés du Tout fut créée par leur ego. Comprends-tu?

— J'essaie! Et qu'en est-il du Congrès Anubis?

— Son organisation nécessite une logistique énorme, une préparation longue et méticuleuse. La présence de tous les maîtres et de leurs initiés y est requise. On y ordonne les prétendants au titre de maître. C'est là que sont honorés nos membres les plus méritants et où sont couronnés les plus prestigieux. Notre Comité des Sages décide de notre avenir collectif. Notre ordre régénère ainsi ses traditions par toutes sortes de festivités et de rites. Un système tentaculaire se met en branle. Jusqu'aux déserts les plus reculés, jusqu'aux îles isolées au cœur des océans et jusque dans les villes les plus populeuses, nos messagers font parvenir le mandat de participation à nos membres.

— Qui en est le responsable?

— Wang devait l'organiser, mais sa maladie a tout chamboulé. Manoukian et le Comité des Sages ont pris le relais. Puisque Anubis se déroulera dans notre royaume et étant donné que je suis le doyen des maîtres de ce pays, il m'incombe d'en assumer la charge, m'annonça Trinkwein.

— À quoi ressemble un Congrès Anubis ?

— À un concile papal, sauf que nous plongeons en plein péché de gourmandise, émit-il d'un air malicieux.

Pris de court, Trinkwein voulut s'assurer que toute la logistique fut en marche. Aussi, il ferma boutique et nous rejoignîmes Bruxelles. Dès ce moment, un salaire nous fut versé directement par le siège social. Le compte à rebours d'Anubis était activé. Le maître fit un saut à Paris, pour mettre les pendules à l'heure avec l'appareil décisionnel. Nous constatâmes que Wang avait envoyé les invitations. Yasuda nous fit visiter l'auberge où se dérouleraient les festivités. C'était un château transformé en relais gastronomique. Alternativement, le soleil et la lueur de la lune lui donnaient un air martial et majestueux le jour, imposant et sinistre la nuit. Les cuissons des broches auraient lieu en plein air, certaines dans les âtres immenses du château. On annonçait une température clémente, mais des tentes de réceptions étaient prévues en cas de mauvais temps. Mon maître me demanda de faire l'inventaire du matériel et de vérifier si Wang avait contacté les fournisseurs locaux. Ce travail me prit une dizaine de jours. Comme d'habitude, malgré la maladie, Wang le méticuleux avait tout prévu. Je commandai du charbon de bois en suffisance et également toutes sortes d'essences de bois et de sarments de vigne. Des tonnes de viande arrivèrent six jours avant le banquet, par la voie du train. Fraîchement abattus, à poils ou à plumes, les animaux avaient été sélectionnés par Manoukian aux Halles de Baltard. Juger l'homme est une chose ; l'apprécier ou pas en est une autre. Évaluer les compétences professionnelles d'un Grand Élu relève encore d'un autre domaine. Dans ce cas, la qualité de la marchandise frôlait la perfection. Visiblement, l'Arménien connaissait la musique. Sur sa liste de directives, il nous recommanda de les faire mortifier dès réception. Suspendre ces trésors dans un endroit adapté aux températures de chaque chair releva d'un travail de forçat. Mais tout fut prêt à temps. Par télégraphe expédié au siège social, Trinkwein annonça :

On peut faire marcher.

À cinq jours de l'ouverture, Albin l'Écrevisse se pointa au château, à la tête de la fine fleur de ses larbins. Après avoir passé la brigade en revue, Trinkwein accrocha Albin par l'épaule. Avec leurs tronches d'alcoolos masquées de poudre de riz, leurs perruques blanches, leurs cols en dentelles, leurs tenues de laquais et leurs collants, ils ressemblaient à des soldats d'opérette plus qu'à des serveurs.

— *Oufti*, quelle bande de bouffons ! ne rata pas Dugommier.

— Tu ne vas pas les faire travailler dans cet accoutrement ? tonna Trinkwein.

— Ne vous fiez pas aux apparences, répondit Albin. Ils arrivent d'un banquet en l'honneur de Sa Majesté Royale Léopold II. Ils ont des états de service impeccables.

— J'espère que ta bande de bras cassés sait se tenir, prévint-il. Que je n'entende pas de commentaires disgracieux !

— Bien sûr, maître Trinkwein, insista le majordome. J'y veillerai.

Les membres administratifs arrivèrent avec leurs bureaux démontables et leur paperasse quatre jours avant le congrès. Hurlusse faisait courir Hakim de tous bords. Maître Görn, qui venait d'Islande, et Madame O'Malley, d'Irlande, se présentèrent les premiers, suivis du bâtonnier d'Aoste. Accompagné du Mongol Altan, Popov, sorti de sa lointaine Sibérie, fut le dernier à signer le registre. Il y avait ceux que je connaissais, comme la Baronessa et Élie, ceux et celles que j'avais aperçus à l'assemblée générale, comme Manoukian ou Olafsen, mais la majorité m'était étrangère. Ce qui ne dura pas, car le maître me présenta selon un protocole très précis. Chaque fois, la réponse et l'étonnement que je suscitai furent les mêmes.

— Ah, c'est lui !

Quand on nota l'absence de Madame Falstaff, de Nicos le roi du Gyros et de quelques autres, personne n'osa aborder ouvertement le sujet.

— *Ich weisse*[14], notre Comité des Sages étudie la question, me dit Trinkwein.

Dans la salle d'armes du château, je fus emmené devant l'arbre généalogique de l'Ordre. C'était un parchemin gigantesque, de la taille de trois hommes, déplié sur un panneau de bois placé entre des armures et des armes anciennes. Je dus monter sur une escabelle pour pouvoir admirer cette œuvre d'art de plus près. Les racines profondes, le tronc solide et les branches dévoilaient des siècles d'histoire peinte et calligraphiée. Au premier coup d'œil, on découvrait les lignées de maîtres et d'initiés. Je saluai le nom de celui qui avait formé mon maître, un Ottoman d'Anatolie appelé Süleyman. Des centaines d'autres gravures identifiées à l'encre de Chine m'apparurent, puis des photos, plus vieilles et plus récentes. Sur l'une d'elles, l'Inconnu prenait un regard très solennel. À mon désarroi, il demeura de glace.

_____

14 « Je sais », en allemand.

— C'est celui de la photo au-dessus de l'atelier ? demandai-je.

— Joyal, celui qui me succéda à la tête de l'Ordre, confirma le maître.

À l'ouverture, il flottait sur le Congrès Anubis une atmosphère féerique et étrange comme dans une toile de Bruegel le Vieux ou de Hieronymus Bosch. Nous étions rassemblés dehors, au début d'une superbe matinée. Au point d'enregistrement, quand Hakim annonça la fin des inscriptions et le début officiel des festivités, les membres administratifs se mirent en ligne, ôtèrent leur gibus et les pointèrent vers le ciel. Un éclair fendit l'air. Alors, inexplicablement, émergeant d'un écran de fumée, un homme avec un chat angora sur l'épaule salua toute la Fraternité avant de disparaître en s'enroulant dans sa longue cape.

— Oooooohhh ! émit la foule.

Avais-je été victime d'une illusion d'optique ? Trinkwein m'expliqua :

— Urbanus l'Examinateur. Je ne suis jamais parvenu à comprendre comment il fait ça !

Devant une multitude de maîtres et presque autant d'initiés, précédés d'Hurlusse et d'Hakim, le très Honorable N'goma du Nyiragongo s'avança d'un pas lent. Il fit un sourire de nacre et prononça dans un volapük impeccable :

— *Menade bal, püki bal !*

« Une humanité, une langue ! » traduisis-je instantanément.

Vêtu d'un boubou multicolore, notre Grand Élu fit l'homélie de Wang, dont nous apprîmes le décès.

— Vénéré, dans le ciel, il n'y a pas de distinction entre l'est et l'ouest, le nord et le sud, tu ne vas nulle part, car il n'y a nulle part où aller.

Quelques sanglots s'étouffèrent au cours d'une minute de silence, puis mon maître lança la formule rituelle d'une voix forte mais teintée d'émotion :

— Je déclare ouvert l'antépénultième Congrès international Anubis. Maîtres, initiés et indispensables du méchoui, profitons des festivités.

— *Ahiiiii!* beugla Pablo le *borracho*.

Toute une gamme de cris frénétiques et de rires fusèrent de l'assemblée. Pablo sabra un vieux champagne qui gicla sur N'goma. L'Argentin en cala la moitié d'une traite avant de rejoindre son poste de cuisson. Tandis que les congressistes faisaient leur entrée, un frisson me parcourut des pieds à la tête. Précédés de figurants déguisés en squelettes arborant des faux, les souliers brillants comme des miroirs, en gibus et en redingote, les maîtres et les initiés défilèrent d'un pas lent. Toutes nationalités, toutes races et tous sexes confondus, ils s'installèrent autour des tables rondes et frappèrent dessus avec leurs couverts. N'goma souffla dans une corne de brume. Le maître basque Echecopar entama le premier service avec des palombes rôties flambées au capucin. Ensuite, les convives firent honneur aux bœufs d'Argentine, cuits à la broche sous une braise lente. Dans un flot ininterrompu de musique du monde, de spectacles de cirque et de danse, de nectars alcoolisés, de grands vins et de victuailles fines, les mets se succédèrent pendant cinq jours. Sous les feux d'artifice, nous passâmes des nuits blanches à manger et à boire. Nous trouvions le temps de dormir une heure ou deux dans les offices près des tables de service. Je dégustai le chevreau aux épices berbères de Zamad et le cheval des steppes d'Altan. N'goma me fit goûter à son antilope aux herbes des savanes. Nous mangeâmes les perdreaux de Vanneau, les venaisons de l'Élégant Sansom et les gyros fondants du boulimique Dimitrios qui, entre deux bouchées arrachées à même la broche, criait « Philoxénia ! », un mot grec signifiant hospitalité et convivialité. Habituellement, c'était Nicos qui représentait son pays, mais son nom ne fut pas prononcé. Initié de ma promotion, Sousa nous concocta sa recette de poulet au porto. Clarence Marmaduke nous prépara son *Special lamb*. Et nous nous délectâmes du lama des Andes au *chimichurri* de Mademoiselle Zamora. La Zamora, comme nous l'appelions, remuait régulièrement ce brouet dans un bocal hermétique afin que toutes les saveurs se mélangent bien.

— Je préfère la version aigre-douce de la recette. Pour caraméliser la viande, j'ajoute un peu de miel ou de *azucar*, me confia-t-elle.

Anubis vira à l'orgie d'alcool et de nourriture. Je me damnai pour l'agneau à l'ail de Béchir et pour le mouton accommodé au whisky écossais de Mac Allister. En tenue de cosaque, Popov flamba ses broches avec de la vodka et Madame O'Malley nous présenta du coq au goût de Guinness. Avec surprise, nous découvrîmes que Blanchard White, un Cajun de la Louisiane, arrosait ses cuissons d'un liquide appelé cola, pour donner une croûte sucrée et savoureuse. Les cochons de lait farcis de Madame Susic firent un malheur. Vêtu d'un *sarong*, pagne long et étroit porté par les Malais, pays d'où venait son épouse, l'Indonésien Perang me montra comment broyer au mortier son mélange d'arachides, de citronnelle, de sucre brun, de curcuma, de coriandre, de cumin, de cannelle et de sel. Il m'enseigna à lier cette pâte avec de l'huile d'arachide pour en obtenir une sauce satay. La cigarette de clous de girofle au bec, il m'expliqua la manière d'enduire au pinceau les poulets, le bœuf et le mouton, en fin de cuisson.

Ce fut un congrès où la joie des membres et la mort de Wang se mélangèrent intimement.

— Tout bien pensé, n'en est-il pas ainsi de l'existence? mentionna Trinkwein. L'art du méchoui est comme l'art de la mort, celui du détachement et de l'acceptation.

Au dernier banquet, Vandenberg nous stupéfia avec son veau mariné à la bière de Ciney et aux baies de genévrier. Ah oui, je revis la belle Laura et j'en fis mon dessert, encore une fois. À la fin du congrès, devant les membres, N'goma félicita mon maître.

— Ce que vous avez réalisé est incomparable!

Trinkwein reçut une énorme ovation. Les membres se jetèrent sur nous et nous firent sauter en l'air sous les acclamations. Nous restâmes encore quelques jours pour procéder à la fermeture des lieux et clore définitivement le congrès. Avec Hakim et Albin, nous fûmes les derniers à partir. Je notai à l'instant du départ que l'examinateur Urbanus et Trinkwein se parlaient dans un coin.

Au retour, je ne compris pas la tristesse qui s'empara du maître. D'habitude si jovial et tellement bavard, il ne m'adressa pas la parole. Je lui demandai si mon travail l'avait déçu.

— *Nein*, me répondit-il. Tu as fait belle impression.

Il m'annonça que des décisions importantes me concernant seraient bientôt prises, que je serais tenu au courant en temps et lieu.

Les semaines suivantes, nous révisâmes ensemble toutes les techniques. Je sentis Trinkwein devenir de plus en plus morose, tout comme l'inconnu de la photo. C'est la période de ma formation où sa présence devint la plus intense et que je compris que c'était avec lui, dans le contexte de ce portrait uniquement, que j'avais établi un lien au-delà du rationnel.

— Vous avez l'air préoccupé, fis-je remarquer à Trinkwein.

— Je le suis. Plusieurs maîtres ont décidé de rejoindre le groupe de sécessionnistes réformateurs de Madame Falstaff et de Nicos.

— Qui sont-ils?

— Mademoiselle Zamora, Mac Allister, Perang l'Indonésien et Béchir.

— Des sœurs et des frères importants, donc?

— Oui. Et des anciens, comme Pablo et Popov, réclament une assemblée générale immédiate. Ce que N'goma, notre Grand Élu, refuse à cause de la mort de Wang.

— Pourquoi?

— Quand un ancien Grand Élu décède, il est de tradition de respecter un deuil d'une année. Je crois que N'goma cherche à gagner du temps.

— Que pensez-vous de sa décision?

— Je ne la conteste pas, même si je la trouve trop rigide. Ce qui est étonnant, car il est encore jeune. Il est probable que beaucoup de choses changent d'ici le prochain Congrès Anubis. Je tiens à ce que tu sois prêt. Et pour ce faire, oublie tout ce que je viens de te confier et concentre-toi sur ton étude : tu recevras bientôt la visite d'Urbanus!

Urbanus

On disait d'Urbanus que c'était un homme de peu de mots, car il en mesurait toute la portée. On ignorait tout de lui, jusqu'à son niveau hiérarchique dans notre ordre. Avec ses paluches d'étrangleur, son rire sardonique et son air glacial, Urbanus ressemblait plus à un guerrier farouche qu'à un maître. Ses gestes lents et son physique de garde du corps foutaient les jetons. Recouvert d'une longue cape et d'un capuchon de moine, avec Baphomet son angora sur l'épaule, Urbanus se pointa à l'atelier un mois après le congrès. Son vêtement dégoulinait de pluie. Donnant une impression d'inquisiteur lugubre, l'Examinateur claudiquait légèrement. Une canne massive avec un pommeau en métal lui servait d'appui. En claquant la porte, il me sonda d'un air démoniaque. Mon maître paraissait plus nerveux que moi encore. Ils se saluèrent avec respect. Avec aplomb, Trinkwein affirma :

— Noble Urbanus, veuillez prendre l'initié en charge, il est prêt.

— Quel âge a-t-il ?

— Vingt et un ans.

— Alors le temps est venu pour lui de prendre son envol.

Urbanus n'avait cessé de m'observer. Je soutins son regard d'acier sans toutefois chercher à ce qu'il m'accorde sa sympathie. Instinctivement, je sus qu'il était ici pour me tester et qu'il n'était pas le genre d'individu à faire de cadeau.

— Tu portes officiellement le titre d'aspirant. Ainsi que le stipule le *Codex référentiel*, durant l'examen, en ma présence, tu n'adresseras plus la parole à ton maître, pas plus qu'il ne te l'adressera. Suis-moi!

Nous quittâmes l'atelier et Baphomet miaula.

— Va chasser les souris, gronda Urbanus, en balançant le félin en pleine rue. Cette ville regorge de rongeurs.

Baphomet disparut derrière une échoppe. C'était jour de marché, comme ce samedi où, en laissant ma grand-mère négocier le prix d'un poulet, ma vie avait basculé. Cela faisait exactement sept ans que j'avais remis mon destin entre les mains du maître. En me regardant dans la vitrine de la boucherie chevaline Kiehm, je notai que mon visage et mon corps avaient changé. L'adolescence n'était qu'un souvenir.

— Eh oui, confirma Urbanus avec un accent guttural. Vous arrivez enfant à l'atelier et vous en ressortez adulte, que vous réussissiez l'épreuve ultime ou pas!

— Vous lisez dans mes pensées, maître Urbanus!

— Par les bacchantes et les bacchanales de Bacchus, tu t'exprimes bien! À l'avenir, il faudra que tu cultives le silence et la prudence! me prévint-il. Dans notre idiome, connaissance rime avec arrogance! Comment sais-tu que je suis maître?

— Je le sais, c'est tout.

— Je vois ! s'exclama-t-il en frottant sa barbe taillée en collier et son anneau dans l'oreille. Ce que j'exige est simple, dit-il, en me glissant quelques billets, si simple que beaucoup échouent. Négocie l'achat d'un agneau. Qu'il soit prêt pour ce soir, 8 heures. Nous serons trois.

Urbanus s'enroula dans sa cape et se volatilisa comme par miracle. Je constatai qu'il m'avait refilé peu d'argent. Avec une si maigre somme, ma marge de manœuvre était réduite. J'obtins à l'arraché un agneau entier chez un de nos bons fournisseurs. La pièce était harmonieuse, avec une mince couche de graisse et des chairs rebondies et tendres. De retour à l'atelier, j'organisai ma mise en place avec un soin méticuleux. Je parai l'animal et récupérai ses abats pour en faire un tagine aux petits légumes que j'avalai en vitesse. Je fis mariner la bête vidée et nettoyée dans de l'huile d'olive, avec de l'ail, du thym et du romarin, épicé d'une pointe d'harissa et relevé au gros sel. Je préparai le charbon de bois et allumai le feu. Tandis que la braise se formait, j'embrochai mon agneau. J'étendis ensuite la rocaille ardente. J'entamai une cuisson très lente. Je lavai des pommes de terres pour les mettre à cuire sous la cendre, décidé à les servir avec de la crème sure à la ciboulette hachée. Je concoctai une belle salade mixte de saison. Je suis incapable d'expliquer comment et pourquoi, mais je sentais l'invisible et forte présence d'Urbanus pesant sur moi à chaque phase de la préparation. L'inconnu sur la photo me toisait d'un air sérieux, sévère presque. À 19 heures 55, mon agneau débroché fumait sur le buffet, prêt à être servi. D'un claquement de doigts, Urbanus réapparut, sans son chat.

— Baphomet ne boit pas d'alcool, précisa-t-il en brandissant une vieille bouteille de Château Pétrus.

Sur le tabouret près des fourneaux, il en proposa au maître quand il entra dans l'atelier.

— C'est un excellent breuvage. Nous serons trois, dit-il alors. Vous, moi et l'aspirant.

Les deux maîtres s'installèrent à table et attendirent. En tenue de cuisinier impeccable, je servis différentes parties de l'agneau, présentées en fines tranches superposées en éventail. Les gigots étaient légèrement rosés à la jointure. Les souris étaient bien cuites. Elles se détachaient presque de l'os des pattes. La viande juteuse avait une croûte salée et craquante à point. Les filets et la selle fondaient sur la langue avec un soupçon de saveur d'ail grillé et d'harissa. Urbanus et le maître se goinfrèrent plus que de raison. À la fin du repas, l'Examinateur se leva en dégainant une longue lame cachée dans sa canne et découpa une tranche qu'il posa dans une assiette.

— Une dernière formalité, en fait, le jugement ultime! dit-il.

Il quitta l'atelier durant deux minutes et quand il fut de retour, il était tout sourire.

— Au risque de blesser certains ego, parmi les cuisiniers, et ils sont légion, on reconnaît le maître authentique aux mets les plus simples, pas dans les préparations sophistiquées, me confia-t-il. Tu as donné le meilleur de toi-même avec les misérables deniers que je t'ai confiés, jeune maître. C'est là que réside l'essence de notre ordre.

— Quelle était cette formalité si importante, Noble Urbanus? eus-je le cran de demander.

— J'ai fait goûter un morceau de chair à Baphomet. Le jugement de mon angora est plus crédible que celui d'un Grand Élu. Pour preuve, essaye de faire manger à un chat un aliment qui ne lui plaît pas, et tu verras... On ne peut rien lui passer, crois-moi. Et il s'est délecté! Je vous laisse ensemble, ô maîtres. Profitez d'une belle nuit blanche de fête.

Urbanus se volatilisa comme par enchantement. Je ne réalisais pas que mon examen était fini.

— Il ne m'a remis ni diplôme ni référence, maître. Est-ce bien normal? insistai-je.

— Tu es le diplôme. Tu es la référence. Tu es maître maintenant, de mon esprit à ton esprit, répondit-il en cognant son verre contre le mien.

Le portrait de Joyal approuva, visiblement content. Nous vidâmes la réserve d'armagnac. Ainsi se déroula ma dernière journée d'initié à l'atelier. L'art du méchoui est l'art des départs et du renouveau.

Soldat Sans Loi

Entre le désir d'en découdre avec la vie et la tristesse de quitter Trois-Frontières, j'indiquai à Trinkwein mon intention de devenir membre errant.

— Pour perfectionner d'autres techniques, justifiai-je, sans hésiter.

— *Abgemacht*[15] ! Au moins, tu sais ce que tu veux, acquiesça le maître.

— Ce que je ne veux pas, en tout cas ! répondis-je.

— Pour commencer, les membres errants approfondissent leur connaissance des épices à Londres avec Lady Godavari. On verra la réponse de l'Ordre, dit-il.

Il télégraphia le lendemain ma demande au siège social. Un problème demeurait, cependant. Avant d'entamer mon voyage d'initiation aux épices, je devais accomplir mes formalités militaires. Au Royaume, le devoir de milice était obligatoire pour tous les garçons ayant atteint l'âge de dix-huit ans, et je n'avais pas encore passé le stade de la sélection préliminaire. Il s'agissait d'une loterie où certains numéros étaient exemptés du service.

---

15 « OK », en allemand.

C'était un système de conscription inégalitaire où le plus fortuné pouvait payer le plus défavorisé afin qu'il accomplisse son temps d'armée à sa place. À première vue, je ne donnais pas une grande impression de puissance physique. Avec mes traits fins, mes cheveux en brosse et mon corps maigre, c'était plutôt l'apparence du contraire, mais des années de tours de broches et le transport de tonnes de carcasses animales avaient sculpté sur mon corps une musculature ne masquant rien de ma vigueur.

— Avec des vêtements trop grands, on pourrait penser que tu es rachitique, plaisanta Trinkwein, mais torse nu devant un officier du service médical, tu es mûr pour deux ans sous l'uniforme. J'ai d'excellents clients au sein de l'état-major, aussi je verrai si on peut te faire entrer au service d'un haut gradé. Les cantines militaires sont une abjection culinaire.

Quelques jours plus tard, je me présentai au centre de recrutement de Bruxelles pour passer mon examen médical.

— Bon pour le service, grommela un docteur binoclard en tamponnant un document. Au suivant !

Nous étions six pelotons d'une trentaine de conscrits potentiels. J'appartenais au troisième peloton de la deuxième compagnie. L'armée nous fit poireauter trois jours dans des classes où une foule de tests pour débiles mentaux nous fut imposée.

— C'est pour évaluer votre degré de salubrité mentale ! avoua un psychiatre d'un air candide.

Le jour du tirage de numéro, je n'en menais pas large. D'ailleurs, mes camarades de section en obtinrent tous un mauvais. En tendant mon billet au sergent recruteur, j'étais résolu à passer vingt-quatre mois sous les drapeaux, mais un vétéran de la conquête coloniale m'annonça :

— C'est votre jour de chance. Bon retour dans le civil.

C'est ainsi que j'échappai au rasoir du barbier régimentaire.

Même s'il ne dura que trois jours, cet épisode demeure pour moi d'une importance vitale. Son dénouement m'épargna l'abomination de la Grande Guerre qui éclata des années plus tard. Je fus exclu de la face obscure des cinq éléments, la boue, le métal, le feu, les gaz et le vide mortel des *no man's land*. Ce ne fut pas le cas de nombreux initiés et de leurs maîtres. Je me suis longtemps posé la question sur le sort de ceux qui vécurent ces septante-deux heures avec moi au centre de recrutement. Subirent-ils la barbarie teutonne? Suivirent-ils notre roi et son armée dans les tranchées des Flandres? Périrent-ils sur les berges de l'Yser, comme tant de jeunes Belges, en défendant le dernier bastion de notre terre occupée?

PARTIE 2

Londres

Mon maître fut heureux d'apprendre la nouvelle à mon retour. Au tournant du siècle, les tensions entre les puissances internationales suscitaient en lui beaucoup d'inquiétude quant à notre futur collectif.

— Ainsi tu ne seras pas soldat, soupira-t-il, heureux. Et le siège social a accepté ta requête de devenir membre errant. Quant à moi, j'ai décidé de cesser mes activités.

Je partais deux jours plus tard pour l'Angleterre, et son annonce me prit de court.

— J'avance en âge, justifia-t-il. J'ai assez embroché pour m'assurer une retraite paisible.

— Je vous serai à jamais redevable de l'enseignement que vous m'avez légué, maître, dis-je la voix cassée par l'émotion. Qu'adviendra-t-il de Dugommier?

— Je m'assurerai qu'il ne manque jamais de rien.

Le lendemain, valise en main, je fis une dernière fois le tour de l'atelier pour m'imprégner de sa magie. D'une tape sur l'épaule et d'une étreinte, je saluai Dugommier, visiblement attristé par mon départ. Avec Trinkwein, nous échangeâmes une accolade et une poignée de main. Germanique dans ses relations inter-personnelles, il n'était pas porté sur les élans démonstratifs.

— *Va*, m'interpella doucement la voix de l'Inconnu.

Et je quittai la région qui m'avait vu grandir.

Je fus pris en charge par le siège social londonien situé sur Baker Street et dirigé par Mathias Balthazar, un proche du Grand Élu Manoukian et de l'ultraconservateur Razor Barbakos. Avec sa joue balafrée sur la droite, résultat d'un duel au sabre, l'Austro-Hongrois dégageait une énergie sinistre, autant que les buveurs de sang de Bram Stoker. Il portait toujours des lunettes rondes en verre fumé. Son gibus et sa redingote sombres déto-naient avec son teint d'albinos ; il était la métaphore du noir et du blanc.

— Vous êtes dorénavant un membre errant ! me rappela Balthazar d'un ton glacial. Sachez que votre formation profes-sionnelle est à mille verges d'être complétée. Un fiacre vous attend dehors. Le cocher vous conduira au magasin de Lady Godavari.

— *Namaste*, m'accueillit ma nouvelle instructrice dans sa boutique de l'East End, une heure plus tard.

Lady Godavari m'initia aux diverses bases des garam masa-las, les mélanges d'épices de la cuisine indienne. C'était une grande dame à la peau sombre, aux traits fins, aux gestes gracieux et à la voix douce. Dans une pièce d'enseignement étaient rangés des centaines de contenants de terre cuite. Je dus mémoriser les noms des épices dans plusieurs langues étran-gères et apprendre à les identifier à l'odorat. Dans la métropole victorienne où aboutissaient les influences de ses colonies, découvrir les marchés et les magasins en compagnie d'une hindoue au sari cousu d'or raffermit en moi la conviction de l'élément unificateur des cultures par le vecteur de la cuisine. Végétarienne, Kali Godavari n'appartenait pas à l'Ordre, mais elle maîtrisait la science ayurvédique, un système hindou de médecine basé sur la balance des énergies corporelles, l'usage des diètes, les traitements par les plantes et la respiration du yoga. C'était aussi ma logeuse. Dans sa pension de famille, elle ne préparait que des menus végétariens, un délice et un paradoxe de plus pour le carnassier que j'étais. Je dois avouer que mon palais s'adapta sans réticence à ces mets aux saveurs exotiques, de loin préférables à la cuisine anglaise, une des pires abominations... Plusieurs de ses locataires étaient professeurs dans divers domaines, certains, même, précepteurs d'enfants de familles riches. Naturellement, ils m'enseignèrent la base de la langue de Shakespeare, ce qui me permit d'atteindre un niveau fonctionnel rapidement. Cœur de l'Empire, la *City* était la plus grande ville du monde, probablement la plus multiethnique aussi. En 1900, les rues, les quais, les infrastructures urbaines étaient en travaux ou en rénovations permanentes. Dans l'East End, que je traversais souvent, il restait pas mal de coupe-gorges, et l'on recevait parfois sur la tête des déjections humaines venant des pots de chambre balancés par les fenêtres. Aussi, pris-je l'habitude de marcher en regardant vers le haut. On vantait l'hygiène des insulaires de la perfide Albion parce qu'ils avaient inventé la chasse des eaux de toilette, mais apparemment le système n'était pas encore répandu partout.

Sur recommandation de Mathias Balthazar à César Ritz, un directeur hôtelier réputé, il me fut octroyé le mandat de former des rôtisseurs au service des banquets du Savoy, un palace où circulait tout le gratin impérial et politico-artistique. On exigeait des employés une discrétion aveugle. Nous ne passions jamais par l'entrée principale, réservée aux hôtes, mais plutôt par les quais de réception des marchandises et les locaux réservés aux ordures. Tout était savamment édifié afin que les maîtres et les valets interagissent sans jamais se rencontrer. Il y avait toujours quelqu'un pour vous ordonner de tenir votre rang. Nous devions servir comme si nous n'existions pas. À part Auguste Escoffier, le chef de cuisine, son maître d'hôtel et les barmans, nous n'avions pas le droit d'adresser la parole à la clientèle, en dehors du cadre strict de nos fonctions respectives. Au Savoy, autant dire qu'on voguait aux antipodes de l'harmonie prônée par Trinkwein. Ça gueulait là-dedans, l'enfer. Chaque service ressemblait à une charge de la brigade légère sur les positions fortifiées de Sébastopol. Sur ordre de Ritz et avec l'aval d'Escoffier, j'œuvrai indépendamment du reste de l'équipe, majoritairement française. Dignes héritiers de grandes traditions, avec des personnages comme Vatel, maître d'hôtel de Fouquet et du prince de Condé, des chefs comme Marie-Antoine Carême, cuisinier de Talleyrand et des couronnes d'Europe, les Français occupaient le haut du panier de la restauration mondiale. À leur grand honneur, ils raffinèrent l'art culinaire. En leur défaveur, les brigades étaient régies par un système hiérarchique militaire brutal plus que basées sur une collaboration artistique. Leurs méthodes d'apprentissage spartiates, adoptées par la plupart des pays, ont certainement contribué à l'alcoolisme endémique et au climat de violence latent de cette profession. En me regardant travailler, Escoffier comprit que je n'avais rien à lui prouver, il ne me fit pas trop suer. Je m'adaptai rapidement à la manière dont fonctionnait le Savoy. Cinq règles de base s'appliquaient scrupuleusement :

- Ferme ta gueule.
- Écoute.
- Observe.
- Bosse.
- Ferme ta gueule.

Au Savoy, je sympathisai avec le cuistot Marcel Picard, un vieux Parisien communard qui s'occupait des repas du personnel de service. Il sautait régulièrement une des filles de cuisine chargées de tourner les légumes en respectant un calibrage millimétré. Avant de passer à table, ils tiraient un coup à la sauvette dans la cave d'entreposage des patates. Ensuite, on les voyait remonter en rajustant leur tablier. On l'appelait le Roi de la daube.

— Elle est bonne ta daube, Marcel, le félicitait toujours Escoffier.

Mais Picard répondait invariablement d'un air contrarié :

— Non, chef, c'est daubé, tout est daubé.

Je côtoyai des cuisiniers relevant de plusieurs confréries comme la nôtre. Entre eux, ils se tutoyaient et s'appelaient « compagnon ». Leurs structures claniques et corporatives étaient semblables à l'Ordre des Cinq Cercles. Mais à l'inverse des nôtres, leurs enseignements étaient plus techniques et professionnels que philosophiques et spirituels. Ces travailleurs accomplissaient leurs tâches très correctement. Depuis leur jeune âge, ils tournaient dans les institutions prestigieuses pour acquérir de l'expérience. Du reste, leur sens de l'éthique ne volait pas haut ; autant que leurs couteaux volaient bas. Parfois, entre clans rivaux, ils redoublaient de malice et de fourberies pour s'assurer les places les plus enviables au sein des brigades et gagner les faveurs du chef. Ainsi, j'ai vu du sel se perdre dans les desserts, du sucre dans les potages et des yeux de poissons nappés de chocolat et saupoudrés de cacao se faire passer pour des truffes. J'ai évité ces jeux-là. À plusieurs occasions, je me suis fait proposer de rejoindre ces confréries. Prétextant mon aversion pour tout système hiérarchique, je refusai. Tout bien observé, ce n'étaient que des coteries de marmitons prétentieux et imbus d'eux-mêmes, traumatisés par les mauvais traitements.

Quand des différends apparaissaient, on les réglait sur un ring, dans une salle de sport près des quais de la Tamise. Nous pratiquions la savate, une technique de boxe sauvage : on utilisait les poings et les pieds, avec des frappes de têtes, d'épaules, de genoux et de coudes. L'instructeur s'appelait Jaspard. Ancien de la Légion étrangère, le Belge nous apprenait des entourloupes avec des fouets, des bâtons et même des rasoirs. Pour le reste, je ne me tenais pas dans les endroits fréquentés par les compagnons. Entre eux, des rixes éclataient quand ils se croisaient dans les tavernes. Durant ces bagarres, ils cognaient avec des cannes en bois montées d'un pommeau vissé dessus et lesté de plomb à l'intérieur, une arme dévastatrice qui pulvérisait les chairs et brisait les os à l'impact. Je pensais à l'époque que l'Ordre des Cinq Cercles ne s'abaisserait jamais à de telles pratiques, parce que le *Codex référentiel* interdisait de brimer un initié. Je me trompais lourdement.

Les adieux

Au Savoy, l'ambiance de travail se mit à pourrir quand nous apprîmes que Ritz et Escoffier seraient remerciés de leurs services à la suite d'une obscure histoire de pots-de-vin impliquant des fournisseurs. Le siège social jongla avec les affectations. Zamad l'Égyptien, qui terminait un banquet à Buckingham Palace, me remplaça en catastrophe. Ce fut la journée où Hakim m'expédia de Paris le message télégraphique m'annonçant le décès de Trinkwein. Quelques mots, pour me demander de rejoindre les Trois-Frontières afin d'assister à ses funérailles. J'étais sous le choc, complètement dévasté. Sur le chemin du retour, j'eus le sentiment d'être orphelin pour la seconde fois, peut-être même davantage que la première fois. Dugommier, Hurlusse et Hakim s'étaient déjà occupés des formalités avec le notaire, quand je passai le seuil de l'atelier transformé en chambre funéraire. De revoir ainsi mon bienfaiteur sans vie, je ressentis pour lui tendresse et compassion. J'ai toujours détesté cet état d'inertie définitive de mes semblables. Probablement parce qu'il nous ramène à la confrontation inévitable de nos derniers instants de vie.

— Comment est-ce arrivé ? demandai-je à Dugommier, avec un œil sur la photo de l'Inconnu qui me jeta un air triste.

Les traits défaits par la fatigue, la mine basse, l'indispensable ne parvenait pas à accepter l'irrémédiable.

— Le maître refusait toute nourriture normale depuis une semaine. Il ne mangeait que des œufs *balut* répugnants et ne buvait que son vieil armagnac! détailla-t-il avec un sanglot dans la voix. J'ai insisté pour qu'il fasse un saut chez le médecin, mais il m'a répondu : « *Nein*, ces charlatans raillés par le grand Molière ne peuvent comprendre la symbolique du noble *balut* et tout le pouvoir apaisant du succulent armagnac. Ah, si le Vénérable Wang fut présent à mes côtés, lui, il me comprendrait! » Le maître m'a dit qu'il voulait marcher un peu. En ne le voyant pas revenir, je me suis inquiété. Je l'ai retrouvé assis sur le banc, en face de la boucherie chevaline Kiehm. Son visage était si paisible. J'étais certain qu'il s'était endormi. J'ai voulu le réveiller. Il s'est affalé sur le côté, sans respirer. En constatant sa mort, j'ai appelé la maréchaussée. Le capitaine m'a expliqué que le cœur s'était simplement arrêté.

En passant de vie à trépas, Trinkwein n'avait pas souffert, me rassurai-je. Muet d'émotion, je saluai alors sa dépouille exposée dans l'atelier. Entouré de chandeliers, il était vêtu de son gibus et de sa redingote, un *Codex référentiel* posé sur la poitrine. Hakim avait déployé deux drapeaux à cinq cercles, un noir et un blanc…

— Comme ça, aux Halles de Baltard, de gauche à droite, tout le monde sera satisfait! murmura-t-il. Parce qu'au siège social, ça ne s'arrange pas depuis l'élection de N'goma. Quoiqu'il essaye de tempérer les plus radicaux.

Nous étirâmes la veillée, avant les adieux définitifs. Les membres, les clients, les fournisseurs et les autres visiteurs venaient présenter leurs ultimes respects. Le défilé ne tarit pas plusieurs jours durant. Finalement, N'goma ordonna la levée des visites.

— Le corps va commencer à sentir, justifia-t-il, pragmatique. Pour un maître qui a dédié sa vie à la fraîcheur de la viande, ce ne serait pas respectueux envers son enveloppe charnelle !

Cette remarque eût-elle fait sourire Trinkwein ?

— Pas d'attachement, prévint N'goma en captant ma colère. Laisse-le partir en paix !

Je me mis alors à pleurer. En fin de soirée, nous décidâmes de quitter l'atelier dans des fiacres précédés du corbillard tiré par deux chevaux. Le convoi se rendit sur les hauteurs de la cité, dans une forêt surplombant la rivière Vesdre. En présence du Grand Élu, des membres du Comité des Sages, de Dugommier, de Yasuda, d'Hurlusse et d'Hakim, la dépouille de maître Trinkwein se fondit dans le Tout, durant une crémation dans une clairière. Ce genre de funérailles, considérées comme atypiques en cette époque, étaient prohibées par la loi, aussi la cérémonie se déroula clandestinement. Je fus chargé d'allumer le bûcher. Quand Trinkwein, enveloppé d'un drapeau gris frappé des cinq cercles, se consuma sous nos regards, N'goma récita l'oraison funèbre du *Codex référentiel* :

— D'où que nous venions, nous naissons seuls, avec un instinct mais aussi une conscience. Dans le ciel, il n'y a pas de distinction entre l'est et l'ouest ; nous créons la distinction dans nos propres esprits et nous croyons que c'est vrai. Dans ce voyage que tu es en train d'accomplir, ô frère Trinkwein, retiens que les choses ne viennent pas et ne s'en vont pas ; elles n'apparaissent pas et ne disparaissent pas ; c'est pourquoi il n'y a rien à gagner, ni rien à perdre.

Dispersées aux quatre vents, les cendres rejoignirent les éléments. En souvenir de mon maître, je gardai son *Codex référentiel*, son couteau à l'acier chirurgical, flexible et mince comme le papier, et la photo de lui posant près de l'Inconnu. Ces objets me rappellent que personne ne traverse le temps intact. À la fin, les amours, les parents, les amis meurent, et nous aussi. Par décision testamentaire de Trinkwein, Dugommier devint le propriétaire de sa demeure. Nous nous séparâmes avec du vague à l'âme. Après avoir passé tellement d'heures ensemble, nous ne devions jamais nous revoir. En retournant à Londres avec le cœur gros, je ne dévoilai rien de ma douleur, car mon maître, je crois, me l'aurait reproché. Je me souviens de ces journées, comme si c'était hier. Elles sonnèrent le glas d'une génération entière de Sages. Au cours des années qui suivirent, l'Ordre perdit la Baronessa, qui poussa son dernier soupir dans les bras d'un jeune homme, et Pablo, qui capitula face à la cirrhose. Élie décéda dans le détroit du Bosphore. Au cours de mes années d'initié, trop occupé à tourner mes broches et à observer les festivités qui se déroulaient autour de moi, j'avais cru que ces êtres exceptionnels seraient toujours présents. Les initiés sont inconscients de la mort. À la pensée de mes chers disparus, la nostalgie d'un temps révolu émerge. J'ai été au cœur des luttes internes qui ont failli avoir raison de la survie de l'Ordre. Je n'ai jamais eu peur de la controverse. Ma seule crainte était de ne pas avoir été digne de celui qui m'a formé. Ce ne fut pas le cas, malgré les écueils. Je pensai que tout était dit en ce qui nous concernait, le maître et moi. Trinkwein avait vu les menaces poindre sur la Fraternité des Cinq Cercles. Au-delà du néant, il lui restait des cartes à abattre.

Brighton et Carlton

De retour en Angleterre, le divorce paraissait définitivement consommé entre le propriétaire du Savoy, sir Richard d'Oily Carte, César Ritz et Auguste Escoffier. J'attendis la suite des événements chez ma logeuse. Nous ne sûmes pas le fin mot de ces accusations de corruption. Mathias Balthazar me fit savoir par télégramme que mon contrat avec le Savoy était résilié. Dans la salle à manger de la pension Godavari, j'approuvai, satisfait. En attendant de remettre le couvert, un peu de congé me serait salutaire ; je venais de perdre un être cher. Cet été-là, je profitai des week-ends sur la plage de Brighton en buvant du thé avec de charmantes demoiselles et en découvrant les aventures de Sherlock Holmes. Je peaufinai mes connaissances sur les épices durant la semaine, poursuivis mes entraînements de savate. Je n'avais pas eu de si longues vacances depuis l'école. Dans le monde du travail, c'était d'ailleurs pour la plupart des gens un concept inconnu. Je ne rencontrai pas un seul Français de la brigade d'Escoffier dans les tavernes qu'ils fréquentaient habituellement. La nouvelle se propagea dans le milieu qu'à Paris, Ritz venait d'ouvrir un cinq étoiles portant son nom, au 15 de la place Vendôme. J'imaginai que ses cuisiniers avaient refait la traversée outre-Manche. Marcel Picard, que je croisai par hasard dans une épicerie de Whitechapel, me mit au courant de la situation.

— Tous ces poivrots restent à Londres, mais tu ne risques pas de les revoir avant un moment, expliqua le Roi de la daube. Comme tu t'en doutes, Ritz a mis un bémol sur la gnôle. Les marmitons sont au régime sec. D'ailleurs, ils manquent de temps. Depuis leur arrivée au Carlton, le propriétaire exige que le menu soit une apothéose, il veut innover, raffiner la daube, surtout éclipser le Savoy, dont il est en train de rafler la clientèle huppée.

— Escoffier ?

— En phase créatrice. Il fait suer son monde !

Ce qui ne devait pas tarder arriva. Mathias Balthazar me remit en main propre une convocation signée César Ritz.

— Soyez à l'heure, frère Sans Loi, insista-t-il.

Le surlendemain, j'empruntai la porte métallique des valets du Carlton. Le directeur du personnel m'indiqua le monte-charge des déménageurs. Pour rejoindre les étages, un liftier m'accompagna. J'ignore s'ils me reçurent dans une suite, ou si c'était le bureau de Ritz. Le mobilier et les portes en bois précieux, les anciennes tapisseries, chaque bibelot valait une fortune ; l'aménagement des lieux était somptueux. La présence du piano mécanique capta mon attention. C'était fascinant ; l'instrument fonctionnait seul, débitant les notes du *Requiem* de Mozart. Raide comme un piquet, Monsieur Ritz me salua du menton. Sanglé d'un costume du meilleur tailleur de la *City*, celui qui marqua au fer rouge l'hôtellerie (le mot *ritzy* désigne le nec plus ultra en matière d'élégance) passa sa main sur sa calvitie et lissa sa moustache vers le haut. Ce fut Escoffier qui parla, après m'avoir serré la main.

— Vous vous laissez désirer, mon jeune collègue. Nous avons insisté auprès de Monsieur Balthazar, qui nous a fait patienter, justifiant de votre indisponibilité ! commença le chef, en

tenue blanche et en toque. Je constate que la dernière acqui-
sition du Carlton vous intrigue, dit-il en désignant le piano. Il
fonctionne selon un système de rouages précis, un mécanisme
rodé ; le rouleau de l'œuvre est parfaitement calibré. C'est un
tout, la musique ne diffère en rien de la cuisine ; la partition
doit être bonne, mais elle doit le rester constamment. Le plus
difficile dans notre métier n'est pas d'innover, mais de nous
appliquer à ce que notre qualité perdure. Nos clients sont habi-
tués à recevoir le meilleur. Ici, nous offrons l'exceptionnel. Un
détail infime peut signifier l'échec. Votre collaboration au Savoy
a été appréciée, sachez-le. J'aimerais la renouveler au service des
banquets. Vous y connaissez la plupart des cuisiniers. Ceux qui
ont opéré sous votre direction ont progressé rapidement. Votre
méthode pédagogique douce m'intrigue, elle semble bénéfique.
Vous commencez demain.

Seul Escoffier avait parlé. Ritz était demeuré impassible,
inexistant. En me retirant, je compris que l'Ordre ne bradait
pas sa valeur. Le siège social jouait sur nos compétences pour
marchander en surenchère auprès de si prestigieux employeurs.
Il les faisait poireauter.

Au jour quatre de mon incorporation, un sous-chef péta les
plombs et planta une fourchette dans la main d'un chef de rang
qui râlait sur la température de sa perdrix.

— Ça faisait cinq minutes qu'elle était sur le passe, justifia le
gars quand il fut viré.

Au jour six, un commis de cuisine balança au visage de son
chef de partie une casserole bouillante de fond brun.

— Je l'ai filtré au chinois, au tamis et après dans un linge. Et
il m'a dit que ce n'était pas assez, pleura le gamin quand il fut
convoqué auprès du chef du personnel.

Deux cas parmi tant d'autres, car l'ouverture du Carlton fut pénible à l'extrême. Pendant trois ans, je travaillai six jours par semaine à raison de dix heures par jour. On exigeait de nous une tâche de titans. Nous transformions des produits bruts de qualité supérieure. Tout était découpé, flambé et servi devant le client, même les salades de fruits. Les vins fins étaient décantés devant les convives en début de service. Entre les cuisines et les salles, des tonnes de matériels et de mets transitaient sous l'œil inquisiteur du chef, qui les remballait quand il était insatisfait. La vaisselle de porcelaine brisée et les plateaux en argent rayés étaient retenus sur nos gages. Mes broches furent souvent à l'honneur. Excepté dans le cadre de nos prestations de service, nous n'avions jamais de contact direct avec la clientèle, sauf une fois. La première élection du siècle à la Chambre des communes avait eu lieu. Entouré de quelques amis du Parti conservateur, le nouveau député décida de célébrer au bar du Carlton. Ivre, il téléphona à Ritz pour exiger des chapons à la broche, en dehors des heures du restaurant. Le chef avait déserté le passe depuis le dernier dessert. Les loufiats avaient clos les lumières. Par-dessus le marché, c'était la veille de mon jour de repos. Pour éviter de le froisser, Ritz accepta. Il fit expressément le détour en cuisine pour me passer la commande. Le député ne voulait rien savoir du service de nuit aux chambres.

— Je ne peux rien refuser à la bonne société! justifia Ritz.

— Mais, monsieur, le personnel de salle est parti. J'achève de ranger avec deux commis...

— Taratata! Le barman servira les apéritifs, les cafés et les alcools, vous effectuerez le service en tenue de chef.

Assisté des commis, j'entrepris de cuire les chapons. Mieux que d'habitude, car en pensée, la voix de Trinkwein me piqua au vif : « *Ach*, c'est dans des instants pareils que tu construis ta réputation ou que tu la perds ! »

Vers minuit, nous amorçâmes le souper dans un salon privé. Ils étaient quatre, tous députés aux Communes. Nous fûmes surpris de découvrir le principal intéressé. Ancien officier de l'armée des Indes et de la campagne au Soudan, correspondant de guerre au Transvaal, il avait souvent fait les manchettes des journaux. Les volailles terminées, ses trois collègues parlementaires nous quittèrent. En se débarrassant de sa veste et en dénouant son nœud papillon, il insista auprès de Ritz pour manger un dessert et boire le café avec nous. De mauvaise foi, Ritz acquiesça à sa demande. Je préparai des crêpes Suzette. En fumant de gros cigares, le député s'intéressa à notre travail et à notre parcours professionnel. À l'aube, il fit réveiller le photographe de l'hôtel et insista pour que ce dernier immortalise un cliché de groupe en sa compagnie. Je conserve à ce jour ces précieuses photos. Elles sont les seules de moi remontant à cette période. Le buveur au cigare s'appelait Winston Churchill.

Le roi et le kaiser

Les toques cinq étoiles passent parfois pour des divas à l'ego démesuré. Décrypter leur personnalité revient impérativement à plonger dans leur univers. Généralement, les toques deviennent alcooliques et paranoïaques quant à leurs secrets de fabrication. Apprendre d'eux n'est pas une sinécure. On reconnaît un chef authentique à sa technique, à son habilité à diriger une brigade, à transmettre le fondement de sa pensée culinaire, à sa capacité à déléguer une tâche avec laquelle il se sent moins à l'aise. Au Carlton, un événement singulier me fit réaliser qu'Auguste Escoffier était un seigneur et que cuisine et politique étaient intimement liées. C'était trois mois avant le décès de la reine Victoria. Ritz et Escoffier ne s'accordaient pas sur les menus des réveillons. Auguste Escoffier entreprit une tournée des cuisines pour demander à ses sous-chefs de lui suggérer un menu pour d'importantes personnalités. Les plats proposés ne comblèrent pas ses attentes. Je lui conseillai, en pensant à maître Trinkwein :

— Allez-y avec des produits nobles, sobres et classiques, chef. Les préparations en salle captent toujours l'attention des invités, en maintenant une convivialité de surface et une discrétion efficace.

Étonné, le chef sembla prendre la mesure de cette réponse. Convoqué sur-le-champ dans l'office du directeur du personnel, je fus invité à m'asseoir dans un fauteuil de velours. Messieurs Ritz et Escoffier apparurent, visiblement préoccupés.

— Avez-vous un menu en tête pour de très augustes individus ? réitéra César Ritz.

En scrutant mentalement mes listes d'inventaires, j'enchaînai :

— Foie gras du Périgord, caviar blanc d'Iran, champagne, flambage ou pêche Melba au dessert.

— Grosse pièce ? grogna le chef.

— Bruant ortolan à la broche, parfumé d'une essence de truffe. Une recette digne d'un empereur.

— Il a raison, m'appuya Escoffier. Mais il faut commander en vitesse. On n'en trouve qu'à Paris, au marché des Halles. Il y a des livraisons régulières pour Londres, je dois y voir maintenant.

— Allez-y alors !

Escoffier se précipita vers l'économat, tandis que Ritz m'exposa le problème :

— Il s'agit d'une réunion au sommet, supervisée par l'ambassade impériale allemande et le Foreign Office, m'expliqua-t-il. Il nous a été recommandé d'agir dans le secret absolu. Pour votre gouverne, sachez que tous les services de renseignements se procurent les cartes des menus des grands hôtels. À chaque renouvellement saisonnier, des espions les filtrent systématiquement afin d'évaluer la liste des diplomates ou des politiciens locaux et étrangers qui y feront l'honneur de leur présence...

— C'est réglé! interrompit Escoffier, de retour et essoufflé. Les ortolans arriveront demain matin, vivants. Je verrai personnellement à ce qu'ils soient noyés dans l'armagnac. Expliquez-moi votre recette.

Je lui détaillai le méchoui préparé par la Baronessa quelques années plus tôt dans l'atelier de mon maître. Cela sembla les intéresser, surtout le chef.

— La réunion se tient dans trois jours, à 23 heures précises dans notre suite impériale, confirma Ritz.

— Je relèverai le défi! jura Escoffier, main sur la poitrine.

À la date de la rencontre, après noyade alcoolisée, une vingtaine de bruants ortolans reposaient sous clé, dans le garde-manger. La veille, le chef m'avait indiqué de lui préparer le matériel et les ingrédients. Aussi, quand il m'ordonna de les cuisiner devant les clients mystères, je ne compris pas.

— Vous prendrez congé demain, car cela risque de finir tard, promit-il sans me fournir plus d'explication.

J'acceptai, enthousiaste. La nuit du souper, cadenassant plusieurs accès, des policiers en chapeau melon patrouillaient autour des portes accédant au couloir de la suite impériale. Sous les lumières tamisées, Ritz et Escoffier démontrèrent un peu d'inquiétude quand ils me virent pousser mon chariot de mise en place en sifflotant. Je crois qu'ils trouvaient mon attitude trop décontractée. Sur une table roulante, les précieux volatiles attendaient la caresse de la braise préparée dans l'office du service d'étage des suites. En me fouillant, les gardes du corps me signifièrent qu'ils n'aimaient pas mes couteaux. Connaissant la dangerosité des lames de Yasuda et ma dextérité à les utiliser, je pouvais comprendre que, dans ce contexte, cela pouvait susciter quelques craintes. J'allais exécuter ainsi mon premier méchoui encerclé de dix colosses, cinq Allemands et cinq Britanniques. Sur une nappe brodée d'armoiries, Monsieur Louis Echenard, l'ancien maître d'hôtel du Savoy, avait dressé les couverts et les verres, en dessous du lustre en cristal. Afin de renforcer la sensation d'intimité, les tables de service se trouveraient hors de la vue de nos hôtes. Echenard me signifia que la cuisson s'effectuerait devant eux. Comme un ballet soigneusement étudié, ils firent leur entrée, chacun de leur côté. Tenant un chapeau bavarois avec une longue plume, le premier était habillé d'un costume vert-de-gris. Dans les journaux, on avait l'habitude de le voir parader entre ses troupes avec un casque à pointe ridicule. Je reconnus immédiatement Guillaume II, empereur d'Allemagne, à son atrophie partielle du bras gauche. Le second était un mondain, habitué des palaces londoniens, le prince de Galles et futur Édouard VII. Débarrassés de leurs manteaux par leurs ordonnances, ils se serrèrent la main.

— Ne perdons pas de temps, voulez-vous, Monsieur Echenard, insista le Britannique.

— Champagne, Altesses ?

Ils approuvèrent de concert.

— Comment se porte grand-mère ? demanda l'Allemand en admirant le menu.

— Notre chère Victoria vieillit, mon cousin ! répondit le prince en reluquant le magnum de Dom Pérignon présenté par le maître d'hôtel.

— Elle règne depuis si longtemps, rappela l'empereur. Tellement, que nous avons tenu pour acquis qu'elle serait toujours là !

Le prince de Galles accepta la remarque en acquiesçant de la tête.

— Un souper quatre services. Rien que le meilleur! précisa-t-il, un œil sur le menu.

— Surtout en cette heure tardive! dit l'empereur en regardant sa montre. Cela nous évitera quelque lourdeur d'estomac.

Pendant qu'Echenard tartinait les toasts au foie gras truffé, je me retirai afin de vérifier la braise en train de crépiter dans un contenant en bronze. Je disposai mon matériel sur la table, dans un ordre précis, afin d'avoir le moins de manipulations à effectuer. Sur instruction des gardes du corps, je demeurai à distance. Après le service du caviar blanc d'Iran, Echenard me pointa d'un signe de la main. J'approchai avec le chariot. Je présentai alors :

— Bruant ortolan à la broche.

— Ortolan! répéta Guillaume II. *Ach so!* Comme c'est intéressant! me dit-il pour reprendre ensuite avec son interlocuteur. Vous comprenez notre position, je l'espère, *mein lieber Freund*. Je suis pris entre l'étau de plusieurs nations hostiles.

— Elles ne le sont pas forcément, émit le prince d'un flegme très anglais. Si on regarde au sud, avec l'Autriche-Hongrie, les Italiens et les Turcs...

— Je ne pense pas à eux, mais plutôt aux Russes. Et aux Français, dont vous vous êtes rapprochés de manière inquiétante, me prévenait notre regretté Bismarck.

Cette conversation me parut totalement hermétique. En occultant la descendance de Sa Majesté Victoria, reine de Grande-Bretagne et d'Irlande, des dominions du Canada, d'Australie, de Nouvelle-Zélande, d'un tas d'autres contrées et surtout impératrice de l'Inde, je posai ma broche sur les deux soutiens métalliques. De mémoire, je repris le tour de main séculaire de la Baronessa, pour saisir et parfaire ensuite la cuisson. Une heure après, sans savoir ce qu'on leur servirait au dessert, les deux têtes couronnées réclamèrent ma présence, et on m'intima de refluer avec mon attirail ; je fus alors congratulé par nos illustres invités. Ritz et Escoffier tournaient comme des lions en cage quand je réapparus hors du périmètre sécurisé.

— Et ? me demanda Escoffier.

— Ça marche, chef. Monsieur Echenard vous exposera un compte rendu approprié. Plus que je ne pourrais le faire.

— Merci infiniment ! dit simplement Ritz.

Le surlendemain, je me retrouvai à nouveau dans l'office du directeur du personnel. Ritz et Escoffier m'attendaient avec une enveloppe sur la table. Ils insistèrent pour que je l'ouvre devant eux. À l'intérieur se trouvaient une somme d'argent substantielle et un menu vierge du Carlton, signé par l'Empereur et le prince de Galles.

— « Merci, au nom de l'amitié des peuples », lus-je tout haut.

À servir ces cousins discutant tranquillement de leur grand-mère Victoria, il aurait semblé surréaliste de penser que leurs empires s'affronteraient quatorze années plus tard.

— Que s'est-il passé pour que vous changiez d'avis et me confiiez cette tâche qui vous revenait de droit, chef ? osai-je en regardant Escoffier.

— Pour le service, c'était politiquement délicat ! contourna César Ritz. Un Suisse aurait été idéal, mais je n'en ai pas sous la main. Ils ne voulaient pas d'un Allemand, ni d'un Austro-Hongrois, ni d'un Britannique, ni d'un Irlandais. Les Hollandais et les Scandinaves ne consomment que du hareng fumé ou vinaigré. Pas de Russes, ni de Slaves, leur gastronomie manque de raffinement. Pas d'Ottomans, ni quelqu'un qui vient des colonies. On pouvait donc oublier les Amériques. Un Espagnol, un Portugais ou un Italien, même un Grec, ça aurait pu passer, mais les cuisines méditerranéennes, ça fait folklorique et bas de gamme. Diplomatiquement, Louis Echenard, un maître d'hôtel français, c'était parfait ; Wellington leur a foutu une raclée à Waterloo et von Moltke, une autre à Sedan. Mais un duo, avec le chef Escoffier, c'était insulter la France en lui rappelant deux cuisantes défaites.

Sans égard pour Escoffier, qui encaissa la remarque sans broncher, Ritz continua :

— Il s'agissait d'une réunion de famille entre un dignitaire allemand et un dignitaire britannique. Pour le menu, nous devions éviter tactiquement le porridge, le pudding, les bouillis aux effluves de menthe, autant que les saucisses, la choucroute et autres traditionnelles cochonneries anglo-prussiennes. Du point de vue politique, vous êtes Belge, donc citoyen d'un royaume neutre. Tout le monde y a trouvé son compte.

— Surtout moi, avoua le chef en me décochant un clin d'œil.

C'est curieux, car il me sembla entendre encore une fois la voix de mon maître : « L'art du méchoui est aussi celui de la discrétion. »

Clarence Marmaduke, Zamad
et le bœuf teriyaki

Sur le plan personnel, j'avais perdu le contact avec Hakim, conscrit dans l'armée française. En deux ans, les rôtisseurs que j'avais instruits à nos méthodes acquirent suffisamment d'autonomie, aussi l'Ordre estima que j'avais rempli mon contrat au Carlton. Je fus heureux d'en finir avec la rigidité de l'institution, et surtout avec les coups bas entre cuistots et loufiats. Mathias Balthazar approuva mon transfert à l'atelier de maître Vaudois à Lausanne. En Suisse, berceau de l'horlogerie industrielle (ce pays exportait déjà un tas de mécanismes complexes), je compris la limite des écritures du *Codex référentiel*. Répondant à la demande croissante d'une clientèle envieuse de découvrir une gamme infinie de produits, je réalisai que la mécanisation des techniques devenait indispensable. Cinq mois durant, je supervisai l'initiée de Vaudois en dernière ligne dans son apprentissage : Petite du Valais, fille des montagnes au visage rond, aux cheveux blonds et au corps dévoilant les courbes naissantes de l'adolescence, était douée pour ce métier, affirma immédiatement Vaudois. Dans l'ensemble, ses progrès donnaient toute satisfaction. J'allais vite constater que, créative et enjouée, elle était tenace au travail, plus volontaire que bien des garçons.

— L'initiée provient d'une famille d'éleveurs et d'affineurs fromagers. Quelques lacunes dans la précision de ses découpes cependant ! émit Vaudois le jour de mon arrivée à son atelier. Avec moi, cela pourrait passer, mais...

— Avec Urbanus, cela risque d'être une autre paire de manches, l'interrompis-je en observant la jeune fille désosser un cuisseau de veau.

Trousseau en main, je m'approchai d'elle en observant ses angles de taille. À première vue, le travail semblait soigné, mais en y regardant de plus près, je constatai un manque évident de dextérité, visible dans les accumulations de chair près des os.

— J'ai connu quelqu'un autrefois qui m'a enseigné les bases du maniement des lames, lui dis-je en me présentant.

— Était-il maître ?

— Pour récurer les chaudrons, je n'en ai jamais connu de meilleur que lui. Il s'appelait Dugommier-qui-pue-des-pieds.

— Comment quelqu'un qui n'est pas soigneux de sa personne peut-il œuvrer dans un atelier ? s'offusqua-t-elle.

— Oh ! Il lavait toujours ses chaussettes, mais disons que Trinkwein, mon maître, l'avait pris en affection.

— Je vois, me piqua-t-elle au vif. Si ce Pue-des-pieds était un indispensable, il ne devait guère être efficace avec un couteau.

— Pourtant, il l'était ! En douterais-tu ? demandai-je posément.

— Je n'oserais l'affirmer, répondit-elle d'un ton poli.

— Mais tu le penses ?

La Suissesse hocha la tête à l'affirmative. C'est la seconde que je choisis pour faire glisser une des lames offertes par Yasuda dans ma main. D'un œil, je ciblai la poutre située derrière l'initiée et décochai le couteau d'office en sa direction. En sifflant, l'acier effilé comme une lame de rasoir frôla sa chevelure en en coupant une mèche et termina sa trajectoire planté dans le bois. Surprise, elle demeura pétrifiée quelques secondes, puis elle retira l'outil et me le rendit.

— Dugommier devait être exceptionnel! s'exclama-t-elle.

— Je pardonne ton impertinence, parce que je crois qu'un jour, nous finirons par remettre en cause l'enseignement qui nous fut donné. Le temps n'est pas arrivé pour moi. Et certainement pas pour toi. Dorénavant, dans ta pratique de l'art du méchoui, *précision* sera le mot maître.

Elle ne trouva rien à redire. Comme le plongeur le fit avec moi autrefois, exactement, je lui fis aiguiser et manier des couteaux allemands et espagnols, désosseurs, chef et demi-chef français, couteaux belges pour lever les filets de sole, couteaux d'offices italiens et longues lames anglaises pour les services au buffet. Durant des semaines, elle s'appliqua à travailler dans le vide et la noirceur.

— Dans le vide, maître Sans Loi, pour exacerber la fluidité du mouvement, dans le noir pour le contrôle et la précision du geste.

Entre les émincés de viande, brunoises, juliennes et mirepoix, elle atteignit le niveau requis. Quand nous entreprîmes de réviser les marinades ensemble, elle me subjugua par son sens inné du goût.

Quelques jours avant le test ultime, je lui fis répéter les mots de Trinkwein.

— Nous, serviteurs du méchoui, sommes des escrimeurs qui s'ignorent.

Elle était prête. Petite du Valais exécuta finalement avec succès l'examen du Noble Urbanus.

— Surprenez-moi! la défia-t-il.

Ce rayon de soleil réussit le tour de force de farcir une longe de porc de blocs de gruyère, de recoudre la pièce et de la cuire à la broche sans couler de fromage.

— Quelle audace! s'exclama l'Examinateur. Cela tient du génie ou de la folie.

Un message du siège social me demanda ensuite de rentrer à Paris afin d'assister à l'assemblée générale. Je fis mes adieux à maître Vaudois et à Petite du Valais au bord du lac Léman, et je partis en traversier pour rejoindre la station ferroviaire de Genève. Je pris l'express vers Lyon pour atteindre enfin la Ville lumière quatre jours plus tard. Désireux de maintenir nos traditions, je suivis les débats aux Halles de Baltard, du côté droit, sans être convaincu que cela fut réellement ma place... L'élection du Grand Élu se profilait, trois noms revenaient sur les lèvres : Madame Falstaff, N'goma et Razor Barbakos. Pour tout avouer, aucun des candidats ne suscitait mon enthousiasme. Au terme de l'assemblée qui dura une longue semaine, je rejoignis l'équipe du siège social pour me familiariser avec nos méthodes administratives.

— Quelle est ma prochaine assignation? demandai-je à Hurlusse en me pointant à l'office central.

— Aucune.

— Quelle en est la raison?

— Tu es en attente sur nos listes, car tu as été sélectionné par l'Ordre pour faire partie d'un voyage en Extrême-Orient. Si tu devais partir, le Comité des Sages te demandera de voter par anticipation à l'élection. Sache que rien n'est encore décidé à ce stade, m'annonça Hurlusse, qui, sur cette lancée, me donna des nouvelles d'Hakim. Ventre-saint-gris, après avoir servi dans les Méharistes à Sidi-bel-Abbès, notre gaillard a été hospitalisé à Oran pour une maladie honteuse.

Hurlusse ne s'étendit pas sur le sujet et nous n'y revînmes plus. Il m'instruisit pendant une vingtaine de jours de nos procédures internes et du travail des répartiteurs aux affectations. Je passai mon temps à lire les dossiers de plusieurs initiés sur le point d'affronter l'épreuve du Noble Urbanus et à goûter divers produits régionaux vendus au marché des Halles par des marchands venus de tous les coins de France. Sur insistance de Mathias Balthazar, l'Ordre décida alors de mon retour à Londres. Je déposai mon vote pour N'goma au poste de Grand Élu dans l'urne des Halles et pris ensuite le chemin pour l'Angleterre. Je reçus mon ordre de marche pour l'empire du Soleil levant des mains de Lady Godavari. Avant notre départ, avec les maîtres Zamad et Clarence Marmaduke, nous fûmes mandés au château de Windsor pour y préparer un festin, organisé par le nouveau souverain, Édouard VII, et le prince héritier George. Dans une garden party, nous cuisîmes une dizaine d'agneaux devant la famille royale.

— Les ortolans! s'exclama le roi en me reconnaissant.

Dans les cuisines, en causant marchandise avec un fournisseur de Chelmsford, nous découvrîmes avec Zamad le secret du fameux *Special Lamb of Marmaduke*. L'Anglais était un excentrique, exploitant une bergerie à une trentaine de kilomètres de Chelmsford dans l'Essex. On le reconnaissait d'un seul coup d'œil dans une assemblée générale, car il était toujours vêtu d'un gibus et d'une redingote à carreaux. Le mystère de la saveur de ses broches ne résidait pas dans la cuisson, réalisée avec talent, mais dans sa production ovine qu'il sélectionnait à la loupe. Nourrissant ses moutons avec du foin, un mélange d'avoine, d'orge et de malt, Marmaduke les abreuvait avec du lait et du whisky. Souvent, il forçait sur la dose. On les voyait alors tituber dans les verts pâturages et parfois s'écrouler ivres morts.

— C'est une abomination de saouler des agneaux, critiquaient ses détracteurs.

— Pas plus que de gaver des oies et des canards! répondait Marmaduke imperturbable.

Ainsi, à la mi-vingtaine, je me préparai pour le plus extraordinaire voyage de mon existence. Il y aurait tant à raconter sur cette croisière et sur le Japon, sur cette cuisine aux antipodes de la nôtre. Les paysages bucoliques, les gens et les lieux sublimes s'imprégnèrent dans ma mémoire comme une fresque onirique. Seule ombre au tableau, avec Yasuda comme traducteur, Marmaduke, Zamad et moi prîmes conscience du dérapage de l'Ordre de sa vocation primaire : la transmission de techniques ancestrales de maître à initié. À l'issue de négociations entre diverses industries et de corps de métiers, plusieurs gouvernements financèrent ce périple. Durant le trajet, Yasuda nous relata que cette collaboration des grandes nations colonialistes avec l'empire du Soleil levant s'inscrivait dans l'air du temps. Depuis l'ouverture des ports sous la pression des canonnières des puissances industrielles, l'ère des *Bushis*, les guerriers qui avaient guidé la destinée de l'île durant des siècles, appartenait désormais à l'Histoire. En cinquante ans, émergeant d'une structure féodale, cette nation s'était occidentalisée de manière exponentielle et elle comptait bien poursuivre son ascension coûte que coûte... Nous quittâmes Liverpool à bord d'un navire à vapeur de la compagnie maritime White Star Line, tandis que les troupes de l'empereur Mutsuhito combattaient celles du tsar Nicolas II à Port Arthur en Mandchourie. Tout cela paraissait lointain, quasi folklorique. À Marseille, nous embarquâmes sur l'*Ernest Simons*, un paquebot de la Compagnie des messageries maritimes. Dans ma cabine, je tournai le visage de l'Inconnu vers le hublot, afin qu'il jouisse de la vue, de la douceur des flots et de l'activité des ports.

— *C'est beau*, me dit-il.

— Suis-je victime d'une hallucination auditive ou bien m'as-tu réellement parlé? demandai-je en regardant la photo.

Je n'obtins pas de réponse. Sans nous préoccuper de cette guerre du bout du monde, nous fîmes escale à Port-Saïd, à Suez, à Aden, à Colombo, à Singapour et à Hong Kong, où je goûtai à l'abrutissement de l'opium. Dans la colonie britannique, nous apprîmes par télégraphe l'élection de Razor Barbakos au siège de Grand Élu. Hurlusse ne fit pas mystère que le Comité des Sages avait enregistré de nombreuses abstentions réformistes. Pour avoir refusé d'envoyer leurs bulletins, les membres réfractaires avaient été mis à l'amende, sanction approuvée par Razor. Le siège social déménagea à Salonique, ville d'origine du nouvel Élu. L'*Ernest Simons* appareilla vers Shanghai, Kobé et enfin Yokohama. Au mois de juin 1905, en ralliant la baie de Tokyo, nous croisâmes l'avant-garde des forteresses d'acier flottant de l'amiral Tôgô Heihachirô, après sa victoire sur la flotte russe de l'amiral Rojestvensky dans le détroit de Tsushima. Certains passagers à l'expérience militaire pensaient trouver des soldats d'opérette, mais ils découvrirent, plutôt surpris, des équipements pratiques et un armement fonctionnel. À notre arrivée, les Japonais, si réservés d'habitude, toujours selon les dires de Yasuda, s'étaient amassés près des cuirassés pour acclamer les glorieux marins.

— Haï, c'est une première qu'un colosse européen capitule devant un pays d'Asie ! déclara-t-il fièrement.

Accompagnée des ambassadeurs de France, de Grande-Bretagne et des États-Unis, une délégation impériale nous accueillit en nous témoignant grand respect. Autour de nous, sur les quais, ça grouillait de monde, un mélange d'ancien et de moderne, vêtu de kimonos et de redingotes avec des chapeaux hauts de forme. Il se dégageait de l'ensemble des pagodes et des immeubles aux façades identiques à celles de New York et de Paris une perspective ordonnée, d'une propreté incomparable avec la crasse et la puanteur des infrastructures infestées de rats des cités portuaires européennes. Vers le sud-ouest, c'était majestueux : jusqu'à son sommet enneigé, le mont Fuji déployait ses contours sous la lumière de l'astre du jour. Plusieurs individus attendaient Yasuda au bout du wharf de Yokohama. En inclinant le torse, ils se saluèrent en se marmonnant des formules concises de politesse. Je remarquai qu'ils arboraient des tatouages de dragons, de fleurs et de paysages jusqu'aux avant-bras.

— Les représentants du ministère vous accompagneront au Grand Hôtel, nous informa Yasuda. À demain. Peut-être.

Un peu inquiet, je les scrutai du regard, me dirigeant jusqu'aux échoppes d'où parvenaient des fumets envoûtants. Fondamentalement, tous les scélérats se ressemblent, parce qu'ils dégagent une énergie détestable, qu'importe la race. Ces apôtres ne me disaient rien qui vaille. Pour la première nuit, je m'attendais à dormir dans un ryokan, une de ces auberges traditionnelles dont Yasuda m'avait vanté l'hospitalité légendaire. Or, après la visite d'un gigantesque marché aux poissons, nous demeurâmes confinés à l'hôtel de la Compagnie des messageries maritimes où notre culture avait imposé sa marque, autant dans l'architecture que dans l'accueil. Zamad, Marmaduke et moi nous préparions à transmettre notre savoir auprès d'initiés locaux qui recevraient, comme nous, les enseignements prônés par le *Codex référentiel*, et qui, éventuellement, travailleraient dans des hôtels, comme je l'avais fait au Savoy et au Carlton. Les événements prirent une tournure différente durant le cocktail de bienvenue. Des représentants des ministères de l'Agriculture de la France, de la Grande-Bretagne et des États-Unis firent le prosélytisme de notre mode de consommation carnée.

— Ainsi que vous l'avez constaté au marché, ici, dans cet archipel à la géographie inadaptée à l'élevage, il se consomme essentiellement du poisson. Certains religieux ne pratiquent que le végétarisme. De saines habitudes alimentaires passent par un travail de valorisation de nos viandes, martela un orateur aux allures de fonctionnaire. Afin de les promouvoir, nous comptons, entre autres, parmi nous les honorables membres de prestigieuses fraternités, comme la *British beef, veal & lamb brotherhood*, la *Texas longhorn brotherhood society* et la Confrérie française des métiers de bouche.

— Par les sourates du Prophète, ces pseudo-bouchers sont des hacheurs de bidoches engagés pour gaver le veau gras de l'industrie de l'élevage de masse ! analysa sans ambiguïté Zamad. On est en train de se faire entuber, on va interpréter un spectacle de théâtre pour des fabricants de conserves.

Nous évitâmes de porter des toasts à cette mascarade de viandeurs, préférant nous replier vers un salon de thé authentique, près de la ligne de chemin de fer Yokohama–Tokyo. Cintrée d'un kimono, avançant d'un pas feutré, une beauté au visage blafard vint nous servir du thé vert. Aux premières gorgées, j'en trouvai le goût particulièrement amer. J'esquissai une grimace, la beauté posa sa main sur le nez et la bouche.

— Vous vous habituerez! baragouina-t-elle dans un français approximatif et d'un air rieur.

Nous terminâmes la nuit à nous enivrer au bar du United Club de Yokohama et à butiner avec les filles de joie de Yoshiwara. Yasuda réapparut le lendemain au Grand Hôtel, vêtu d'une tenue *keikogi* en tissu épais et d'un *hakama*, le pantalon traditionnel. Il lui manquait une deuxième phalange de doigt. Le haut de la main entouré d'un bandage, sans nous fournir d'explication, il entreprit de nous guider durant l'ascension du Fuji-Yama.

Après une marche forcée entre ciel et terre, nous commençâmes le travail trois jours plus tard. Ainsi que prévu par notre guilde de lobbyistes, nous entreprîmes de faire tourner des broches durant de grandes foires commerciales dans les îles d'Hokkaido, Honshu, Shikoku et Kyushu. De Hiroshima à Nagasaki, de Kyoto à Osaka, les insulaires s'émerveillèrent de nos techniques culinaires. Yasuda nous confia qu'ils en admiraient la pureté des cuissons et la simplicité des découpes. Les Nippons écoutaient attentivement, sans nous adresser la parole, par timidité et à cause de la barrière linguistique. Entre ces destinations aux noms exotiques, nous nous épuisâmes à mémoriser ces territoires à la beauté sauvage et mystérieuse. C'était une terre vierge d'occupation étrangère, l'ultime tentative d'invasion mongole remontant à 1281, avortée à la suite des typhons destructeurs surnommés vents divins, en langue japonaise : *kamikaze*. Nous découvrîmes que la hiérarchie était drastique. Sous des apparences de respect et de politesse, le monde du travail était brutal. La violence était psychologique en général, mais dans les cuisines elle était aussi physique ; les cuisiniers marchaient à la gifle à la moindre erreur, plus qu'en Europe encore, à la différence que les Japonais semblaient l'accepter sans broncher.

À la conclusion de notre tournée, nous répondîmes à une invitation de l'empereur dans l'enceinte de son palais. Sa Majesté nous fit l'honneur de sa présence. Il se présenta à nous dans un uniforme militaire occidental et se comporta en parfait gentleman. Autour des tables, les murs étaient décorés d'estampes de paysages, d'œuvres calligraphiques et de bouquets de fleurs savamment assemblés. Marmaduke, Zamad et moi regrettions qu'il nous soit proposé de la cuisine d'hôtel international et non de savoureux plats autochtones. Ensuite, à mon contentement, des instructeurs rompus aux arts guerriers nous exposèrent leurs méthodes éprouvées par des lignées de shogun. Dans une salle aux murs et aux planchers de bois, j'admirai un ancien samouraï de l'école Takeda débiter en rondelles des poteaux en bambou et des lutteurs obèses se percuter dans un grand cercle tracé sur une aire de sable. Un instructeur du nom de Jigoro Kano se débarrassa de plusieurs adversaires en les projetant au-dessus de lui. Glissant du plafond, des combattants habillés en noir plantèrent des étoiles d'acier et des lames de jet dans des troncs disposés sur divers niveaux.

— Ceux de Koga, ceux de chez moi! jubilait particulièrement Yasuda.

Muni d'un bâton lisse, un moine zen fit trébucher des agresseurs décidés à lui dérober son chapeau en forme de panier. C'était comique, efficace. Un archer transperça le centre de ses cibles en détournant le regard de son arc démesuré. Nous assistâmes à des duels de lanciers en armures anciennes. À mains nues, un vieillard frêle appliqua des clés articulaires vicieuses à des escrimeurs en pivotant autour d'eux. Une femme trancha des fruits lancés en sa direction avec une hallebarde et ensuite découpa des légumes de la pointe de son éventail. En guise d'apothéose, des maîtres pugilistes de l'île d'Okinawa exécutèrent des démonstrations martiales avec différents outils agraires, avant de nous prouver l'efficacité de leurs techniques de frappe en brisant des tuiles. Subtil, le message adressé aux dignitaires des légations diplomatiques étrangères présentes fut on ne peut plus clair, prémonitoire même, en sachant que les Français occupaient l'Indochine, les Britanniques, l'Inde et une partie de l'Asie du Sud-Est, les Hollandais, l'Indonésie et les Allemands, plusieurs comptoirs commerciaux en Chine, dont celui de Tsing Tao :

Nous savons nous battre, depuis toujours.

Munis d'une lettre de recommandation calligraphiée par Sa Majesté Mutsuhito, descendant direct de la déesse du soleil et de la lumière Amaterasu-o-Mikami, nous prîmes congé respectueusement. Notre dernière nuit à Tokyo, nous revîmes les pratiquants d'Okinawa argumenter bruyamment dans une rue populaire et entrer dans une *izakaya* pleine à craquer. Yasuda nous invita à les suivre. Il semblait connaître une dame âgée qui nous installa dans un coin près des cuisines.

— *Saké, saké, Midori san!* émit joyeusement notre interprète en s'assoyant, les mains sur les genoux.

— *Hai, hai, onegaï shimasu, Yasuda Senseï!* répondit-elle en se précipitant derrière le comptoir où de jeunes hommes apprêtaient des bols de nouilles soba.

Elle revint avec un breuvage à la couleur et à la texture du sperme et les versa dans des coupes plates.

— Buvez, insista Yasuda. Ce n'est pas ce que vous pensez. *Kampaï!*

Il dégusta suavement l'alcool en prêtant l'oreille à la conversation des pugilistes qui venaient de commander des boulettes de riz chevauchées de thon cru.

— Que racontent-ils? demanda Zamad.

— Ils se chamaillent. Certains instructeurs veulent inclure des techniques de poings fermés alors que, traditionnellement, elles s'exécutent la main ouverte. Cette forme emprunte à la boxe anglaise, explique un des anciens. Le plus jeune craint que la nouvelle génération, influencée par l'Occident, se désintéresse des arts anciens de combats et même qu'ils disparaissent si l'enseignement ne s'adapte pas...

En nous sondant instinctivement tous les quatre, je devinai que nous venions de transposer mentalement le parallèle avec la situation sapant l'harmonie de l'Ordre. Nous n'osâmes pas l'exprimer ouvertement. D'abord, parce que nos opinions divergeaient sur plusieurs points d'éthique du *Codex référentiel*. Ensuite, nous venions de décider de veiller jusqu'à l'aube pour assister au spectacle du soleil levant sur la baie de Tokyo, avec, certainement, l'envie d'aborder des sujets plus plaisants. Yasuda nous satura de saké et de bœuf teriyaki. Devant nous, un cuisinier éminça une belle pièce d'entrecôte persillée de gras, marinée dans de la sauce soya, du vinaigre de riz, du saké et du sucre en poudre. Il la saisit dans un wok. Après l'avoir colorée, il déglaça avec la marinade et la laissa cuire jusqu'à caramélisation sirupeuse. Midori *san* disposa le mets devant nous avec du riz et des légumes sautés dans une huile de sésame. Au bout de nos baguettes, nous parvenions au terme de notre expérience. Paradoxalement, elle fut bénéfique, même si nous l'exécutâmes pour l'escarcelle des futurs fabricants de *corned beef*. Après la découverte de ces traditions méticuleuses et strictement codifiées, d'un raffinement millénaire influencé par les philosophies et les réalisations technologiques de l'empire du Milieu, j'éprouvai la satisfaction que nous aurions à apprendre des Japonais, plus qu'ils ne le feraient de nous. Ce fut l'ultime repas que nous partageâmes avec Yasuda.

— Je n'embarque pas, désolé, s'excusa-t-il en arrivant à Yokohama.

— Pourquoi? insista Clarence Marmaduke.

— Une dette d'honneur à régler, laissa-t-il planer mystérieusement. Je prendrai le bateau suivant pour Marseille.

Anubis à Salonique

En posant le pied sur le plancher des vaches de la cité phocéenne, nous fûmes écœurés par l'odeur de marée croupie. Hors du périmètre portuaire, un messager nous remit les parchemins nous invitant au Congrès Anubis. Peu enthousiaste, après un si fatigant voyage, Marmaduke signa l'accusé de réception, puis s'essuya le front avec un mouchoir en soie acheté à Yokohama. Avec son gibus et sa redingote à carreaux, l'Anglais ressemblait à un ours polaire en train de fondre sous la chaleur de plomb du Midi. Assoiffés, nous ne songeâmes pas à dérouler le courrier marqué des cinq cercles. À la grande ire du messager, qui refusa de partager un pastis avec nous sur la Canebière, prétextant une invitation à remettre à un membre établi dans le quartier du Panier.

— Vous partez à Salonique, patrie du Grand Élu, nous précisat-il en filant. Magnez-vous, vos billets jaunissent depuis des semaines à la Compagnie des messageries maritimes.

Dans les rues inondées de soleil, coiffés de chapeaux de paille, les indigènes traînaient leurs espadrilles à la recherche d'un coin d'ombre. Sous les parasols des terrasses, l'alcool anisé coulait en cascade. Effectivement, nos billets reposaient au comptoir des Messageries maritimes. Pas une minute de répit : nous allions voguer dès l'aube. Marmaduke défia Zamad à la pétanque. Après une bouillabaisse, nous passâmes la nuit à jouer aux boules sur la Canebière, avant d'embarquer sur le *SS Bosphore*, un paquebot desservant la ligne de la mer Noire. À peine entré dans ma cabine, je m'écroulai sur mon lit, épuisé. À mon réveil, la nuit était déjà tombée. Durant la croisière, mes collègues testèrent l'habileté du barman à concocter des cocktails. Moi, je la passai sur le pont à écouter la voix du grand Caruso au phonographe et à lire *L'Odyssée* d'Homère. Avant d'accoster à Naples, où maître Vaudois, Petite du Valais et Mademoiselle Zamora nous rejoignirent, nous cabotâmes le long de la spectaculaire côte amalfitaine. Au large de Positano, des barques de pêcheurs ravitaillèrent les cuisines d'anchois frétillants. Levés en filets, ils étaient marinés crus dans le jus de citron et l'huile d'olive, avec du poivre moulu. J'adoptai ce régime jusqu'en mer Ionienne. Avec une réserve de cuvée de bière de Ciney, mon compatriote Vandenberg se pointa à bord à Corfou. Après le canal de Corinthe, nous fîmes escale au Pirée. Précédé de sa réserve de vermouth, de Nicos le roi du Gyros, du boulimique Dimitrios et d'un tas de bouteilles d'ouzo, Vanneau compléta le troupeau. Avant d'arriver à Salonique, au nord-est de la Grèce, en territoire ottoman, honoré par la présence de ces maîtres, Bacchus ne bouda pas son plaisir.

Durant notre débarquement du *SS Bosphore*, les gardes-frontières indifférents, survolés par des essaims de mouches, continuèrent de somnoler, appuyés sur leurs sabres émoussés. À des années-lumière de la splendeur du règne de Soliman le Magnifique, on n'appelait pas pour rien l'Empire ottoman « L'homme malade de l'Europe ». Des fonctionnaires dépenaillés et mal rasés, coiffés de fez délavés de sueur, se la coulaient douce derrière leurs bureaux sales et délabrés. Aux douanes, on passa sans accroc une quantité titanesque d'alcool. Dans une administration de confession musulmane, cela avait de quoi surprendre !

— Razor Barbakos jouit de contacts locaux privilégiés, me renseigna Hakim quelques jours plus tard.

Il nous attendait surtout avec de terribles nouvelles. Il avait changé, pas vieilli, juste changé, à cause de l'armée et de la maladie.

— Longtemps, dis-je, heureux de ces retrouvailles.

— Trop, concéda-t-il pudiquement, avant d'annoncer : Maître Élie n'est plus. D'Istanbul, il a télégraphié la date de son arrivée, mais maître Izmir, qu'il devait rejoindre de l'autre côté du détroit, nous a informés que son traversier a éperonné un cargo monténégrin. Izmir a patienté plusieurs jours avant d'apprendre sa mort. Grâce à son nom gravé sur son alliance de mariage, la police turque a identifié son cadavre grouillant de vers, sur la rive européenne du Bosphore. Ce n'est pas tout. Notre siège social a reçu un avis de décès des autorités portuaires de Yokohama. Le lendemain de votre départ, les garde-côte ont repêché le corps de Yasuda.

— C'est impossible ! m'exclamai-je.

Devant les questions de Marmaduke et de Zamad, Hakim détailla :

— Nous avons insisté avec la préfecture de Yokohama pour en apprendre plus. Dans leur dernier message télégraphique, il est inscrit qu'il a succombé à plusieurs lacérations à l'abdomen...

Silencieux, Zamad ne put contenir ses larmes. D'un flegme tout britannique, Marmaduke chercha à les maîtriser. Abasourdi, je ne trouvai rien à dire. Dans les vapeurs de soupe de l'*izakaya*, en savourant avec nous son dernier teriyaki et son saké onctueux comme le foutre, Yasuda savait-il qu'il affronterait son karma ? Peut-être. Je reste convaincu qu'il regarda la mort en face, avec le courage et le fatalisme des siens. Nous ne sûmes jamais la raison de ce meurtre. Ainsi, comme le premier, mon deuxième Congrès Anubis débuta dans le deuil.

À Salonique, surnommée la Jérusalem des Balkans, je m'imprégnai de l'atmosphère unique. La quatrième cité ottomane, en grandeur, était une mosaïque culturelle à l'hostilité palpable envers le 34e sultan Abdülhamid II. Les Turcs minoritaires gouvernaient d'une main de fer. Avec la communauté hébraïque regroupant 60 000 habitants, sur les 150 000 recensés, on comptait de nombreux Arméniens, des Grecs et des Bulgares tout aussi actifs que les Juifs dans les échanges commerciaux. De fait, c'était la ville la plus tolérante du sultanat, l'exception, car, dans cet empire, chrétiens, Arméniens et Juifs étaient traités comme des citoyens de seconde zone. Dans les rues proches du port, Hakim me traduisit quelques slogans nationalistes turcs gribouillés sur les murs. (Je sus plus tard que c'était la ville natale du fondateur de la Turquie moderne, Mustafa Kemal Atatürk.)

— Bienvenue à Salonique, nid d'espions, vivier d'intrigues poisseuses, de trafics et de corruption! m'accueillit joyeusement Ioudaios, le maître qui m'hébergea. On y mange divinement, tu verras.

Comme feu Wang, il était le fils d'artisans du vêtement. Il habitait une maison à plusieurs étages, avec son épouse Sarah, ses trois beautés de filles et ses deux fils. Son atelier à la fraîcheur constante se trouvait au sous-sol. La vue de ma chambre, où j'installai l'Inconnu, plongeait sur la Tour blanche, une forteresse datant de plusieurs siècles, et lieu des cérémonies du Congrès Anubis. Embrassant l'horizon d'un regard circulaire, je notai l'architecture hétéroclite de minarets, de clochers d'églises byzantines et de synagogues.

— *Prends garde, parfois, Anubis n'est pas ce qu'il paraît*, murmura la voix de l'Inconnu.

Je n'eus pas droit à plus d'explication. Avec dix jours à tuer avant le congrès, j'explorai la ville en compagnie d'Ioudaios. Bruyante et chaotique, elle évoquait une foire des Mille et une nuits. Dans son bazar d'artisans, de boutiques, d'échoppes, de salons de thé et de cafés turcs et grecs, les marchands proposaient des produits méditerranéens, mais aussi de Perse et des déserts arabiques. Vêtu d'une tunique ample et coiffé d'un fez rouge carmin avec une floche qu'il faisait tourner sur sa tête pour chasser les mouches, le bedonnant maître Ioudaios s'avéra être un personnage haut en couleur. Connaissant les rues comme sa poche, il s'arrêtait tous les dix mètres pour conter des histoires, soit avec un commerçant, un passant ou avec moi.

— Juif est ce qui me définit approximativement ! essaya-t-il d'expliquer en humant un café turc dans un restaurant arménien.

Un serveur bulgare venait de déposer un assortiment de feta, d'olives et de dattes sur notre table.

Lui-même admettait que cela ne signifiait plus grand-chose, car au sein même de sa communauté cohabitaient ceux d'Europe centrale, d'Amsterdam, d'Anvers et de France et ceux d'Orient et d'Afrique du Nord, avec des traditionalistes, des intellectuels laïques et pratiquants et les progressistes de Marx et Engels. Beaucoup fuyaient les pogroms, pas tous. Conscients de vivre au portail d'un microcosme exceptionnel, ils pratiquaient le commerce depuis toujours. De l'index, sur la mappemonde d'une librairie, Ioudaios m'indiqua avoir de la famille sur quatre continents. Il parla particulièrement de son cousin, propriétaire d'une boutique de *Delicatessen* à New York. Après la visite, je ne m'étonnai plus que plusieurs des nôtres fussent nés en cette place si inspirante aux arts de la table, des maîtres renommés et sympathiques, comme Izmir et Ioudaios. Mais aussi d'autres, que j'appréciais moins, comme Manoukian ou Razor Barbakos.

La semaine précédant les célébrations, Hurlusse et Hakim furent en mesure de prédire que l'ensemble des réformistes reviendrait dans le giron des Cinq Cereles, avec en tête de file la pétillante Évangéline Falstaff. En me transmettant ses sympathies pour le décès de Trinkwein, la dame à l'embonpoint jovial n'eut que des mots chaleureux à son égard. Dès le lendemain de son inscription, cependant, on la vit échanger de vifs propos avec N'goma, Mathias Balthazar et Madame O'Malley, reconnus pour leurs positions traditionalistes.

— Ça va chier, émit Hakim.

Effectivement, les tensions resurgirent.

— Tout ça à cause de la viande d'hier soir! maugréa Hurlusse.

Il faut mentionner que la nuit même de l'enregistrement de l'Acadienne, la marchandise arriva fraîche, de première fraîcheur même, commandée par Ahmed el Arti, le maître de cérémonie, mandaté par Razor Barbakos. Bêlant et caquetant, des troupeaux d'ovins et de la volaille enfermée dans des casiers en osier, escortés par des éleveurs, traversèrent Salonique plongée dans la noirceur. Dès la réception, des bouchers égorgèrent les animaux parqués dans des enclos, avant de les éviscérer. Les peaux et les abats furent donnés à des tanneurs et à des tripiers, ainsi rien ne se perdit. Achetées en Grèce, les pièces de bœuf et de veau voyagèrent par le train. Par contre, la viande de porc n'arriva pas à bon port.

— Les autorités ottomanes s'y opposent, prétexta Razor Barbakos. Vu que l'on se trouve en terre d'Islam.

— Le précieux Coran prohibe l'alcool, rappela Perang de Batavia de l'opposition. Pourtant, à Salonique, il foisonne en libation éthylique, déclara-t-il dans une envolée dithyrambique.

Les radicaux de gauche, Dimitrios et Nicos, les rois du gyros au porc, protestèrent que Razor complotait pour nuire aux réformistes en les empêchant d'utiliser les produits avec lesquels ils excellaient. Plusieurs maîtres menacèrent de partir. Personne ne parlait de trouver une solution à la crise. À quatre jours de l'ouverture, je fus convoqué par le Grand Élu à une réunion d'urgence. Elle se déroula dans la Tour blanche au milieu de la nuit.

Sous les voûtes du donjon, assistée des professeurs de volapük, Nelson et Nilson agissant en tant que juristes et modérateurs, se trouvait une brochette des plus prestigieux maîtres : Évangéline Falstaff, Manoukian, l'Élégant Sansom, la Zamora, l'Islandais Görn, le Tunisien Béchir, Echecopar le Basque, l'Écossais Mac Allister et Clarence Marmaduke, le Cajun White, Vandenberg, Vanneau, Madame Susic, Mathias Balthazar, Zamad, Ioudaios, Boivin, un membre de Québec et de ma promotion, et maître Vaudois. Avant que ne s'exprime Razor Barbakos, N'goma, représentant le Comité des Sages, prit la parole :

— Je propose à l'assemblée que le jeune maître Sans Loi ouvre les débats.

— Puisqu'il semble unir diverses sympathies, qu'il en soit ainsi ! approuva Nelson.

— Oui, qu'il en soit ainsi, répéta Nilson.

Déstabilisé, je me levai donc en évaluant une seconde la manière d'aborder le sujet. Je posai mon gibus sur le cœur, d'un air inspiré.

— Je suis pris entre le marteau et l'enclume, avouai-je naïvement. D'un côté, je ressens l'immense tristesse à la pensée de nos disparus, surtout maître Trinkwein. Et de l'autre, je ne peux que me réjouir de la présence de celles et ceux qui lui manquèrent tant au dernier Congrès Anubis.

— Tes paroles mielleuses sont un lubrifiant de pacotille pour tempérer les manigances de frères aux valeurs archaïques! vociféra Nicos.

— Nous pourrions développer jusqu'aux calendes grecques, frère Nicos. Mais je crois que nous devrions prioriser une aire de négociation, voire de solution.

— Que veux-tu dire?

— En tenant pour acquis que la cargaison porcine n'arrivera pas. Cependant, j'ai noté que les marchés locaux regorgent de victuailles. Arméniens, Bulgares et Grecs consomment du cochon sauvage et toutes sortes de gibiers, qui me paraissent appétissants. Je m'étonne que cette voie salvatrice n'ait pas été envisagée. Si la viande répond aux normes de qualité du *Codex référentiel*, je ne vois pas pourquoi notre Grand Élu refuserait d'en servir ici, chez lui.

— *Calvinus*, c'est une idée pas pire! admit instantanément Évangéline Falstaff. Ce serait un compromis acceptable.

Les réformistes approuvèrent. Razor demeura perplexe, j'offrais pourtant une issue honorable à cette impasse. Même en gibus et en redingote, le Grand Élu donnait l'air de ce qu'il était, un boucher sanguin et colérique, aux manières frustes.

— Effectivement! accepta-t-il en décidant de lever la séance.

La matinée suivante, plusieurs maîtres et leurs initiés ratissèrent les marchés. Les viandes qu'ils sélectionnèrent donnèrent ample satisfaction. L'Ordre se réconcilia donc devant des gyros. Cette cuisson à la broche verticale a l'avantage de conserver les épices, les légumes et les aromates à l'intérieur des escalopes superposées et tranchées finement. Nous n'entendîmes plus parler de cette histoire de porc.

À quelques minutes de l'ouverture du Congrès Anubis, Altan et Popov manquaient toujours à l'appel.

— On n'aperçoit ces lascars nulle part ! commença à s'impatienter le Grand Élu.

Comme à chaque congrès, de nombreux maîtres s'étaient engagés dans des paris insensés, à l'insu du Comité des Sages. L'argent circulait en douce sous les redingotes. Tout le monde spécula que le Mongol signerait le dernier, mais le Russe arriva une minute après lui pour lui ravir le titre de Lanterne rouge.

— On n'est pas au cirque, ici ! gueula Olafsen le Doyen en soupçonnant la magouille. Une de ces prochaines fois que vous arriverez en retard, mes bouffons, le *Codex référentiel* est clair : vous irez vous faire cuire des broches ailleurs !

Le duo retardataire échangea un clin d'œil, devant une assemblée écroulée de rire, et Hakim, impassible, annonça la fin des inscriptions. Le cérémonial officiel des festivités pouvait débuter. Comme prévu par la procédure, les membres administratifs s'alignèrent et pointèrent leur gibus vers les cieux d'un bleu pur. L'éclair annonciateur de l'Examinateur fendit l'air près de l'arbre généalogique de l'Ordre. Au pied de la Tour blanche, émergeant d'un écran de fumée, Urbanus, avec son chat angora sur l'épaule, salua la Fraternité avant de disparaître en s'enroulant dans un drapeau noir frappé de cinq cercles blancs.

Devant la multitude de maîtres et presque autant d'initiés, pré-cédé d'Hurlusse et d'Hakim, le très honorable Razor Barbakos s'avança lentement pour prononcer en volapük :

— *Menade bal, püki bal*[16] !

Il récita l'homélie des défunts.

— Vénérée Baronessa, vénérés Trinkwein, Pablo, Élie, Yasuda, dans le ciel, il n'y a pas de distinction entre l'est et l'ouest, le nord et le sud, vous n'allez nulle part, car il n'y a nulle part où aller.

Ahmed el Arti répéta alors la phrase traditionnelle prononcée quelques années auparavant par Trinkwein :

— Je déclare ouvert l'antépénultième Congrès international Anubis. Maîtres du méchoui, profitons ensemble des festivités.

Les membres défilèrent, précédés de figurants déguisés en squelettes et arborant des faucilles. Je me trouvais près de Ioudaios. Nous avions débroché des dizaines d'agneaux piqués d'ail et parfumés de romarin, et je demandai à de jeunes initiés de les disposer sur les tables de découpe. Toutes nationalités, toutes races et sexes confondus, les convives s'installèrent autour des tables rondes et frappèrent dessus avec leurs cou-verts, comme de coutume. Razor souffla dans une corne de brume et nous entamâmes le premier service. Entre musique, spectacles, banquets et alcools, les mets et les festivités allaient se succéder pendant sept jours, sans anicroche.

Pour ne froisser personne, ni à gauche, ni à droite, il fut convenu par le Comité des Sages que maître Pujol serait res-ponsable du banquet de clôture. Choix judicieux, car dans les assemblées, le Provençal ne participait jamais aux débats, pré-férant somnoler au centre. Rôtisseur hors pair, il était capable de

---

16 « Une humanité, une langue », en volapük.

tirer le meilleur d'une charogne puante. On le surnommait Pujol le roi de la pignole, son assiduité à la tâche n'étant pas sa première qualité. Je lui fus affecté, secondé d'une brigade d'initiés.

— Je connais un truc, affirma-t-il en sirotant un pastis sur le bord de mer de la Tour blanche. Délicieux et pas fatigant. Mon maître Bordon de Vénétie tenait cette recette du vénéré Maruru, de Polynésie.

Selon un plan précis, il expliqua à un premier groupe la manière de creuser des dizaines de trous dans le sable.

— De la taille d'un mouton, spécifia-t-il.

Tout était calculé dans cette méthode de cuisson à l'étouffée, la profondeur du trou, autant que la quantité de combustible. Une autre équipe entreprit de concocter la braise. Pujol y ajouta des essences de bois divers. Il fit badigeonner les moutons d'une marinade de son secret. Entourées soigneusement de feuilles de palmier, les préparations furent déposées entre deux couches rougissantes et enterrées sous le sable.

— Que fait-on maintenant ? demandai-je, captivé par ces dizaines de fours disposés en cercle devant moi.

— On surveille ! me dit Pujol en me montrant une table avec des bouteilles de pastis et des carafes d'eau fraîche. On a assez de munitions pour résister à un siège.

Comme il fallait s'y attendre, pour le moment solennel du banquet, nous fûmes contraints de nous passer de la direction de Pujol, dans l'incapacité de travailler. Hakim le remplaça pour me donner un coup de main.

— Où est ce cancrelat ? gueula Razor Barbakos, quand il nous aperçut tourner autour des fours de sable.

Il parlait de Pujol, bien sûr !

— Indisposé par la chaleur, Grand Élu ! répondis-je distraitement.

— Évitez de craquer une allumette à côté de lui, railla un plaisantin.

— Langue sale ! le houspilla maître Boivin.

— Ce n'est pas la première, ni la dernière fois qu'on va se taper le boulot d'un chef bourré ! philosopha Hakim.

Trois heures avant la dernière scène, Ahmed el Arti ordonna que nous déterrions les viandes pour les servir. Génial dans l'organisation de somptueux banquets, le Marocain était aussi un emmerdeur, changeant d'idée sous le coup d'inspiration subite. Il était peu enclin aux dialogues avec ses pairs, surtout avec ceux qui lui reprochaient son manque de planification. Arti voulait que nous découpions à l'avance la chair succulente qui se détachait d'une pression des doigts.

— Elle va se dessécher sur les buffets ! protestai-je.

Il insista puis se ravisa :

— On procédera à la découpe devant nos membres, me concéda-t-il en goûtant une première pièce.

Cela s'avéra un franc succès. Avant de prendre définitivement congé, nos frères s'empiffrèrent, grignotant les morceaux de viande jusqu'aux os. Pujol se réveilla quand le congrès se termina.

À cause d'un incendie sur le *SS Bosphore*, mon départ fut retardé, mais le navire fut réparé rapidement. Après mes adieux à Ioudaios, je fus un des derniers à partir avec les maîtres Pujol et Vaudois. Sur le quai, Hakim me remit la directive du siège social m'assignant Naples comme point de chute. En l'absence d'adresse où me rendre, je grappillai quelques éclaircissements.

— Ces vieux schnoques cogitent toujours au sujet de ton affectation, me confia-t-il. Mathias Balthazar fait des pieds et des mains afin que tu rejoignes Londres. Le Comité des Sages préférerait que tu couvres des formations d'initiés en Italie. Tu apprendras ta destination exacte en débarquant.

J'estimai ces tractations aussi mystérieuses qu'inutiles. Malgré mon admiration pour ces cultures, l'enseignement en Méditerranée ne m'emballait pas. Homme du Nord de corps et d'âme, éduqué entre logique cartésienne et rigueur alémanique, ces contrées issues des civilisations antiques me paraissaient archaïques. Je me fiai à mon expérience de Salonique, avec des indigènes que je soupçonnais trop fantaisistes pour assimiler correctement les valeurs professionnelles qui m'avaient été léguées. Sur le paquebot retournant à Marseille, Pujol, bourré, passa par-dessus bord. Ainsi se termina comme avait commencé ce Congrès Anubis, avec des cadavres dans l'eau.

Les années méditerranéennes

Au pied du Vésuve, je lus l'ordre de marche d'un messager. Je remontai à Florence, en train, dans l'atelier de maître Venturi, à une odeur de minestrone du Ponte Vecchio. Il cuisinait pour l'aristocratie locale, capricieuse et vieillissante. Angelo, son initié, débutait dans la profession. Je le familiarisai avec les marinades, l'aiguisage et l'utilisation des lames. Cette formation allait devenir ma spécialité durant cette période. L'arrêt toscan respectait la logique de l'Ordre. De ce coin de péninsule émergent les cuissons de grillades et de broches. Au berceau de la Renaissance, l'entrecôte de bœuf se nomme *Bistecca fioren-tina*. (Dans le fief des Médicis, une spécialité de rue capta mon intérêt, le *Lampredotto*, un *panino*[17] farci d'un émincé d'estomac de bovin, cuit à l'eau avec des tomates, de l'oignon, du persil et du céleri.) Quelques mois plus tard, à Bologne, chez maître Ingallina, je pris sous mon aile l'initié Anselmo, dont la parenté possédait une auberge à Ravenne, sur la côte Adriatique. Je perfectionnai sa science de la braise et des découpes. En retour, Anselmo me montra la préparation du *Ragù*, un mélange de différentes sortes de viandes hachées, parfumées d'herbes aromatiques, revenues dans l'huile d'olive, avec des légumes, de l'ail et ensuite cuites au vin avec des tomates écrasées à la

---

17 « Sandwich », en italien.

main. Cette appellation nous est parvenue sous le nom de sauce bolognaise. Terme inexact, puisqu'en Italie, il en existe autant de variantes que de terroirs.

Bientôt, les maîtres de l'Ordre des Cinq Cercles allaient réélire Razor Barbakos pour un second mandat. Je votai pour Clarence Marmaduke. Le siège social ne me laissa pas glander. C'est vrai que je me sentais très loin des assemblées générales. Supervisant un initié puis un autre, je tournai des broches à Ronda en Andalousie, ensuite sur l'île de Majorque, dans la ville de Felanitx, chez maître Morell. Je poursuivis à Rhodes, chez un notable ottoman dont la demeure pointait vers le littoral de sa Turquie natale et à Corfou, dans un hôtel avec un double point de vue sur les côtes grecques et albanaises. Franchissant le détroit mythique de Gibraltar, je descendis vers le Sud marocain. Un verre de thé à la menthe à la main, au bord du Sahara, je me gavai de friandises psychotropes, dont le *majoun*, une douceur composée de kif, de miel, de noix, de noix de cajou, d'amandes, de beurre fondu et de chocolat. À Casablanca, je goûtai au kif inhibiteur des médinas. À Tanger et à Agadir, je planai sous les fumées de tajine, de méchoui et de haschich, repu de la douceur des fatmas. Je bifurquai un an plus tard à Nabeul, en Tunisie. Je profitai de ma présence dans ces pays pour affiner mes techniques de cuisson à l'étouffée sous le sable et la terre. Pour le Nord-Européen d'origine que je suis, travailler avec les Méditerranéens me permit de m'adapter à pléthore de fantaisies cadrant mal avec l'orthodoxie culinaire. J'appris à composer avec le laxisme naturel du personnel de service face aux horaires. J'eus le même problème pour les arrivages de marchandises et la qualité des aliments. Je notai de plus une tendance chronique à transformer des recettes établies et, en général, cet atavisme viscéral à transgresser systématiquement la discipline en vigueur dans un atelier. Je me souviens d'une série de banquets organisés par le maître Ingallina. Afin d'économiser quelques deniers, le farfelu avait décidé de laver la vaisselle dans notre cuisine de production, au lieu de la retourner à son fournisseur, une compagnie spécialisée dans la location de matériel de banquet. J'arrivai le matin, contournant les piles d'assiettes poisseuses du repas de la veille, contraint de travailler entouré d'un nuage de mouches noires qui envahirent jusqu'aux garde-mangers des cuisines. Une semaine me fut nécessaire pour me rétablir de la diarrhée de mon existence... Pour la défense de ces cultures, les saveurs et les recettes qu'elles apportèrent au monde demeurent inégalables, dont la fameuse *porchetta*, une spécialité romaine, un cochon désossé entièrement et farci aux herbes. J'intégrai avec plaisir ces gastronomies combinant sophistication des épices et sobriété. Au-delà de leurs cultures propres et de leurs religions, elles convergent à l'unisson afin de conserver la saveur initiale de l'aliment, viande, poisson ou légume. L'expérience me transforma radicalement, plus d'un point de vue personnel que professionnel. J'assimilai un mode de vie que le travail seul peut apporter, la langue italienne et espagnole, quelques formules de politesse grecques et arabes. En 1912, avec un équipage majoritairement libanais, je voguai vers Toulon à bord d'un cargo ottoman absorbant la flotte de tout bord. Exaspérés, les marins écopaient l'eau pissant par les écoutilles. C'était comme un mauvais présage. Dans sa dernière lettre, Hakim m'exprimait ses craintes d'une guerre dans les Balkans. À Salonique, entre les Grecs et les Ottomans, on s'attendait au pire. Il écrivait :

C'est une fichue poudrière qui va nous péter à la gueule !

En accostant à Toulon, j'avais une dégaine de baroudeur. Dans le quartier des bordels, un fusilier marin me bouscula en pleine rue sans raison particulière. Je lui défonçai l'arête du nez d'un coup de tête. Quand il s'écroula, je ressentis un sentiment de puissance. Endurci par l'expérience, l'homme que j'étais devenu n'avait plus rien à voir avec l'apprenti de maître Trinkwein. J'étais d'une confiance insolente. Il me restait beaucoup de chemin à parcourir...

Les jardins de Schönbrunn

En ce premier tiers de l'année 1912, mon affectation austro-hongroise ne figurait pas dans les plans du siège social. L'administration m'aiguilla aux États-Unis pour travailler avec d'autres maîtres sur la tournée de clôture du *Wild West Show*, un spectacle grandeur nature glorifiant la conquête de l'Ouest, avec le célèbre Buffalo Bill en vedette. Cirque de notoriété mondiale, c'était une machine rodée qui avait effectué plusieurs rondes en Amérique et en Europe. Sur le message télégraphique expédié par Hurlusse, il était spécifié que je devais embarquer pour le port de New York le 10 avril, à Cherbourg. En plus de la date et l'heure de départ, je savais que je serais logé dans une cabine de dernière catégorie d'un transatlantique de la classe Olympic de la compagnie White Star Line. J'avais l'habitude désormais. De la Méditerranée jusqu'en Normandie, je changeai de train d'incalculables fois. Parvenue à une quarantaine de kilomètres de Cherbourg, notre locomotive pulvérisa un chargement de calvados, tracté par deux vieux canassons traversant les rails. Le temps d'évacuer la cargaison isolée par les gendarmes et les pompiers, nous dûmes patienter des heures au milieu du bocage. Quand je donnai ma réservation au guichet d'embarquement du port de Cherbourg, le préposé m'indiqua que le navire filait en haute mer depuis dix minutes.

— Êtes-vous certain ? insistai-je au bord de la crise de nerfs. Compagnie White Star Line. New York. Dix avril, heure de départ : 20 heures 10.

— Peut-être bien que oui, peut-être bien que non, ai-je envie de vous répondre. Mais vous l'avez loupé, cher monsieur. Et c'est dommage ! ajouta le Normand. Ce paquebot était monstrueux. Tellement que des transbordeurs ont dû se charger du transfert de passagers, parce qu'il est resté en rade.

— Comment s'appelle-t-il ?

— Le *Titanic*. Gardez ce billet à votre nom, recommanda-t-il, en me glissant une enveloppe que j'insérai dans ma poche. Il se peut que la White Star Line vous rembourse. À moins que je vous recase pour la traversée de la semaine prochaine.

Dépité, je le saluai avec ma réservation en main. Ne sachant que faire d'autre, je me précipitai vers l'office du télégraphe, afin d'expliquer ma situation au siège social. Le temps de réserver une chambre à l'hôtel de la Poste, je reçus la réponse :

— *Statuons sur votre cas avec la répartition. Stop. Patientez à Cherbourg. Stop.*

J'espérais toujours percer l'écume des flots vers le Nouveau Monde pour assister aux scènes épiques d'attaques entre pionniers du Far West et d'authentiques Sioux, jusqu'au matin où les journaux nous informèrent du naufrage du *Titanic*, survenu entre la nuit du 14 et du 15 avril. Bilan : mille cinq cents morts sur les mille trois cent seize passagers et les huit cent quatre-vingt-neuf membres d'équipage ! Sous le choc, je me confortai néanmoins dans l'idée qu'il est parfois souhaitable de manquer certains rendez-vous avec l'Histoire. La compagnie me proposa de rembourser l'intégralité du billet, à condition de l'échanger au guichet. Je le conservai précieusement. Aujourd'hui, il doit valoir une petite fortune !

Sur les ordres du siège social, je quittai Cherbourg pour Paris dans un train de nuit. À cause des braquages de banques perpétrés par les anarchistes de la bande à Bonnot, la capitale était en état de siège policier. Aussi, parvenir à la gare de l'Est nécessita plus de temps que prévu. Un messager me remit le billet pour Vienne au guichet.

— Vous recevrez votre affectation définitive à votre arrivée à la *Südbahnhof*.

J'acquiesçai, trouvant cette procédure bien mystérieuse. Pour ce voyage au cœur de l'Europe centrale, j'eus le privilège de faire le trajet à bord de l'*Orient-Express*. Si j'étais habitué au luxe des grands palaces, celui du prestigieux train de la Compagnie des wagons-lits m'impressionna par sa fonctionnalité. La vaisselle, le matériel de cuisine et de service étaient méticuleusement calibrés, afin d'économiser un maximum d'espace. Moi qui avais tant circulé dans des tortillards au confort rudimentaire, j'étais aux anges. Les voitures reposaient sur des suspensions réparties de manière à absorber les chocs et les secousses. J'avais en permanence la sensation de flotter sur des coussins d'air. Le convoi descendit vers Strasbourg, chef-lieu de l'Alsace impériale allemande, puis il traversa des forêts et des villages aux maisons à colombages, jusqu'aux premiers sommets des Alpes bavaroises aux vallées surplombées des châteaux féeriques de Louis II. Je contemplai ce paysage montagneux jusqu'au cœur de l'Autriche, m'imprégnant du spectacle majestueux et poétique. Des orchestres tziganes nous divertissaient le temps des arrêts. Les passagers leur jetaient des pièces de monnaie dans des corbeilles. Des camelots proposaient des boissons et des spécialités locales, des viandes et des légumes aux odeurs de paprika, taillés en lamelles et fourrés dans le pain de seigle. À Vienne, sur les quais de la *Südbahnhof*, des musiciens aux uniformes colorés et aux chapeaux ornés de plumes nous accueillirent au son de *La marche de Radetzky*. Dans les cafés, dans les parcs et durant plusieurs concerts auxquels j'assistai, je réentendis fréquemment ce classique de Johann Strauss père. Le public participait en applaudissant. Aujourd'hui, je sais que ce spectacle sonnait le glas de toute une époque.

L'Intendance impériale me prit en charge.

— Une voiture de fonction viendra vous chercher et vous raccompagnera, vous et les autres cuisiniers, à un appartement assigné sur Berggasse. C'est une rue du centre-ville, me stipula un hussard, en shako et en bottes de cavalerie.

À mon étonnement m'y attendaient mes collègues Altan et Popov, les éternels retardataires du Congrès Anubis, de retour d'un méchoui de cochons noirs hispaniques au Palacio Real de Madrid. À la résidence d'hiver de Hofburg, comme au palais d'été, à Schönbrunn, nous fûmes priés de ne pas emporter nos couteaux. Nous étions systématiquement fouillés, à notre arrivée et à notre départ. Les cuisines fonctionnaient comme celles d'un hôtel étoilé : une centrale qui ravitaillait des dépendances plus petites et des officines qui desservaient des salles de réception et des logis d'habitation. C'étaient des villes miniatures comprenant tous les services. Leur *modus operandi* résumait l'empire de François-Joseph : les postes de responsabilités étaient attribués aux Autrichiens et aux Hongrois, et les tâches subalternes, aux autres nationalités, comme les Slovaques et les Croates, même les Bosniaques. Apparemment, depuis le congrès de Vienne en 1815, nos hôtes avaient enregistré le message du Français Talleyrand :

La diplomatie passe par l'estomac !

À notre embauche à Hofburg, l'intendant nous obligea à signer un contrat de confidentialité.

— C'est une mission secrète, prétexta-t-il.

« Une autre », pensai-je.

Dix cuisiniers, deux pâtissiers triés sur le volet, Altan, Popov et moi-même organisâmes un banquet pour la délégation chinoise envoyée par le docteur Sun Yat-Sen, président élu de la nouvelle république. Après la chute d'un système impérial deux fois millénaire, ses dirigeants, à la tête d'un pays déstabilisé par les seigneurs de la guerre et les bandes nationalistes, recherchaient des appuis politiques en Europe. Une cinquantaine d'Allemands et d'Ottomans s'y présentèrent. Nous proposâmes une recette de canard pékinois à la broche, une centaine de pièces de deux à trois kilos, assaisonnées à l'intérieur de sel, de poivre, de gousses d'ail, de gingembre et d'oignons verts hachés. Pour le bridage des palmipèdes, nous utilisâmes un fil de fer souple. Afin de favoriser l'écoulement du gras, nous entaillâmes la peau badigeonnée d'huile de sésame et d'un assaisonnement composé de miel, de sauce soya et de vinaigre de riz. Nous embrochâmes et activâmes les cuissons devant les convives. La recette ne récolta que des éloges. Il y eut bien un malaise perceptible, quand un diplomate turc s'assit par mégarde sur le casque à pointe oublié sur un siège par von Hindenburg, le chef de la délégation allemande. L'intendant trouva rapidement comme bouc émissaire un valet d'origine juive qui fut viré sur-le-champ. Le lendemain, le siège social nous signifia que nous étions engagés pour former des rôtisseurs au château de Schönbrunn, où l'empereur venait de rejoindre ses quartiers d'été. Satisfaits que nos méthodes puissent plaire dans un contexte si rigide, nous acceptâmes. En prenant position sur la ligne des fourneaux, nous dûmes cependant mettre les pendules à l'heure avec le chef cuisinier.

Au Savoy et au Carlton, je pensais avoir vécu le summum de la discipline régimentaire. À Schönbrunn, elle dépassait en excès ce que j'avais connu. Aussitôt qu'un chef de partie s'adressait à un cuisinier, il se dressait au garde à vous en claquant des sabots, pour gueuler comme un soldat :

— *Jawohl, Chef!*

À mon arrivée, un apprenti fit le tour des batteries de chaudrons à coups de pied dans le derrière. Avec Altan et Popov à mes côtés, je spécifiai vertement au chef Egon Kahnert que nous réprouvions ces méthodes. Ce Salzbourgeois cuit par le tabac prit bonne note qu'il serait hors de question que réapparaissent de tels agissements dans notre département !

— Vous me rappelez quelqu'un que je connus autrefois, maître Sans Loi, affirma-t-il. Il vous ressemblait, un peu.

Ce commentaire de Kahnert me surprit.

— Comment s'appelait-il ?

— Joyal.

Coupant court à mon désir d'en apprendre plus, il se retira non sans ajouter :

— Ce n'est pas dans mes habitudes de familiariser avec des subalternes !

Dans le fond, ce n'était pas un mauvais bougre, mais dans les cuisines, ça marchait ainsi. Nous comprîmes que notre voie d'apprentissage en douceur était salutaire, car, après une semaine de notre présence, toute la brigade voulait travailler avec nous. Nous passâmes l'été dans les jardins de Schönbrunn, un parc immense, en partie ouvert au public. Soigneusement taillées, les haies entouraient des fontaines aux couleurs flamboyantes et des parterres floraux. À l'aube, le parfum prenait la tête quand les premiers rayons du soleil frappaient les fleurs ruisselantes de rosée. Le prince et archiduc François-Ferdinand organisait des pique-niques et y recevait son oncle l'empereur, la famille et des amis. Dans un périmètre bouclé par des gardes du corps, nous organisions des broches pour deux cents à trois cents convives, la crème de la noblesse. Après le décès mystérieux du fils de François-Joseph, l'archiduc Rodolphe, à Mayerling, et l'assassinat de l'impératrice Élisabeth de Wittelsbach, poignardée à Genève par Luigi Lucheni, un anarchiste italien, la sécurité ne plaisantait pas. On ne nous laissait pas approcher à moins de dix mètres de Sa Majesté, bien qu'une fois, au bal de l'empereur, et une seconde fois au concert du Nouvel An de l'orchestre philharmonique de Vienne, nous fûmes autorisés à assister à son passage. Ces événements mondains, très prisés par l'aristocratie, étaient tout en finesse et en beauté. Fascinés, nous observions les participants d'une élégance vestimentaire à couper le souffle. Comme deux mondes séparés, le leur et le nôtre, ces univers si différents allaient apprendre à se connaître en se massacrant deux ans plus tard. Nous servions des pièces de bœuf, de veau, d'agneau et des cochons de lait. Les restes étaient distribués à des associations caritatives sélectionnées par l'intendant général, afin d'éviter les tensions entre les nombreuses communautés viennoises. Nous réintégrâmes Hofburg en novembre, au moment du rattachement de Salonique à la Grèce. Nous apprîmes alors que le siège social avait redéménagé aux Halles de Baltard, selon une décision majoritaire des membres. Depuis un mois, la Première Guerre balkanique sévissait entre l'Empire ottoman et les royaumes bulgares, grecs, serbes et monténégrins. Les combats se poursuivirent jusqu'au mois de mai de l'année suivante. Dans une lettre de Paris, Hakim me rassura sur le sort de Ioudaios et de sa famille.

La brasserie munichoise

Vienne l'avant-gardiste avait tant à offrir, des salles de bal et de musique richement décorées d'or et d'argent aux vitrines de pâtisseries aguichantes. Nous en profitâmes largement, au carrefour d'un empire où l'on parlait une dizaine de langues, dont le yiddish. Les échanges culturels et commerciaux foisonnaient dans les différents quartiers multiethniques, pour les élites comme pour la population. Nous logions sur Berggasse, près du domicile du psychanalyste Sigmund Freud. Dans le voisinage vivaient des artistes peintres. Beau temps, mauvais temps, ils posaient leurs chevalets sur les trottoirs pour immortaliser des scènes de rue. En février 1913, nous travaillions dur au palais. Pourtant, un curieux concours de circonstances décida de notre expulsion. Nous avions deux jours de congé hebdomadaire, et nous sortions souvent au Café Central, sur la Herrengasse, un des hauts lieux de la scène intellectuelle et culturelle, où se retrouvaient, entre autres, des joueurs d'échecs chevronnés. D'un excellent niveau, Popov partageait cette passion avec Lev Bronstein, un éditeur russe, posé et sympathique, doté d'une chevelure abondante, d'une barbe, d'une moustache et de lunettes. Entre deux mouvements de pièce, Popov me traduisait parfois les propos à saveur politique qu'il tenait.

— *Da !* Les compétences humaines, culturelles, professionnelles sont bradées afin de satisfaire une ploutocratie sans
éthique, dont l'argent demeure la motivation principale. Si nous
n'y remédions pas, nous courons au désastre.

Par un samedi soir glacial, en buvant une bière au comptoir, j'observai les adversaires redoubler de stratégie sur une
banquette toute proche. Comme toujours, Bronstein émergea
vainqueur. D'ailleurs, pas un joueur n'avait réussi à le mettre
échec et mat. À côté de moi, Altan sympathisait avec Josip
Broz, un employé de l'usine Daimler. (Son maître était Croate,
comme Broz, m'expliqua plus tard Altan.) Soudain, Stavros
Papadopoulos, un ami de Bronstein, passa devant nous et s'installa près de lui sans saluer personne. Petit, mince, des yeux
durs, une peau brune et un visage couvert de cicatrices, cet
habitué de la place ne dégageait rien d'amical.

— Ce type n'est pas Grec, contrairement à ce que suggère
son nom, m'avait dit plusieurs fois Popov. Il parle russe avec un
accent géorgien !

En grognant, Stavros commanda une bouteille de vodka
qu'il entreprit de vider seul. Je ne compris jamais qui amorça
la bagarre qui éclata devant le café quand nous le quittâmes. Si
ce fut l'artiste ou Papadopoulos ? Entre eux, je crois qu'il s'agissait d'une antipathie viscérale. L'artiste était un peintre de mon
quartier, il fréquentait régulièrement l'endroit. J'ignorais son
nom, mais je l'avais déjà remarqué en train de dessiner en face
de chez moi et près des jardins de Schönbrunn. Quand il se
pointait au café, il cherchait toujours à vendre des aquarelles
ou des tableaux. D'ailleurs, je lui avais acheté deux cartes postales signées d'une écriture brouillonne. Il ne parlait pas aux
étrangers. Son regard clair les sondait d'un air hostile. Quand
il proposait ses œuvres à notre table, Bronstein déclinait l'offre

poliment. Moins aimable, Papadopoulos lui marmonnait des injures, les seuls mots allemands qu'il maîtrisait. Le petit teigneux revenait toujours à la charge avec ses toiles. En sortant, il leva le bras en notre direction avec un tableau en main. Je ne sais pas s'il le fit dans l'intention de nous le vendre ou s'il cherchait son équilibre sur les pavés glissants. Papadopoulos, ivre de vodka, lui décocha quelques grossièretés en russe. Les deux hommes commencèrent à s'insulter. Furieux, le peintre se dirigea vers notre groupe et bouscula Broz, qui chuta sur le dos. Papadopoulos le stoppa d'une frappe de poing au menton. L'artiste tomba. Hystérique, il se releva, fonça sur nous. Lev Bronstein reçut un coup de pied au tibia et quand Papadopoulos l'empoigna par le col, le peintre lui cracha dessus et lui mordit la main. Papadopoulos hurla de douleur. Nous commencions à séparer les belligérants, quand retentit un coup de sifflet dans la nuit. Cinq policiers surgirent et nous mirent en état d'arrestation sur-le-champ pour avoir troublé l'ordre public.

Nous fûmes incarcérés ensemble au poste, dans une cellule aux murs de pierres humides, où nous pouvions à peine tenir debout. Les gardiens nous surveillèrent étroitement en nous ordonnant de garder le silence. Après retranscription de nos dépositions, les inspecteurs Lothar Krasny et Salomon Wiesenthal procédèrent à nos interrogatoires puis à nos libérations, d'abord Bronstein et Papadopoulos, Broz ensuite, nous et le peintre en dernier.

— Puisque vous occupez un poste au palais, messieurs, ce rapport sera transmis automatiquement à la Sécurité impériale, prévint Krasny.

— Quelle en est la raison ? demanda Popov.

— Vous fréquentez des individus placés sous surveillance...

— Lev Bronstein, continua Wiesenthal, alias Léon Trotski, est fiché par l'Okhrana. C'est le rédacteur en chef de la *Pravda*, un journal interdit en Russie pour activités anti tsaristes. L'autre occupe une chambre au numéro 30 de Schönbrunn Schloss Strasse, à cent mètres du palais impérial. Connu sous le nom de Stavros Papadopoulos alias Joseph Djougachvili, surnommé Koba, il signe des articles virulents dans la *Pravda*, sous le nom de Staline. Le troisième larron, Josip Broz, est né à Kumrovec, en Autriche-Hongrie, et est inconnu de nos services, comme vous et le peintre. Adolf Hitler, né à Braunau am Inn, réside au foyer pour hommes au numéro 27 de la rue Meldermann. Vous êtes libres !

Enragé, le jeune Hitler se mit à gueuler à la sortie du commissariat :

— Les métissages gangrènent notre race ! Krasny ne porte de germanique que le prénom de Lothar. Quant à ce Wiesenthal, lui confier la sauvegarde de nos lois relève de l'abomination !

J'ignore si Trotski et Staline furent expulsés et ce qui poussa Krasny et Wiesenthal à nous divulguer autant d'informations, alors que nous n'étions que de simples cuisiniers. Ils ne minaudèrent pas avec la procédure. Le lundi à l'aube, un fourgon cellulaire nous attendait devant notre porte. Emportant couteaux et bagages, nous laissâmes l'Autriche-Hongrie escortés par la police jusqu'en Bavière. Ces modalités s'effectuèrent en toute civilité. Pour l'excellence de notre ouvrage, nous reçûmes des lettres de recommandation du Palais, mais nous n'eûmes droit à aucune explication. Le surlendemain, dans une brasserie de Munich, la même où, dans les années 1920, l'ex-caporal Hitler enflammerait ses premiers partisans, la Hofbräuhaus am Platzl, nous fîmes s'entrechoquer les chopes d'un litre de bière de la Hofbräu München autour d'une choucroute garnie, servie avec des patates nature.

— Les Allemands et les Alsaciens accompagnent ce plat de pommes de terre cuites à l'eau, expliquai-je. Chez moi, aux Trois-Frontières, nous le servons avec de la purée, c'est plus riche, mais c'est meilleur !

À Munich, donc, le siège social m'ordonna de remonter aux Halles de Baltard, et à Altan et Popov, de rejoindre le palais de la Moïka du prince Youssoupov, à Petrograd.

— On s'arrange entre nous pour arriver à la dernière minute au Congrès Anubis. On prend notre pourcentage sur les paris ! me confièrent-ils à leur départ.

Je ne les revis plus. En 1916, le prince Félix Youssoupov complota pour assassiner le moine Raspoutine, trop influent auprès de l'impératrice Alexandra. Si l'on se fie aux archives de l'Ordre, mes deux compères disparurent durant la révolution d'Octobre... Ainsi, je venais de plonger dans l'embryon des maux du XXe siècle ! Il paraît inconcevable qu'un nombre si restreint d'individus, venus d'horizons tellement disparates, qui changèrent radicalement le destin de millions de personnes, vécurent si proches les uns des autres. À Vienne, la présence d'Hitler, combinée à celles de Trotski et de Staline, comme à celle de Josip Broz, connu sous le nom de Tito, chef des partisans yougoslaves durant la Seconde Guerre mondiale, fouette plus encore notre imaginaire. Les historiens ignorent s'ils se sont rencontrés. Un rapport de police rédigé au mois de février 1913 pourrait en témoigner. Mais après la disparition de l'empire des Habsbourg, l'annexion de l'Autriche par le *Reich* hitlérien et l'occupation de Vienne par les Soviétiques et les armées alliées, qui sait si ce document existe encore ?

L'Amérique

À Paris, la désorganisation régnait au siège de l'Ordre, depuis son déménagement en catastrophe de Salonique.

— Bon retour parmi nous, m'accueillit Hakim aux Halles de Baltard. C'est le foutoir ici !

Une partie des dossiers des membres errants zigzaguait entre les tirs croisés des navires de guerre balkaniques et ottomans en Méditerranée. Les membres administratifs tentaient de retracer plusieurs maîtres évaporés dans la nature.

— Ventre-saint-gris, on en a paumé quelques-uns ! maugréa Hurlusse, après m'avoir salué derrière sa nouvelle table de bureau. Frère Hakim vous expliquera ça dans le moindre détail.

Au cabaret des Folies de la rue Bergère, un œil sur la rangée de filles qui soulevaient les jambes à l'unisson, Hakim me raconta que Razor Barbakos s'en était tiré de justesse.

— Dès l'annexion de la ville, les Grecs ont fait le ménage dans leur communauté parmi ceux aux liens jugés trop proches avec les Ottomans. Avant l'arrivée des troupes helléniques, le Grand Élu savait que son temps était compté. Aussi, quand les *Evzones* ont investi notre siège, ils l'ont trouvé désert. Razor s'est faufilé dans la poudrière balkanique, pour refaire surface un mois plus tard, chez maître Ménégon, en Vénétie.

— Comment a-t-il fait ?

— Nos frères sont partout. Depuis son retour, l'Élu tient à resserrer son emprise au sein de l'Ordre.

— Comme quoi nos histoires de politique interne sont en train de se faire rattraper par la politique tout court.

— Si tu le dis ! Ah oui, présente-toi demain matin au siège social.

Sur la scène, les danseuses de cancan firent le grand écart en poussant un cri assourdissant quand le grand rideau retomba d'un mouvement sec. Hakim ne me donna pas plus d'explication, aussi je n'insistai pas ; nous terminâmes la soirée en assistant, amusés, au spectacle des jongleurs, des prestidigitateurs, des chansonniers et des conteurs de calembours.

Mon expulsion m'avait soustrait quelques crédits, je m'attendais à me faire passer un savon à cette convocation par le Comité des Sages. Heureusement, la lettre de recommandation du Palais de François-Joseph me sauva la mise. En observant les anciens écouter attentivement mes péripéties viennoises, je devinai aussi qu'ils avaient quelques idées en tête.

— Disposez, maître Sans Loi, m'ordonna au final Olafsen le Doyen, sans prononcer de sanction. Le Grand Élu désire vous parler.

— Quand ?

— En temps et lieu, m'indiqua N'goma.

Apparemment, il n'avait rien perdu de son influence. En me dirigeant vers la sortie du marché, j'entendis une voix du côté d'un étal d'entrecôtes persillées.

— Méfie-toi, t'aurait prévenu maître Trinkwein! murmura Urbanus à mon oreille. Méfie-toi!

Je n'entrevis que son sourire de nacre, puis il se fondit entre deux commerces. Razor Barbakos m'aborda au rayon des charcuteries, devant un enchevêtrement de boudins rouges enroulés autour de cônes métalliques. Amaigri, flottant dans sa redingote, le Grand Élu avait perdu de sa superbe.

— Je t'envoie en Amérique, m'annonça-t-il. Je reçois des messages alarmants.

— Qu'est-ce que cela signifie, Grand Élu?

— Que les écritures du *Codex référentiel* sont quotidiennement bafouées. Tu étais l'initié de Trinkwein. C'est dire tout le prestige que tu représentes à nos yeux. J'ai besoin d'un maître de bonne foi. Tu feras parvenir tes rapports à Mathias Balthazar, je l'ai nommé au siège social de New York.

J'acquiesçai, en discernant la rage dans sa voix. On dit que les épreuves humanisent l'homme, mais je crois que son périple balkanique l'avait rendu amer. Son regard était dur, froid. Au ton de son discours, je déduisis qu'il avait le sentiment d'avoir perdu le contrôle sur l'Ordre des Cinq Cercles. Ses semaines de clandestinité l'avaient rendu parano. Nous prîmes congé l'un de l'autre en nous saluant poliment de la tête. Dix minutes plus tard, à la répartition du siège social, Hakim me remit mon ticket de voyage. En nous quittant à la gare, nous nous serrâmes la main sur les quais en blaguant. J'avais la certitude que nous nous reverrions bientôt. Lui aussi.

Je voyageai en deuxième classe sur le *Kaiser Wilhelm II*, un paquebot de la Norddeutscher Lloyd, un transatlantique allemand, comptant près de mille neuf cents passagers. Comme toujours, aux buffets, je sympathisai avec le personnel de cuisine. Tellement que j'eus droit à une visite en douce de la coquerie par le rôtisseur. Sur tous les navires de ce type, c'était un endroit fonctionnel et récuré après chaque service, d'une chaleur torride et où la brigade travaillait plus de douze heures par jour, sept jours par semaine, dans des conditions très dures. La brigade marchait à la baguette. À part le chef, personne n'avait le droit d'emprunter les espaces réservés aux voyageurs et aux officiers de navigation. Mis à part le salaire, on effleurait les conditions du bagne. C'était quasi irréel de passer du pont des passagers de première classe où tout le monde rivalisait d'élégance en admirant l'Atlantique, aux ponts inférieurs. Les couloirs couverts de suie dégageaient une odeur de fumée âcre, et l'on croisait des hommes sombres comme des charbonniers et dégoulinants de sueur. Les cuisiniers se partageaient des cabines près de la machinerie au bruit continuel de moteur. Ils utilisaient des sanitaires rudimentaires avec des toilettes qui débordaient.

— Parfois la merde flotte dans les sections compartimentées, me conta le rôtisseur. Avant de nous laver, nous devons attendre que la maintenance pompe la saloperie avec des tuyaux.

Les cuisines traitaient la marchandise brute embarquée aux escales. L'intégralité des préparations, y compris le pain et la pâtisserie, se préparait à bord. En plus de la confection des mets, des équipes ravitaillaient un buffet entre le petit-déjeuner, le déjeuner, le dîner, le souper et le repas de minuit. Sans oublier, bien sûr, le service aux cabines de première classe et les repas du personnel d'équipage. Tout était transporté à la main, ou par des monte-charges disposés dans chaque coin des différents départements. En quittant le bateau, je n'eus aucun regret de ne pas y avoir expérimenté le travail de cuisinier.

Un mois jour pour jour après mon expulsion viennoise, j'aperçus la statue de la Liberté. En file vers le poste d'immigration d'Ellis Island, je reconnus à l'oreille plusieurs dialectes italiens, des langues centrales européennes, tsarines impériales et des jurons en yiddish. Malgré la bannière étoilée déployée dans le hall, en assistant aux bousculades entre immigrants devant les comptoirs d'enregistrement, on se serait cru à Vienne ou à Salonique. Animés d'une énergie du désespoir et d'une espérance enthousiaste, ces peuples fuyaient les luttes balkaniques autant que les pogroms de la sainte Russie, mais principalement la misère. Je fus aspergé de DDT comme un vulgaire morpion. Après, un certificat de validité me fut octroyé par les autorités sanitaires. Un fonctionnaire me fournit un visa de travail provisoire. Je retrouvai Mathias Balthazar, égal à lui-même, avec ses lunettes aux verres fumés et sa joue balafrée. L'Austro-Hongrois dégageait toujours la même énergie sinistre qu'à Londres.

— Bienvenue dans la nouvelle Babylone, frère Sans Loi. Cette fois, vous êtes à bon port.

Je demeurai comme un iceberg face à cette remarque. S'il cherchait à me taquiner au sujet de ma mésaventure avec le *Titanic*, je trouvai inappropriée cette forme d'humour, par respect pour tous ces morts au fond de l'Atlantique. Épuisé, je passai ma première nuit dans une auberge de Manhattan. Balthazar entreprit de me servir de guide le lendemain. Mon contact initial avec l'Amérique fut de poser le pied sur un trottoir de New York et de chercher le ciel entre les immeubles à la hauteur impressionnante. Côté architecture, ce continent faisait dans la démesure. Sous la neige qui fondait en heurtant le sol, les rues dégageaient un mélange d'odeurs de crottin de cheval et de gazole.

— Attention aux pickpockets, pires qu'à Paris, m'avertit l'albinos.

Apparemment, il ne connaissait pas Naples. Avant de nous rendre jusqu'au siège social, situé au bord de l'Hudson, il entreprit de me faire visiter la ville au volant de sa Ford T. En classifiant par origine les alphabets des enseignes commerciales qui surgissaient à chaque carrefour, il me sembla que la terre entière s'était donné rendez-vous dans la Grosse Pomme. Je croyais que c'était une cité compacte, mais je m'aperçus qu'elle comprenait plutôt un ensemble d'îles reliées par d'immenses ponts métalliques, dont celui situé entre le sud de Manhattan et le nord de Brooklyn. Le brassage de peuples qui m'était apparu dans les empires austro-hongrois et ottomans n'était d'aucune comparaison avec ce qui me sautait aux yeux. Il augurait d'une croissance démographique exponentielle. Aux engueulades de voisinage que l'on captait, en traversant ces avenues spacieuses au tracé à angles droits et à l'hygiène parfois douteuse, on percevait la tension entre les différents quartiers. Ils hébergeaient des Italiens, des Irlandais, des Juifs et des Polonais, des Noirs — eux n'y étaient pas par choix —, des Asiatiques et tellement d'autres. Sur le débarcadère du traversier de l'Hudson, face au New Jersey, après que nous eussions exploré plusieurs marchés qui regorgeaient de victuailles hétéroclites, Balthazar déclara :

— De tes yeux, tu auras constaté que tout arrive ici et part d'ici. Ceux de Hambourg offrent des boulettes de bœuf et d'oignons hachés aplaties et cuites sur le gril et les Napolitains, de la pizza, ceux de Budapest et de Varsovie sont les rois de la saucisse et les Juifs sont ceux de la viande fumée. Chinois, Slaves, Anglo-Saxons, Siciliens, il foisonne autant de nationalités que de cuissons. Le problème, c'est que sur cette terre, tout semble remis en question, systématiquement. Nous voyageons à des siècles de l'orthodoxie du *Codex référentiel*. Nous devons empêcher les maîtres locaux de dériver sur une voie de perdition. Il est temps que l'ordre revienne, frère Sans Loi!

— Nos méthodes de préparation et de cuisson ont évolué avec le temps! dis-je en observant les flots balayés par le vent.

— Jamais en dehors de nos lois! Ce pays est le grand Satan de l'irrévérence culinaire. Nous devons y remédier! Tu commences par Boston. On me dit que maître Seamus mécanise les systèmes de rotation des broches...

Je ne l'écoutai pas vraiment. En début de soirée, je me retournai vers les lumières de la ville. Découvrir ce spectacle, c'était tout un choc, un peu comme la journée où j'avais découvert Paris avec maître Trinkwein et Dugommier-qui-pue-des-pieds. J'étais en train de tomber sous le charme de l'Amérique et de prendre conscience qu'ici, notre monde pouvait changer d'une manière radicale.

Il apparut clairement à mon esprit que je ne participerais pas à cette mascarade de purification culinaire. Elle reléguait le *Codex référentiel* au statut de livre législatif strictement vindicatif. Ce qu'il n'est pas! Surtout, je tenais à respecter mordicus les enseignements de maître Trinkwein où la tolérance suintait à chaque lettre. Bien que j'eus voulu rester à New York plus longtemps, je partis à Boston. Symboliquement, ce ne fut pas un hasard d'y être affecté par l'Ordre, sachant que c'était le lieu de naissance de l'Indépendance américaine. Mon investigation portait sur les agissements du maître Seamus, soupçonné de bafouer nos techniques manuelles. J'étais démotivé, même si officiellement mon travail relevait de nos transmissions traditionnelles. Car agir selon la logique inquisitrice de Balthazar revenait à nuire sciemment à un maître qui, après tout, œuvrait dans le dessein de gagner son pain. Au sujet du manque d'orthodoxie de certains membres, je cherchai une solution. Je n'en avais pas. D'abord, il me fallait découvrir la teneur réelle de leurs pratiques. J'adhérais désormais au camp des réformistes. Je louai une chambre aux abords du marché Quincy, le quartier où vivaient le frère Seamus et l'initié Ézéchiel Brown. La place grouillait de marchands et de fournisseurs venus des quatre coins du Massachusetts pour approvisionner le garde-manger bostonien. Si je me fiais aux enseignes commerciales, la communauté dominante provenait d'Irlande, une culture dont j'ignorais tout. En début d'après-midi, je me rendis à l'adresse indiquée par le siège social. Alors que je passais devant la statue de Samuel Adams, signataire de la déclaration d'indépendance et farouche activiste anti britannique, je captai une odeur âcre de fumée. À un pâté de maisons de là, des amateurs de sensations fortes s'agglutinaient devant l'atelier où habitait Seamus, une ancienne écurie réduite à l'état de cendres. Les pompiers sécurisaient le périmètre, maintenant la foule à distance alors qu'ils arrosaient les alentours pour éviter que l'incendie ne se propage. Devant mon insistance pour passer, un rouquin maigre et pâle, avec un long manteau au col en fourrure et au chapeau boule décida de s'adresser à moi en me balançant sous le nez sa plaque de policier.

— Inspecteur Gaël Fitzgerald, police criminelle. Puis-je vous aider ?

— Je désire rencontrer le maître rôtisseur Seamus, répondis-je, impressionné par le Smith & Wesson calibre 38 qui dépassait de sa ceinture. Il m'incombe de prodiguer une formation professionnelle à son apprenti, l'informai-je en tendant ma carte de visite émise par le siège social.

— Cela risque d'être difficile !

— Que voulez-vous dire ?

— Par Saint-Patrick, parce qu'il a brûlé dans les flammes ! annonça-t-il en désignant deux cadavres recouverts de draps. Lui et son employé. Des voisins les ont formellement identifiés. Savez-vous si Seamus avait des ennemis ? insista-t-il en me prenant le bras pour me diriger à l'écart.

— J'en doute. Nous appartenons à une fraternité professionnelle pacifique, dont la mission est la connaissance de techniques de cuisson culinaires, émis-je. Pourquoi cette question ?

— Procédure normale.

J'acquiesçai naturellement. Il m'invita à poursuivre cette discussion au Flanagan's, un pub situé à la porte du rayon des bouchers du marché. C'était sombre, comme une catacombe. À l'intérieur, ça puait l'alcool et le vêtement humide. L'orchestre beuglait des chansons gaéliques, il manquait singulièrement de présence féminine. Emboucanés par les émanations de pipes, des marchands de bestiaux se tapaient dans la main en s'échangeant des liasses de billets à la lueur des chandelles.

— C'est un lieu privilégié pour toutes sortes d'affaires, avança l'inspecteur. Légales ou non ! Que savez-vous au sujet du maître Seamus ? me demanda alors le rouquin, devant une pinte de bière brune et un *Irish stew*.

— Je l'ai croisé à deux de nos congrès, affirmai-je de bonne foi. Je ne le connais pas personnellement.

— Seamus est né à Cork en Irlande, pays que sa famille a quitté durant la grande famine, résuma le policier. Célibataire, sans enfant, il a pratiqué ses activités jusqu'à ce jour, malgré son âge, surtout auprès de la prestigieuse clientèle des maisons victoriennes du quartier de Beacon Hill. Son apprenti, Ézéchiel Brown, un jeune homme issu du quartier de Roxbury, est entré à son service il y a trois ans. Combien de temps deviez-vous rester dans notre ville, monsieur ?

J'étais réticent à déballer les tensions internes de l'Ordre. Cela aurait pris trop de temps à expliquer. Surtout, je ne pensai pas que cela puisse concerner la mort d'un maître et de son initié. Ce fut une erreur, je m'en rendis compte plus tard.

— Je l'ignore, avouai-je d'un ton candide. Ma présence varie d'un atelier à un autre. En plus de perfectionner les méthodes de travail de Brown, il m'incombait de vérifier la qualité de la production de l'atelier de Seamus.

— Par tous les saints irlandais ! s'exclama Fitzgerald. Ça m'a l'air bigrement sérieux, votre affaire...

— Effectivement, on ne badine pas avec nos critères. C'est ce qui a bâti la réputation de notre fraternité dans le monde entier.

— Je vois. Que comptez-vous faire ?

— Ce genre de situation ne m'est pas familière, mais je crois qu'un choix s'impose.

— Lequel ?

— Attendre la conclusion de votre enquête, avant d'envoyer mon rapport au siège new-yorkais de notre fraternité.

Fitzgerald pivota vers le comptoir, nous commanda une autre tournée de bière. Il paraissait embarrassé.

— Il s'agit d'un meurtre, asséna-t-il alors.

Captant mon effroi, il poursuivit :

— Au moment d'arriver sur les lieux, Darel McFadenn, le plongeur employé par Seamus, a aperçu des individus masqués incendier la maison. Les pompiers confirment d'ailleurs la présence d'un accélérant.

— Un quoi?

— Les criminels ont arrosé la bâtisse avec du pétrole. Les bidons ont été retrouvés près des deux accès. Avec le marché, les journées débutent tôt dans ce quartier, ils ne sont pas passés inaperçus. Plusieurs témoignages recoupent celui du plongeur. Seamus et Brown n'avaient aucune chance de s'en sortir...

Ces événements me laissaient perplexe.

— Qui pouvait les détester à ce point?

— On se perd en hypothèses. Mes collaborateurs ont pensé au Ku Klux Klan, parce que Brown était un nègre.

— Le Ku Klux quoi?

— Une fraternité qui déteste les nègres.

— La nôtre n'y accorde aucune importance. Toutes et tous sont égaux devant le travail.

— Votre confrérie inclut-elle les adeptes de Karl Marx?

— La politique n'est pas notre force motrice! démentis-je. Non, pas au sens où on l'entend.

En m'écoutant, Fitzgerald demeurait figé dans une pose méditative.

— C'est une perte notable pour Boston! reprit-il. Organisateur de plusieurs œuvres caritatives et partie prenante de nombreux événements mondains, Seamus était très actif au sein de notre communauté. Un de ses fournisseurs nous a appris que la victime voulait innover.

— Dans quel domaine?

— Une rôtisserie commerciale, avec du poulet, ainsi que des longes de porc et des pièces de bœuf, en plus d'une machine électrique destinée à tourner les broches. Ces prochains jours, il devait se rendre au Nouveau-Mexique dans la région d'Albuquerque, où le cirque Barnum est en représentation.

Cette nouvelle me fit cogiter instantanément.

— Ma présence est-elle indispensable ici, inspecteur Fitzgerald?

— Je n'ai aucun motif de vous retenir.

— Je dois découvrir ce qui s'est passé. Je vais me rendre sans perdre de temps au Nouveau-Mexique. Si j'y apprenais quelque chose, nous pourrions communiquer.

— D'accord! accepta-t-il en glissant sa carte de visite entre nos deux pintes vides.

Je n'étais pas trop mécontent de quitter ce pub à l'orchestre bruyant et à l'ambiance enfumée.

J'expédiai le soir même un message télégraphique à Mathias Balthazar, dans lequel j'occultai sciemment de mentionner le projet de rôtisserie du membre Seamus. Après lui avoir confié ma décision de me rendre au Nouveau-Mexique, afin d'y étendre mes investigations, j'attendis son arrivée. L'albinos se pointa à Boston trois jours plus tard. Il s'occupa des formalités administratives avec la famille du maître décédé et de la préparation des crémations. Nous dûmes patienter une autre journée avant de recevoir la permission de la justice de disposer des dépouilles. Pour nos frères, aux ancêtres venus d'ailleurs, l'Atlantique à l'horizon lointain s'imposa naturellement comme lieu de crémation. Sur une plage déserte de la Nouvelle-Angleterre, par un printemps qui se laissait désirer, nous procédâmes recueillis à l'allumage des bûchers funéraires. L'indispensable Darel McFadenn, un grassouillet évoquant en moi le souvenir de Dugommier, activa d'un coup de torche le dernier vaisseau de fumée de ses frères, un mélange de paille et de branches de résineux. En présence de Mathias Balthazar, glacial comme le vent du large, et de l'inspecteur Gaël Fitzgerald, je m'avançai, revêtu du gibus et de la redingote, vers les flammes qui se mirent à crépiter vers l'océan, en récitant :

— D'où que nous venions, nous naissons seuls, avec un instinct mais aussi une conscience. Dans le ciel, il n'y a pas de distinction entre l'est et l'ouest ; nous créons la distinction dans nos propres esprits et nous croyons que c'est vrai. Dans ce voyage que vous êtes en train d'accomplir, ô maître Seamus, ô initié Brown, retenez que les choses ne viennent pas et ne s'en vont pas ; elles n'apparaissent pas et ne disparaissent pas ; c'est pourquoi il n'y a rien à gagner, ni rien à perdre.

Les cendres furent dispersées dans les flots. Balthazar repartit à New York. Pendant que l'express Boston—La Grosse Pomme s'engouffrait dans un nuage de fumée opaque, j'esquissai un sourire en dardant d'un regard malicieux le wagon de queue. Ainsi, j'avais évité à maître Seamus la disgrâce post mortem au sein de l'Ordre.

Il me fallut deux semaines pour rejoindre le Nouveau-Mexique, un territoire aride, grouillant de serpents à sonnette, façonné par les guerres contre les Indiens et entre les éleveurs de bétail, aux noms comme Billy the Kid et Pat Garrett. Pendant mon voyage jusqu'aux berges du Mississippi sillonné d'énormes bateaux à roues, j'écrivis à Hakim une lettre dans laquelle je relatai les événements de Boston en détail. Du nord-est en allant vers le sud-ouest, je relevai les nombreux monuments aux morts de la guerre de Sécession. Dans les gares, des enfants noirs servaient des beignets de reptiles ou de lézards arrosés d'une vinaigrette de piments rouges broyés. La préparation invitait à cracher le feu.

À mon arrivée à Saint-Louis, j'entendis parler un français coloré et chantant. Avec des dizaines de voyageurs parfumés de désinfectant du centre d'immigration d'Ellis Island, je pris le *Santa Fe Railroad*, le train des immigrants vers le cœur du continent. Sur les chemins de fer de l'Ouest mythique, que les Américains appelaient la Frontière, ça sentait la broche et le poulet frit, dont les ailes et les pilons à la peau croustillante et dorée craquaient sous la dent. Pour moi, c'était nouveau. J'étais en train de tomber amoureux de ces espaces où tout me semblait possible. J'appartenais à un univers professionnel qui se résumait à deux verbes : marche et crève. Ici, je devinai que c'était moins conventionnel qu'en Europe, moins radical, plus innovateur. Le cheval de fer déposait des familles entières à chaque arrêt. C'était un sentiment bizarre de les voir partir ainsi dans la nature, découvrir leur nouvelle terre, valise en main, le visage émerveillé, observés du coin de l'œil par des shérifs patibulaires et armés jusqu'aux dents. À cause d'une avarie, nous prolongeâmes une halte à Dodge City, un relais ferroviaire à la réputation sulfureuse, où la majorité des habitants arpentaient les rues coiffés d'un large chapeau, un revolver Colt à la ceinture. Entre les rares voitures, on croisait des groupes de cavaliers, carabine Winchester enfoncée dans un étui de selle, tirant des files de mules soulevant des nuages de poussière. C'était tranquille, pas vraiment comme je me l'étais imaginé, même si la ville cultivait sa mauvaise réputation, probablement pour attirer quelques touristes en mal de sensations fortes.

Au terminus de Santa Fé, je poussai jusqu'à Albuquerque avec un tortillard qui s'arrêtait dans des villes fantômes aux rues traversées par des buissons secs roulés par le vent. Dans cette ville sur le Rio Grande, le fleuve traçant la frontière avec le Mexique, je vécus une expérience singulière. Jusqu'à ce jour, j'ignore si elle s'avéra spirituelle ou si elle résulta de l'absorption d'herbes hallucinogènes et d'alcool. Albuquerque émerge d'une région désertique où les Premiers Peuples ont marqué les roches de gravures rupestres. Certains archéologues affirment d'ailleurs que plusieurs remonteraient à un millénaire. Intéressé par l'attraction locale, je m'enfonçai sur un sentier balisé de stèles gravées de motifs à la signification inconnue. Au bout d'une heure de marche, je ne manquai pas de ressentir l'atmosphère mystérieuse qui filtrait de cet univers quasi mystique, chargé de la présence de l'ancienne civilisation des Indiens pueblos. Inexplicablement, bien que ne connaissant rien de cette géographie peu hospitalière, j'eus l'impression de l'avoir déjà parcourue. Comme aspiré par un filet de fumée se fondant dans le paysage torride, d'où même les éléments solides semblaient s'évaporer sous la chaleur, je me dirigeai, guidé par un pouvoir hypnotique. Les yeux plissés sur l'onde oscillant en spirale vers les cieux, je parvins au pied d'une roche abrupte et lisse, crevassée par la chaleur sur les hauteurs, décorée à la base de motifs dépeignant un emboîtement de cinq cercles. Interpellé jusqu'aux tréfonds de ma conscience, je m'approchai de la surface pour l'effleurer de la pointe de l'index.

— Ne touche pas, Visage pâle, tu vas l'effacer! gronda une voix dans mon dos. L'esprit de la pierre ne te le pardonnerait pas. Ce dessin symbolise les éléments primordiaux. Ce signe remonte au début du monde. Il résume l'univers en mouvement constant. Ressens, sans te poser de question.

Surpris, je me retournai vers un coin ombrageux. J'aperçus un individu, torse nu, un bandeau rouge noué sur le front, les cheveux gris descendant jusqu'aux épaules, le visage et la peau burinés par les années de soleil. De taille minuscule, il était assis en tailleur devant un feu qui crépitait de mille étincelles. C'était un vieil Indien en train de dépecer avec un couteau Bowie un monstre de Gila, ce lézard d'une soixantaine de centimètres. J'avais le sentiment que son regard perçant lisait en moi comme dans un livre ouvert. Il trimballait avec lui une casserole, un poêlon en acier et quelques cuillères en bois, deux couvertures de la cavalerie US, une carabine à répétition Henry modèle 1861 et des récipients en forme de bols et de gourdes.

— Tu n'es pas d'ici, me dit-il en tranchant la queue de la bestiole d'un coup de lame. As-tu faim?

— Ça dépend de ce qu'il y a à manger.

— Haw! s'exclama-t-il. Un mets de premier choix, affirma-t-il en suspendant le Gila. Ne te fie pas à son aspect rebutant. Sa chair se savoure comme un nectar, même si le venin de sa morsure est mortel.

— Mortel?

— J'ai dit!

Dans mon esprit s'installa instantanément le parallèle avec le poisson fugu, si cher au regretté Yasuda. Visiblement préoccupé, le vieillard se tourna alors vers les cieux en pompant la fumée de sa pipe en terre cuite.

— Ce serait plus prudent d'accepter mon invitation, me suggéra-t-il.

— Pourquoi?

— Une tempête de sable pointe sur nous.

À mon tour, je scrutai l'horizon. Il régnait une atmosphère étrange qui me rappelait Stonehenge et ses mégalithes. Venant d'Albuquerque, un nuage jaune se profilait de manière inquiétante. Le ciel était limpide, mais quand le vent se mit à faire tourbillonner le sable du désert, la ville disparut de mon champ de vision en quelques secondes.

— On m'appelle Chacos. Toi?

— Sans Loi.

L'indigène empoigna une sacoche de toile. À reculons, il forma un rond autour de nous en versant un filet de terre ocre.

— Le cercle sacré nous protège. Bois maintenant.

Dans un récipient de la taille d'un poing, il me versa une boisson qui enflamma mes papilles. Mes membres s'engourdirent doucement.

— C'est du *pulque*, un alcool de cactus, me précisa-t-il en débitant la queue du lézard sur une bûche de bois.

En tournant avec une cuillère, il fit fondre les morceaux dans un poêlon posé sur la braise. Ses gestes lents et précis démontraient une certaine pratique. Il se mit à extraire la partie grasse du Gila.

— Je m'en servirai pour le badigeonner durant la cuisson, indiqua-t-il.

Il dressa deux piquets, embrocha le monstre avec un pieu et commença à le rôtir en le frottant de sa graisse avec un pinceau. En activant sa broche artisanale, Chacos balançait parfois dessus un peu de sel et des herbes qui me faisaient tourner la tête en atterrissant sur le feu.

— C'est une recette pueblo, m'expliqua-t-il.

J'avais un tas de questions à lui poser. Qui était-il? D'où venait-il? Quelle était son histoire? Qui avait tracé les cinq cercles? Je n'y parvenais pas, paralysé par les effets du *pulque* et des herbes aromatiques. Je me trouvais dans un état second quand il me fit goûter un morceau de patte. Je lévitai entre extase et terreur, à cause du désert et des roches qui filaient autour de moi comme un carrousel. Comme par enchantement, la nuit venait de tomber brusquement. L'ouragan de sable formait un mouvement épousant les contours du cercle de terre. Pas un grain de sable ne parvenait jusqu'à nous. J'avais l'impression d'être au cœur de ce qui m'entourait et en même temps d'en être une partie intime. Je me voyais en face de moi et j'étais le vieillard.

— La séparation n'est créée que par ton esprit, ne crains rien, me rassura-t-il en découpant de fines lamelles de Gila et en les déposant dans un bol. Mange.

C'était à se perdre en superlatifs.

— À quoi servent les herbes que tu as utilisées?

— À donner du piment, du croquant, à sublimer la saveur universelle, à nous connecter avec le Tout. À promouvoir le partage...

Je ne me souviens plus du reste. Quand je me réveillai à l'aube, l'Indien avait disparu avec la tempête. Le ciel était bleu et le soleil de plomb. Je m'étais endormi dans le cercle, près des cendres ensevelies sous le sable. Le cerveau embué de *pulque*, je retrouvai le chemin d'Albuquerque. À l'auberge, d'où je m'étais absenté toutes ces heures, l'hôtelier s'était inquiété de mon absence.

— Où étiez-vous? insista-t-il. Avec cette tempête, c'était complètement idiot de mettre le nez dehors.

— Je sais, mais j'ai dormi dans le désert, avouai-je, candide. Un Indien appelé Chacos m'a hébergé le temps d'un repas.

À l'évocation de cette histoire, l'aubergiste éclata de rire à pleins poumons.

— Aaah! Vous avez goûté à notre *pulque* local! s'exclama-t-il. Au saloon, la fabulation de Chacos ne vous a pas échappé.

— La fabulation?!

— Oui, c'était un Indien pueblo, il servait d'éclaireur à l'armée, il y a une cinquantaine d'années. On dit qu'il est mort durant une tempête de sable, mais on n'a jamais retrouvé son corps. Les ivrognes du coin jurent qu'il protège les promeneurs qui s'égarent!

Cet événement étrange s'incrusta dans ma mémoire. Par la suite, la face rouge de Chacos s'invita parfois dans mes pensées. Je ne sus jamais qui il était vraiment. Je ne doute pas que c'était un maître.

Un second blizzard sablonneux me contraignit à poireauter dans mon hôtel le lendemain. Je continuai sur ma lancée des spécialités locales. Je goûtai au fameux mescal, un tord-boyaux similaire au *pulque*. Je reçus l'aval du barman pour ingurgiter le ver de cactus marinant au fond. J'entamai ensuite la tequila.

— Un produit mexicain potentiellement destructeur ! m'assura un serveur.

Sans me l'avouer, je cherchai le visage rassurant de Chacos dans les vapeurs d'alcool d'agave. C'est au cours de cette cuite mémorable que je découvris fortuitement une affiche du cirque Barnum, dans les pissoirs. On y voyait un éléphant rose jouer de l'équilibre en jonglant sur un gros ballon multicolore. Le cirque se trouvait dans la région de Bosque Grande. Le jour suivant, je quittai Albuquerque en diligence, probablement l'une des dernières en service dans l'Ouest. En fait, le transport blindé n'était pas destiné aux passagers. Affrété par la compagnie d'enquête et de sécurité Nat Pinkerton, il transportait la paye des ouvriers œuvrant sur les voies de chemin de fer. Aussi, il fut exigé de moi que je signe une décharge avant d'embarquer entre quatre malles bourrées de dollars. Ainsi escorté d'un convoyeur armé d'une carabine Remington 38 Rolling Block destinée à la chasse au bison, et d'un quatuor de cavaliers équipés de revolvers Smith & Wesson et de fusils Winchester calibre 12, je voyageai pour une somme dérisoire jusqu'à Bosque Grande, à quarante miles au sud de Fort Sumner, un ancien poste militaire destiné à contrôler les territoires indiens navajos et mescaleros. Le chapiteau du Barnum s'y était installé pour un mois, dans le ranch Chisum, un domaine immense dédié à l'élevage bovin de la race Longhorn.

Le plus grand spectacle sur terre, affirmait une banderole déployée entre deux poteaux télégraphiques.

Les renégats

Au premier constat, le cirque était un capharnaüm ambulant de roulottes peuplées de marginaux colorés et polyglottes. Entre les représentations, des trapézistes pratiquaient dans le vide et des jongleurs roulaient des quilles. Çà et là, en comptant les cabrioles des chiens savants, on entendait des rugissements de félins et le barrissement des éléphants. Le spectacle ne différait pas tant, sinon qu'il était plus structuré. Jouant sur des notes dramatiques ou joyeuses, le grand orchestre oscillait sur toute la gamme des émotions, au rythme des numéros. Les moqueries des clowns, les prouesses des cracheurs de feu et la magie des prestidigitateurs succédaient aux performances tenant le public en haleine. Les artistes ne formaient qu'une partie infime de toute une faune hétéroclite. Aux dernières acclamations, divers métiers prenaient le relais, démontant l'infrastructure entière, pour la déplacer et la remonter en un temps rigoureusement chronométré, parfois des centaines de kilomètres plus loin. Ça n'arrêtait jamais, surtout pour les cuisiniers qui nourrissaient cette population nomade. La présence des maîtres de la gauche de l'Ordre des Cinq Cercles dans le giron du plus grand chapiteau du monde relève d'une certaine logique. En scrutant cette époque avec la loupe du temps, la situation m'apparaît plus limpide. Dans la lutte idéologique entre conservateurs et réformistes, cette réunion des seconds à l'insu des premiers découlait de la suite logique de tensions qui remontaient à avant mon arrivée chez Trinkwein. Il faut mettre cette perspective dans le contexte des années d'avant la Grande Guerre. Nous étions à l'âge d'or des principes de Frederick W. Taylor, un ingénieur de Philadelphie, promoteur d'un ensemble de méthodes d'organisation scientifique du travail industriel. L'aviation vivait sa première décennie. Les ateliers Ford tournaient à plein régime. Les grandes puissances se réarmaient et les usines préparaient le choc du premier conflit mondial. Dans tous les domaines, on modernisait.

Évangéline Falstaff et Boivin cumulaient l'expérience nécessaire pour deviner la raison de ma venue. Ils m'attendaient de pied ferme dans le secteur du cirque réservé à la restauration. Sous une toile blanche nous protégeant du soleil, je ne tergiversai pas en explication.

— Je suis mandaté par le siège social...

— *Calvinus*, nous n'en doutions pas, frère Sans Loi! m'interrompit l'Acadienne. Balthazar nous a assignés ici pour suivre la tournée du cirque, afin de nous regrouper et d'ainsi mieux nous surveiller. Ce crisse d'inquisiteur t'a ordonné de contrôler la qualité de notre travail, en clair de faire le ménage. D'abord, il faut que tu saches que durant le Congrès Anubis à Salonique, le Grand Élu Barbakos a bloqué la viande de porc aux confins de l'Empire ottoman afin de pouvoir la commander à des bouchers locaux, tous membres de sa famille. Connaissant le prestige de ta lignée et l'aura de ton maître, Razor a perçu ton charisme. Il se doutait que tu chercherais à négocier entre les eaux grises du *Codex référentiel*, comme Trinkwein le fit aux Halles de Baltard.

Elle venait de me parler du prestige de ma lignée, pourtant j'étais un orphelin.

— Comment avez-vous été informés? rétorquai-je, interloqué.

— L'affaire nous est parvenue par une lettre envoyée de Ioudaios, qui est un des nôtres, après la fuite de Razor Barbakos, au moment de l'annexion de Salonique par les Grecs.

— Je l'ignorais.

— Sache que l'Ordre est corrompu par des gérontes qui vivent dans un monde inerte et parallèle! fulmina alors Madame Falstaff. Des gloutons dont le seul but est de profiter de ses privilèges, de boire et de s'empiffrer.

— Que proposes-tu, maître Falstaff?

— La réforme de certaines pratiques du *Codex référentiel*.

— Le livre doit se lire dans son entièreté, ce serait la fin de l'Ordre! protestai-je. Le siège social exige le respect de nos traditions, les méthodes ancestrales garantissent la qualité du produit.

— Pas certaine! déclara Évangéline Falstaff. La mécanisation régularise le mouvement giratoire de la broche.

— Le fait-il vraiment? émis-je, perplexe.

— Je crois que tu ne seras pas déçu, affirma le frère Boivin, qui m'invita à suivre le sentier vers une palissade située à une vingtaine de mètres.

C'était un enclos de planches de la hauteur d'un homme, d'où s'échappait une fumée familière. À l'intérieur, il régnait une chaleur torride. Un individu au nez allongé, aux yeux brillants et à la coiffure en pétard surveillait attentivement le processus. C'était un grand escogriffe, pâle comme un cierge de Pâques, vêtu d'un costume clair délavé par le soleil. Avec une brosse, il frottait sans arrêt son panama, un couvre-chef d'une blancheur immaculée, tressé à partir de feuilles d'un arbre tropical.

— Anthémus Proctor, docteur en mécanique appliquée, se présenta-t-il. Expert en techniques giratoires.

Proctor était de Galveston, une ville insulaire du golfe du Mexique ravagée par un ouragan de force quatre en septembre 1900.

— Ce Texan est ingénieur spécialisé dans le forage pétrolier, m'expliqua Boivin. Il a également participé au creusage du canal de Panama. Évacué du chantier à cause des fièvres, il cherche depuis à faire breveter toutes sortes de machines destinées aux pratiques de la rôtisserie à grande échelle.

— Enchanté ! émis-je d'une voix qui ne trahissait pas mon étonnement.

Devant nous, aromatisé d'herbes sauvages des prairies, un bison décapité tournait sur une broche, reliée par une sangle à un moteur diesel qui pétaradait. Le rythme était lent et harmonieux. Il suintait de la pièce dorée une pellicule claire et sirupeuse.

— Il ne manquait plus que vous pour l'apprécier, me suggéra maître Boivin.

Le Canadien français se frotta la moustache, guettant ma réaction. Sans me faire prier, j'extirpai de ma trousse un couteau offert par Yasuda et tranchai une lamelle dans le jarret. Un beau filet de graisse dégoulina de la lame. La texture de la viande indiquait une cuisson régulière et homogène. Le fumet ne trahissait ni activité mécanique, ni odeur de carburant voire d'âpreté métallique. Que ce soit le goût puissant de gibier, la tendreté de la chair, le croquant au sel ou l'odeur des herbes, absolument rien ne venait altérer la qualité du travail, magnifié par la régularité de la rotation. Satisfait, j'appréciai. Anthémus Proctor se péta les bretelles.

— Depuis quand les membres n'offrent-ils plus à boire à un confrère! osai-je à la blague.

Ils me servirent une tequila glacée allongée de sirop et de jus de lime. Le jeu était clair. Une fraction entière de notre fraternité était en train de faire passer l'art du méchoui à l'ère industrielle. Sous le soleil de plomb, l'atmosphère se détendit. Ils ne firent pas de mystère à mon égard. Les morts tragiques du frère Seamus et de son initié leur étaient parvenues aux oreilles. Depuis cet assassinat, l'Ordre touchait le point de rupture.

— Santé, initié de Trinkwein! me souhaita Madame Falstaff.

— Bienvenue! renchérit Boivin.

Je levai mon verre en les remerciant de leur hospitalité. Durant un instant de silence, je m'enfonçai dans un dialogue intérieur qui me torturait comme un étau se refermant sur moi, d'un bord la tradition, de l'autre l'innovation. Je crois qu'Évangéline Falstaff fomentait son coup depuis un moment, mais la mort du Bostonien Seamus en devint le vecteur principal. Lorsqu'après le méchoui de bison elle m'invita au comité restreint prévu au crépuscule, j'acceptai, honoré. Je m'étais imaginé que ce mouvement réformiste découlait d'un esprit sécessionniste essentiellement américain. Toute déduction faite, les membres de ce continent étaient certainement plus perméables aux nouveautés que ceux des mondes anciens, figés dans des traditions séculaires. Je marinai dans l'erreur. La réunion se déroula durant le grand spectacle du Barnum. On entendait les applaudissements du côté du chapiteau. Me faufilant entre les roulottes, je ne croisai âme qui vive. Je plongeai en plein mystère. J'entrai dans la cantine roulante à la fraîcheur inattendue, comme l'espion parmi les conspirateurs. Quelques bougies fondaient sur la surface de la table de la cuisine, auprès de bouteilles d'alcool de toutes origines. Les membres des Amériques n'y étaient pas majoritaires. Surpris, je notai la présence du Grec Dimitrios et de Perang de Batavia, du Français Vanneau, de l'Allemand Schulz, de l'Italien Ingallina, roitelet des mouches et de la *porchetta*, de l'Africain Diouf et du Portugais Sousa, deux autres frères de ma promotion. Ils avaient tous vendu leur commerce pour rejoindre Falstaff et Boivin... En croisant son regard, je saluai maître Joachim Sousa, expert de la cuisson en crapaudine. Sa spécialité consistait à faire mariner le poulet avec du gros sel et une préparation secrète, ensuite à le couper dans le dos et à le serrer à plat entre une double grille qui se tournait comme une broche au-dessus d'un tapis de braise de charbon de bois. Je connaissais tout le monde. Et tout le monde me connaissait, excepté Madame Tygris, une Éthiopienne d'une grande beauté, promue maître dans la foulée du Congrès Anubis de Salonique.

— Après m'avoir fait rôtir un cuisseau d'antilope, le Noble Urbanus ne l'a même pas goûté ! ronchonna-t-elle, quand nous la félicitâmes pour son accession au titre. Il a donné un morceau à son matou Baphomet qui s'est précipité pour l'avaler !

Nous éclatâmes de rire, excepté Évangéline Falstaff, qui martela la table du plat de la main.

— L'assemblée est ouverte, trancha-t-elle en volapük. En signe de deuil, le siège de Seamus restera vide. À maître Sans Loi représentant le siège social, l'initiative reviendra de transmettre textuellement à New York les propos tenus durant ce débat. La gauche respectera son choix. Désormais, cette clandestinité n'est plus de mise, car le temps est à l'introspection profonde de ce que nous fûmes, de ce que nous sommes devenus et au futur auquel nous aspirons. Maître Boivin, la parole vous revient.

Me fiant à notre décorum, je m'attendais à ce que le Canadien français énonce le point du jour. Esquivant mon attente, il se tourna d'un air insistant vers l'Acadienne, qui poursuivit alors son dialogue. Cela semblait improvisé, mais je compris d'instinct que c'était plus élaboré que je ne me l'étais imaginé.

— J'ai rêvé d'une ère où les êtres accéderont au plaisir du palais. L'heure est grave, maîtres des Cinq Cercles. Par leur prêche dogmatique, les conservateurs empêchent notre art de se régénérer. Critiquant ce manque de générosité universelle, je prône donc la démocratisation du goût à l'ordre du jour! dit-elle le geste rond et d'un ton vibrant d'émotion.

Comme je fus le premier à lever la main pour signifier mon désir de parler, Évangéline Falstaff m'en concéda automatiquement le droit.

— Qu'est-ce que tout cela veut dire? repris-je, intrigué.

— Qu'une société qui ne véhicule plus d'idées se condamne elle-même à mourir, reprit-elle. Pire, elle se radicalise, se dogmatise, entraînant la mort de la raison; elle se sclérose jusqu'à disparaître. Considérez cela comme relevant de la logique pure et simple, frère Sans Loi. Depuis la nuit des temps, notre confrérie cherche à parfaire ses méthodes. Le problème, dans notre quête perfectionniste, est que seul un nombre restreint peut en apprécier les saveurs. Nous avons occulté d'en transmettre le goût à toutes et à tous...

Elle marqua une pause.

— Par exemple, les couches populaires ne consomment pas d'ortolans, appuya-t-elle. À la broche ou au four, ces mets sont réservés aux élites, qui peuvent se les payer. Désormais, nos efforts porteront impérativement sur l'accessibilité de nos cuissons à un nombre exponentiel. Aussi, je suggère de nous repositionner sur un modèle qui a porté quelques fruits. Avant de vous l'exposer, je cède la parole à maître Vanneau.

Ce Lyonnais, réputé rôtisseur de perdreaux, déploya sa longue silhouette et avala une lampée de cognac à même le goulot de la bouteille.

— Le déclic de promouvoir nos idées m'est venu l'année dernière au Tour de France, expliqua-t-il en s'essuyant la bouche avec la manche. Cette compétition internationale rassemble les meilleurs cyclistes et sillonne l'Hexagone à destination de Paris. Trois semaines d'un périple infernal de 4 800 kilomètres. Sur demande des organisateurs, le siège social m'a confié la charge d'assurer les banquets aux soirs des étapes. Chaque jour, l'engouement des foules observant nos broches a confondu tous les professionnels que nous sommes. Je me suis rendu compte à quel point notre fraternité œuvrait en décalage flagrant avec les nouvelles réalités technologiques. À l'avenir, si le désir populaire s'intensifie de vouloir consommer des cuissons de qualité, l'Ordre ne pourra y répondre, car l'archaïsme de nos méthodes est incapable d'assurer une production de masse...

— ... Production et masse ! saisit au vol Madame Falstaff. Deux mots clés, qui respecteront impérativement les critères de qualité du *Codex référentiel*. Car il n'est pas dans notre dessein de nuire à l'Ordre, mais d'en assurer une pérennité populaire. *Calvinus*, si nous ne prenons pas les devants, les industries alimentaires le feront ! Motivées principalement par de viles considérations monétaires, elles ne seront certainement pas aussi pointilleuses que nos membres pour combiner qualité et quantité. Aussi, je propose une voie médiane, une compétition, dans le giron de la tournée du cirque Barnum. Ce concours s'adressera sans discrimination à ceux et celles qui désirent y participer. Toutes techniques de préparation confondues. Nos maîtres pourront s'y inscrire. Nous y recenserons la base d'un enseignement neuf et vivifiant, prodigué en toute sérénité. Je déclare ouvert l'American Royal Open, une compétition rassemblant les adeptes de la broche et du barbecue. Bienvenue à nos *pitmasters*, maîtres des pieux, traduction libre et littérale.

— Royal ! s'exclama Tygris, d'un sourire de nacre qui illumina ses traits d'ébène.

— Royal, confirma Évangéline Falstaff. Être qui cuisine, souverain de la matière ! Le gras, c'est la vie, déclara-t-elle au final.

J'avais déjà entendu ça quelque part. Acculé au pied du mur, j'avalisai la proposition.

Cette nuit-là, le sommeil se joua de moi. Incapable de tomber dans les bras de Morphée, j'analysai le lisier dans lequel Mathias Balthazar m'avait embourbé, appréhendant le pire, puisqu'il ne m'avait pas prévenu qu'il était au courant de la présence du fleuron des réformistes dans ce coin sec du Nouveau-Mexique. Je me retrouvai avec une bande de renégats sympathiques, dont la volonté d'approfondir l'étude de notre art n'avait rien de répréhensible en soi. Ils étaient résolus d'en découdre sans faillir avec l'autorité de Razor Barbakos. Quant au Grand Élu, il s'était fixé le but de se débarrasser de cette faction rebelle par des moyens extrêmes. Sans Trinkwein pour m'éclairer de sa sagesse, j'étais perclus de doutes. Face au regard de l'Inconnu, j'entrepris de rédiger mon rapport à l'attention du siège social de New York. Cherchant dans les reflets de cette vieille photo quelques signes d'inspiration, la page resta blanche jusqu'à l'aube, moment où j'envoyai le télégramme suivant :

> *Destiné à Mathias Balthazar. Stop. Prise de contact avec les maîtres assignés par vos soins à la tournée du Barnum. Stop. Rien ne semble interférer avec nos enseignements. Stop. À suivre. Stop. Sans Loi. Stop.*

Ce jour-là, des colosses démontèrent le chapiteau. Le cirque déménagea en Arizona.

L'American Royal Open

N'ayant pas reçu d'accusé de réception de New York, j'en déduisis que Balthazar avait peut-être mandaté un mouchard. En n'exposant pas mes craintes à mes collègues, je commis l'erreur de mon existence. Nous inaugurâmes le tournoi à Tucson, trois semaines après le remontage du Barnum. Sur la quarantaine de *pitmasters* s'inscrivirent d'authentiques professionnels, dont un trio de nos maîtres, Sousa, Madame Tygris et Blanchard White, que Trinkwein m'avait présenté au Congrès Anubis. La moitié des concurrents pratiquait en dilettante, des rôtisseurs du dimanche qui s'enflammaient pour le plaisir.

— *Calvinus*, ça s'annonce prometteur. On revient à l'essentiel ! piaffa Madame Falstaff au terme des inscriptions. Transgressons les règles, ressentons la pureté et la beauté des techniques ancestrales.

Un tirage au sort désigna Boivin en tant que président du jury, composé par ailleurs de passionnés du métier. La palme d'honneur de la première joute revint à White. Sa préparation consistait en poulets marinés et compressés dans une barrique bourrée d'ail et d'oignons hachés, de gros sel, de poudre de Cayenne et de glace d'écrevisse. Cette base sirupeuse de sauce s'obtient après réduction maximale de bouillon de légumes et de carcasses d'écrevisses pilées, l'ensemble passé à l'étamine.

Le Cajun embrocha les volailles et entama de les faire tourner au-dessus de la braise, après avoir raccordé une chaîne de bicyclette entre un pignon vissé sur la broche et le pédalier d'un vélo stabilisé sur un plancher. Voir White pédaler en jouant du violon impressionna grandement le public, mais surtout Anthémus Proctor. D'ailleurs, pour l'originalité de son style, notre docteur en mécanique appliquée lui décerna une mention spéciale.

Le cirque entama un arc de cercle à travers l'ouest, jusqu'aux rives du Pacifique. Il s'arrêta à Phoenix, San Diego, Los Angeles, San Francisco, Sacramento, Portland et Seattle. La réputation de l'American Royal Open dépassa rapidement les limites des endroits où nous dressions la tente. Le nombre de nos participants augmenta de la quarantaine jusqu'aux centaines. Leur volonté candide, leur envie d'exceller et leur bonne humeur rendirent cette expérience exaltante. Seul bémol, appréhendant un dénouement néfaste à ce périple, je continuai de télégraphier mes rapports à Balthazar, mentionnant invariablement : *rien à signaler*. En retour, aucune instruction ne me fut transmise. Sans réellement me méfier, je m'absorbai dans un tunnel exploratoire qui fut l'occasion d'essayer des techniques diverses. Nos concurrents procédèrent avec une foule d'appareils des plus performants, jusqu'aux plus farfelus. Ils utilisèrent des moteurs mécaniques et électriques activant des rouages métalliques. À Phoenix, un Suisse entreprit de tester un four fonctionnant comme une horlogerie géante. La cuisson se déroulait dans un conteneur d'acier cylindrique clos hermétiquement, avec des résistances électriques tournant autour d'une broche fixe. Ce système comportait un drain pour l'évacuation des graisses et une cheminée pour la fumée. Au point désiré de préparation, une sonnerie prévenait l'utilisateur. En principe, car il résulta d'une truie carbonisée à la suite d'une défaillance de la minuterie. Des originaux se risquèrent avec des cuissons au gaz et au pétrole qui se conclurent par les résultats prémonitoires des lance-flammes de la Grande Guerre. À Sacramento, un Philippin fit précuire des dindes dans une cocotte-minute géante qui explosa. Nous fîmes des expériences sur les marinades sous vide, sans l'élément air ; cette méthode tombait sous le coup des techniques proscrites par le *Codex référentiel*. Chaque concours s'étendait sur une semaine, afin que nos experts puissent juger des méthodes de préparation, des temps de marinade, des durées de fumigation et parfois de séchage. Le public du Barnum se régalait d'échantillons gustatifs offerts par les compétiteurs. Notre aire de concours ressemblait à une cantine en plein air. À Los Angeles, je gagnai avec une recette de poulet aux citrons confits, coriandre, huile d'olive, olives, sel et curcuma. (À la place d'une cuisson à l'étouffée dans un récipient en terre cuite, j'adaptai la préparation avec des pièces entières, sur une broche.) À San Francisco, l'Ottoman Ludfi ressortit victorieux avec un méchoui d'agneau farci d'abricots secs d'Anatolie. Ce matelot tenait la recette de sa mère, la seule qu'il connaissait, un pur délice ! Nous eûmes droit à des débordements, comme ce chef du New Hampshire qui fit macérer pendant six jours une chèvre dans une huile de chanvre de sa confection. Nous trouvâmes le mets excellent, mais quand nous en ressentîmes l'effet hallucinogène, nous l'éliminâmes sur-le-champ. En Californie, beaucoup de critiques affirmèrent que ce délire psychédélique eut un certain succès dans les milieux artistiques. En ce qui me concerne, j'adorai ces cuisiniers de l'Ouest. Sur la côte Pacifique germait une tradition de mixité culinaire essentiellement asiatique et latino-américaine, on ne les embrigadait pas avec toutes sortes de conventions obsolètes et des vexations à coups de pied au cul. Statistiquement, les volailles obtinrent le record des honneurs. Cette opinion se conforta avec le temps ; qu'ils soient du Nord, du Centre ou du Sud, les Américains vénèrent les volailles, plus que les autres viandes. Pas une fois l'Europe ne me manqua. Je pris des notes pour ensuite établir les bases d'un manuscrit en trois parties ; il devait servir de fondement à une réforme en profondeur du *Codex référentiel*. Je l'intitulai :

Méthodologie référentielle contemporaine

- *Déontologie et nouvelles technologies*
- *Combinaison des éléments*
- *Synthèse des contradictions philosophiques du* Codex référentiel

À la fin du mois de mai 1914, au moment de notre arrivée à Helena, dans le Montana, un rapport atterrit sur le bureau de Mathias Balthazar, cinq pages qui détaillaient que nous utilisions des techniques désavouées. Je parle ici de la mécanisation du mouvement giratoire et de l'utilisation du sous-vide. Le délateur demeure anonyme jusqu'à ce jour. Des mois durant, j'avais envoyé comme leitmotiv : *rien à signaler*. J'aurais dû me douter que ça barderait. Mon euphorie justifiait-elle mon déni ?

PARTIE 3

La purge

À l'instar des maîtres qui se commirent avec l'American Royal Open, ma mise à l'index devint effective le 28 juin 1914, date de l'assassinat de l'archiduc François-Ferdinand à Sarajevo par Gavrilo Princip, un nationaliste serbe de Bosnie. Nos avis d'expulsion de l'Ordre, expédiés en recommandé par le siège social parisien, nous parvinrent au lendemain du tournoi d'Helena. Si mes pairs en enregistrèrent la teneur comme un coup de dague dans le cœur, je demeurai plus circonspect. Je me doutais que nous aurions à subir le courroux que nous avions immanquablement provoqué. Signées de la plume de Razor Barbakos, tamponnées par le sceau du Comité des Sages, nos condamnations avaient mis un mois à nous parvenir, alors que le cirque annonçait sa prochaine tournée des villes autour des Grands Lacs. En mettant fin à notre collaboration, les membres de la direction générale n'eurent que des éloges à notre égard pour la qualité de notre travail.

— Je signerai vos lettres de recommandation, promit Monsieur Barnum, installé dans un fauteuil de sa roulotte luxueuse. C'est au mieux que je puisse agir. Comprenez que je dois respecter en priorité le contrat négocié avec votre employeur. Et s'il ne requiert plus votre présence au sein de mon organisation, je me vois contraint et forcé de tirer le rideau sur la qualité de vos services.

Désavoués de manière aussi subtile, nous y discernions l'influence toute pesante de l'Ordre.

— *Calvinus*, qu'ils aillent se faire fourrer! grogna Madame Falstaff, quand nous initiâmes de plier bagage. On dégage avec le premier train, direction New York. Balthazar et ses rats visqueux vont voir de quel bois on se chauffe.

Nous approuvâmes. Il n'était pas trop tard, un alinéa du *Codex référentiel* nous octroyait une procédure automatique assurant légalement notre défense. Il nous suffisait d'en informer le siège social le plus proche. À New York, nos détracteurs anticipèrent la manœuvre. Les salopards nous concoctèrent un traquenard. Sous le ciel étoilé de la station de chemin de fer d'Helena, l'insensé se produisit. Nous avions quitté le Barnum en fin de soirée pour prendre le train de minuit. Nous venions de descendre des Ford T chargées d'assurer notre transport jusqu'à la gare. Je traînai ma malle derrière mesdames Falstaff et Tygris, suivi de Dimitrios, de Perang, de White et de Proctor. Sur le quai, Vanneau, Schulz, Ingallina, Diouf, Sousa et Boivin poireautaient depuis un quart d'heure. Puisque les guichets étaient volets clos, nous achetâmes nos tickets au chef de gare, qui s'éclipsa dans un bureau situé le long de la voie. Vêtus d'amples chemises et de larges chapeaux, une vingtaine d'individus circulaient dans les parages. J'aurais dû me méfier de ces voyageurs, car pour tout bagage, ils transportaient en bandoulière ces cannes aperçues durant les rixes entre compagnons dans les pubs londoniens. Boivin s'écroula soudain en râlant, poignardé dans le dos. Quand Évangéline Falstaff fut percutée par un coup de pommeau au visage, elle hurla avant de s'effondrer. Tel un démon, Mathias Balthazar émergea alors de la pénombre. Cannes pointées en avant, ses sbires foncèrent sur nous, occultant deux détails essentiels. D'abord, depuis son expérience dans la jungle du Panama, Anthémus

Proctor trimballait avec lui un Smith & Wesson de calibre 38, et après les années d'entraînement au combat prodigué par l'instructeur Jaspard, j'étais de taille à affronter les plus coriaces d'entre eux. De la paume, je percutai le menton de l'assaillant d'Évangéline, qui s'affala dans un sinistre craquement de vertèbre. Mû par un pur instinct de survie, j'avais extirpé de mon bagage mon désosseur effilé comme un rasoir. Quand Balthazar tenta de m'estampiller son pommeau de bâton sur le front, j'esquivai l'attaque du dos de ma lame, remontai du tranchant le bois de la canne jusqu'à son poing, que je sectionnai en appuyant sur le pouce. Surpris, il recula, la main en sang. C'est l'instant où Proctor ouvrit le feu, deux fois. Aux détonations, nos agresseurs déguerpirent. Sur le sol reposaient trois cadavres, deux des malfrats engagés par Balthazar et celui de frère Boivin. Abasourdis, nous aidâmes Madame Falstaff, sous le choc. Quand elle se releva, le visage tuméfié, elle se mit à pleurer. Moi aussi. S'ensuivit l'enquête des autorités judiciaires d'Helena. Suite logique à nos témoignages, elles émirent des avis de recherche à l'encontre de Mathias Balthazar. Justifiant la légitime défense, Proctor s'en tira avec une amende symbolique pour port d'arme illégal. Dame Falstaff récupéra de ses blessures à l'hôpital. À son congé deux jours plus tard, elle portait un collet pour soutenir son cou endolori. Elle le porta jusqu'à la crémation de Boivin, qui se déroula selon le *modus operandi* de l'Ordre, même si nous en étions dorénavant proscrits. Les cendres du Canadien éparpillées, nous rejoignîmes New York, où nous trouvâmes le siège social déserté. Traquant ce scélérat puant d'albinos dans la géométrie quadrillée de la Grosse Pomme, nous admîmes finalement que nous n'y trouverions que des culs de bouteilles d'alcool siphonnées par le tourbillon de notre rancœur. Dans un courrier-fleuve adressé à l'inspecteur Gaël Fitzgerald, je transmis notre mésaventure sans rien omettre.

— En me fiant au motif de cette agression, je crois effectivement que votre témoignage est à inclure au dossier Seamus-Brown, me confirma au téléphone le rouquin bostonien. Or, sans l'arrestation du suspect Balthazar, je demeure dans l'impossibilité de faire la lumière sur cette sombre histoire !

Malgré plusieurs tentatives, je fus incapable de contacter Hakim. À Paris, ils avaient d'autres chats à fouetter. Les déclarations de guerre fusaient de toutes les ambassades. Nos querelles de famille se réduisaient à quelques peccadilles face à la tragédie. Pour beaucoup de nos frères, les pointes des baïonnettes se substituaient à celles de leurs broches.

La Grande Guerre

L'été 1914, avec celui de 1940, demeure le pire de mon existence. La guerre, surnommée par ses combattants *la der des ders*, refléta les élites qui la façonnèrent, des aristocrates aux modes d'existence obsolètes, déconnectés du peuple, des militaires aux visions romantiques des combats, aux tactiques psychorigides, soutenus par des productions en armement et en logistique jamais atteintes auparavant. À leur défense (je me fais l'avocat du Diable), ils devinrent les vecteurs de la boucherie de masse, de la viande congelée et de la conserve, industries qui atteignirent en quatre ans une croissance phénoménale. Aux premiers assauts, il me parut surréaliste que les cousins souverains à qui j'avais servi des ortolans au Carlton puissent en venir à s'affronter par tranchées interposées. Un futur incertain était en train de s'emparer de nos destins. Mes pairs avaient des familles, des contrées à rejoindre impérativement. Notre groupe se sépara dans le hall de la station de New York.

— *Calvinus*, cette gang de sans dessein n'en a pas fini avec moi! grogna Madame Falstaff en montant dans le train qui la ramena au Canada. Maintenons le contact.

J'attendis un signe de mon cher Hakim jusqu'en août, mois de l'attaque de ma Belgique natale. Des semaines durant, je franchis les portes de l'office du télégraphe de Manhattan espérant d'hypothétiques messages. Fallait-il s'étonner de ne rien recevoir ? me disais-je, tout en connaissant la réponse intuitivement. En Europe et dans les colonies, on mobilisait à tour de bras. La chair à canon en âge de combattre allait se retrouver sous les armes. Lors de nuits cauchemardesques, je rêvai à nos membres, surgissant de leurs lignes fortifiées pour s'embrocher entre eux. Broyant du noir, je cherchai la fuite dans les films de Charlie Chaplin. Durant les actualités du cinématographe, le projectionniste passait des images de gamins joyeux partant se battre avec la fleur au fusil. Rien de réconfortant, car les journaux mirent l'accent sur la bestialité allemande en sol belge, puis sur le recul des Français en uniformes d'opérettes, hachés par les mitrailleuses jusqu'à la Marne. Le temps défilant au rythme stupéfiant des nouvelles merdiques, je ne pouvais rester sans travailler indéfiniment. Je ne sais si ce fut le hasard qui me conduisit aux portes du Vanderbilt. Au début de septembre, à l'angle de Park Avenue et de la 34e Rue, je sympathisai avec le vieux portier planté devant l'entrée de l'imposant hôtel. Vétéran nordiste de la guerre de Sécession, déclaré physiquement inapte au combat à la suite d'une blessure à Gettysburg, il ne chercha pas à amoindrir l'horreur qui s'en venait.

— Ce sera pire que tout ce qu'on a déjà vu. Oncle Sam devra choisir son camp. On aura besoin de soldats, croyez-en mon expérience, jeune homme ! Quel métier exercez-vous ?

— Cuisinier, lui répondis-je en précisant que j'avais de l'expérience.

Grâce à lui, je fus engagé dans les cuisines du Vanderbilt.

Aux États-Unis, la pénurie de professionnels qualifiés dans l'hôtellerie se fit ressentir dès le début des hostilités, car aux commandements des brigades cohabitaient, entre autres, Français, Belges, Allemands et Austro-Hongrois. Assujettis aux systèmes de conscriptions obligatoires de leurs nations respectives, un pourcentage considérable de ces cuisiniers rendirent leur tablier. Ma première journée de travail releva de l'absurde. J'assistai aux adieux de chefs qui en avaient bavé ensemble pendant des années. Ils se saluèrent en confrères respectueux, avant de se quitter pour embarquer sur des navires vers leurs pays, où ils furent incorporés après une instruction sommaire dans des régiments envoyés au front pour combler les pertes cataclysmiques. J'ai peine à imaginer que certains s'entretuèrent, même si ce fut probablement le cas.

L'hôtel Vanderbilt était un palace comparable à ceux de Londres, à la différence que je devais composer avec un personnel local, aux lacunes techniques flagrantes, à des années-lumière de l'expérience des Européens. Cela me semblait un défi motivant, car les tournois de l'American Royal Open m'avaient démontré qu'ils étaient capables de le relever avec une décontraction très américaine. Originaire du Vermont, Archibald Morgan, le chef exécutif, venait de fêter sa soixantaine. Dans sa jeunesse, il avait fait ses classes en restauration à Lyon. L'approche hiérarchique n'était pas son mode opératoire. Il préférait guider les équipes sur le terrain, plutôt que de jongler avec les coûts des journées hôtelières dans un bureau d'économat, où, à l'entrée, une plaque en bois marquée d'une équerre et d'un compas citait :

La cuisine, c'est surtout l'Homme. G.

L'ambiance était moins fétide que dans les cuisines européennes, où les chefs pourrissaient systématiquement la vie de leurs subalternes. Mais voilà, la plupart de ces artisans brillaient par leur absence, sondant peut-être les mouvements ennemis des premières tranchées d'en face. Que la guerre fût l'occasion de nous débarrasser de quelques connards, je n'osai jamais l'affirmer, car toute une expertise gastronomique disparut bientôt dans le charnier de *no man's land* sillonnés de barbelés. Toujours est-il que... au Vanderbilt, Morgan m'affecta à l'instruction des troupes.

— Depuis le départ de plusieurs sous-officiers de brigade, tu as constaté que la tambouille est sur le bord de virer à l'aigre, me dit-il sur ce ton de métaphore militaire. Plutôt que de mettre la main à la pâte, je préfère que tu supervises les escouades durant les mises en place et au moment des assauts pendant les services. On devra souvent rectifier le tir pour cibler le résultat escompté. Arrangeons-nous pour donner l'apparence d'une bonne cohésion stratégique.

On se serait cru aux prémisses d'une bataille. Ce n'était pas faux. Et ce fut fait avec un réel enthousiasme. Entre les maladresses de cuisson, les préparations daubées et les présentations des plats dressés à la hâte, on joua sur la corde raide quelques semaines, puis la situation se stabilisa. Pour nous faciliter la tâche, Morgan s'assura des grâces du service de salle pour rattraper nos bourdes. Techniquement, il était bon et il accordait son monde au diapason. Nous élaborâmes des menus reflétant la sobriété de l'heure, réduisant les portions de caviar, de foie gras et de truffes, proposant des produits locaux et de saison, alternant des préparations dressées sur les assiettes, des découpes et des flambages en salle. L'industrie de luxe ressentait brusquement la crise. Les matières premières étaient destinées aux soldats et au trafic du marché noir. La situation mondiale se dégrada inexorablement, l'extravagance de la fête vira à l'austérité, la riche clientèle internationale s'amenuisa, rattrapée par la mort. L'Europe de l'Ouest et de l'Est, les Balkans, l'Afrique et le Moyen-Orient s'enflammaient. Aux États-Unis, la rumeur d'une intervention de l'armée au Mexique contre les révolutionnaires de Pancho Villa courait. Mon exclusion de l'Ordre occupait toutes mes pensées ; je carburais au désir de vengeance, d'embrocher Mathias Balthazar sur une tige chauffée à blanc et de le faire rôtir vivant. Quand je pensais à Hakim, l'Inconnu derrière sa plaque de vitre me répétait :

— *Pas de nouvelle, bonne nouvelle !*

La direction du Vanderbilt décida de fermer l'hôtel pour le mois de décembre ; j'évitai de justesse de sombrer dans la déprime en finalisant le manuscrit *Méthodologie référentielle contemporaine*, une sorte d'évangile apocryphe du *Codex référentiel* qui, de toute façon, me disais-je, ne servirait plus qu'à une réforme fantomatique. Le temps filait entre mes doigts, comme si j'étais en compétition contre le dieu Chronos. Pour la première fois, les événements extérieurs empiétaient sur ma voie, me contraignant à stagner professionnellement. Le jour de Noël, Évangéline Falstaff, au désespoir, me téléphona pour me confier l'incorporation de son fils dans l'armée du dominion du Canada. Anthémus Proctor avait contracté un engagement dans une usine d'armement à Hartford, dans le Connecticut. Vanneau servait à la garnison du fort de Douaumont sur la Meuse et Diouf, dans les tirailleurs sénégalais. Schulz combattait en Flandre avec un régiment de réserve de l'infanterie bavaroise. Ingallina luttait contre les Autrichiens avec son unité des chasseurs alpins dans les montagnes du nord de l'Italie. On était sans nouvelles de Dimitrios, de Perang et de Sousa. Pas une indiscrétion ne filtrait du côté des Halles de Baltard. Par contre, Évangéline m'annonça le mariage de Madame Tygris et de Blanchard White.

— Le yin et le yang si chers au Vénéré Wang ! m'exclamai-je.

— Qui l'aurait deviné !

— Joyeux Noël et bonne année, cher maître, lui souhaitai-je la voix brisée.

— Au fait, j'ai recueilli un cabot de compagnie. Mon roquet adore ronger les os.

— J'ignorais votre affection pour la race canine.

— Les chiens m'apprécient plus que les hommes. Que votre ange gardien veille éternellement sur vous, mon précieux ami.

Incapable d'interpréter le message qu'elle me glissait, j'acquiesçai en silence puis raccrochai. New York blanchissait sous la neige, autant que le monde rougissait sous le sang. On n'en voyait pas le bout. Toute la fin de décembre, je mitonnai des plats mijotés dans ma chambre, en lisant d'affilée deux romans de Jules Verne : *Vingt mille lieues sous les mers* et *L'île mystérieuse*. Énergisé par cet imaginaire fantastique, je réintégrai le Vanderbilt en janvier, le temps d'une réception, où nous eûmes l'honneur de la visite de l'ancien président Theodore Roosevelt. Sous le prétexte d'œuvres philanthropiques, ces événements mondains étaient destinés à des rencontres informelles entre célibataires issus des hautes sociétés, avec pour but sous-jacent de signer de juteux contrats de mariage. Comme toujours, les assortiments de viandes fraîches proposés au buffet étaient de première qualité, mais, afin de satisfaire aux exigences des organisateurs, le directeur de cérémonie avait opté pour une sobriété de rigueur dans le dressage des tables de salle et la décoration florale. On s'éloignait de l'extravagance de l'âge doré des titans de la finance. Avec la guerre, les Rockefeller, Carnegie et autres jouaient de discrétion. Cette collecte de fonds, organisée sous l'auspice du prestigieux groupe financier Nagelmackers, fut pour moi l'occasion d'être approché par le propriétaire de l'hôtel, Alfred Gwynne Vanderbilt. Il observait deux beautés gloussant auprès d'héritiers se pavanant cigares cubains en main.

— Les vautours survolent leurs proies, me glissa-t-il cyniquement, en me présentant son assiette de porcelaine.

Le commis de cuisine le servit, je n'émis pas de commentaire. Comme Trinkwein me l'avait appris, j'esquissai un hochement de tête, dénué d'émotion.

— Ce genre de cérémonial vous est familier, continua le troisième fils de feu Cornelius Vanderbilt, magnat d'une fortune bâtie sur le transport maritime et la construction ferroviaire. Vous êtes Belge, comme Nagelmackers. Comment se fait-il que vous ne soyez pas mobilisé?

— J'ai tiré le bon numéro.

— Nous sommes deux, renchérit-il. J'ai pris connaissance de vos références, je suis impressionné. Mon chef nous a quittés pour prendre les armes en France. Si la place vous intéresse...

Au regret d'Archibald Morgan, j'acceptai l'offre et je déménageai à Newport, dans l'État du Rhode Island. À mon arrivée à Marble House, le manoir des Vanderbilt, on me logea dans une chambre spacieuse donnant sur le jardin. Je conserve un souvenir mitigé de mon passage chez Vanderbilt, principalement parce que j'y fus intimement rejoint par la guerre. Ma mémoire occulta d'ailleurs pendant des années ces quatre mois où je fus son cuisinier personnel. Non que Monsieur fut discourtois. Il était agréable, autant qu'un individu de sa stature puisse l'être. Cependant, chez lui, l'anxiété de tout perdre le rendait irritable. Comme ses *alter ego*, il prenait conscience de la fin d'une époque omnipuissante d'une minorité privilégiée, décriée depuis le naufrage du *Titanic*, qui avait mis en exergue les disparités sociales de l'époque, avec des riches embarqués prioritairement dans les canots de sauvetage, au détriment des simples passagers. À Marble House, le modèle était moulé sur le système de caste britannique, avec les maîtres en haut et les serviteurs en bas. Comme dans les palaces étoilés, ces mondes ne se croisaient pas. Pour les fonctions de service, chaque pièce avait un tintement de clochette différent, les employés assignés devaient impérativement en mémoriser le son. J'avais la mienne, mais, privilégié, je ne passais jamais par le majordome ou la gouvernante. Monsieur s'adressait personnellement à moi pour les commandes de cuisine, ce qui choquait tout le personnel entièrement anglais. Rois de la domesticité, consorts de la soumission et de la déférence, c'étaient des coincés et des hypocrites figés dans des conventions serviles. Ils ne m'appréciaient pas. Moi non plus. Je n'avais cure ni de leur hiérarchie, ni de leur obséquiosité.

— Ici, l'étiquette et la discipline régissent tout, me rappelait à l'occasion James, le majordome, un ancien de la guerre des Bœrs.

— À n'en pas douter, dans les tranchées, ils apprécieront vos loyaux services, lui répondis-je un jour, excédé de son arrogance.

Après cette réponse, il m'adressa uniquement la parole pour motifs professionnels. Sa manière de circuler entre les offices me rappelait Albin l'Écrevisse, le maître d'hôtel de Trinkwein, l'humour en moins. Avec le recul, je compris sa fierté anglaise toute légitime, car la mondanité des siens contrastait avec la rusticité de ses employeurs. C'était le temps des héritières américaines renflouant les bourses de la noblesse édouardienne. Auréolées de prestige, leurs riches familles les envoyaient se faire épouser en Grande-Bretagne, permettant à l'aristocratie déclinante de compenser la baisse de revenus de ses propriétés foncières, ayant de plus en plus de mal à concurrencer les prix des marchandises venant du Nouveau Monde.

Diego de Fruttos

Je fabulai longtemps sur le motif qui incita Alfred Gwynne Vanderbilt à traverser l'Atlantique, alors que la marine du kaiser y intensifiait ses opérations militaires.

— Pourquoi devrions-nous être inquiétés ? aurait-il affirmé à des proches la semaine précédant son départ. Le *Lusitania* navigue plus vite que n'importe quel sous-marin !

La guerre perdurait, je n'étais pas préparé à voyager. Comme mes frères d'infortune, j'avais tenté de contacter les Halles de Baltard par lettre recommandée, par télégraphe et par téléphone. Mais, pour nous, renégats, l'Ordre paraissait devenu une organisation occulte, insondable. À moins qu'elle ne fût désormais clandestine, proscrite par la République française, sous prétexte que nos membres combattaient dans des camps opposés ? Dans son dernier télégramme expédié d'Halifax, Madame Falstaff avait insisté sur le point que le siège social parisien ne renvoyait pas ses appels. Confronté à la réalité des dossiers des enquêtes sur la mort de Seamus et de Boivin jaunissant probablement dans des archives de police, j'envisageai presque de finir mes jours à Marble House, ou dans un quelconque refuge d'oligarque. Alors que je cuisinais dans sa suite new-yorkaise du Vanderbilt, je fus mis au courant de la décision de Monsieur d'enregistrer ses bagages au comptoir de l'armateur Cunard, pour Liverpool, le lendemain.

— Mes effets personnels sont demeurés au manoir, Monsieur, l'informai-je embarrassé, quand il me spécifia que je l'accompagnerais.

— Ne vous préoccupez pas. J'ai fait réserver une cabine à votre nom, proche de la mienne, avec des tenues ajustées à vos mesures pour affronter votre séjour en tout confort. Le temps pour moi de régler quelques affaires à Londres, profitez de la *City*, nous serons de retour le mois prochain.

Rassuré, j'élaborai trois projets, dans l'ordre et dans le désordre :

1) Traquer Mathias Balthazar comme un gibier de potence (à condition que le ténébreux albinos fureta à Londres, bien sûr !).

2) Lui administrer la raclée de son existence putride et misérable.

3) Traverser la Manche afin de plaider notre cause devant le Comité des Sages.

Toute réflexion faite, Paris regorgeait de magasins spécialisés proposant à la vente des cannes avec des pommeaux aux diamètres adaptés à la félonie de Razor Barbakos. L'Élu carnassier avait intérêt à contracter le sphincter, car je me jurai de l'élargir avec les pages roulées du *Codex référentiel*. Dans un message, je télégraphiai à Évangéline Falstaff le contenu de ma démarche.

Avant mon expérience sur le *Lusitania*, j'avais une vision toute théorique de la puissance destructrice d'un sous-marin. J'avais dévoré plusieurs ouvrages de Jules Vernes, illustrés de gravures du vaisseau du Capitaine Nemo. Inculte des sciences militaires, je n'envisageai pas que ces submersibles existassent réellement. À Cherbourg, j'avais manqué le *Titanic*, ce fut différent au départ du 1er mai. L'accès à l'embarquement du quai 54 était sévèrement gardé. Malgré la restriction, je retrouvai, heureux, cet univers familier de grues, de débardeurs et de marins se confondant avec le port, survolés par les mouettes enfumées par les cheminées des paquebots transatlantiques. Contrôlés par des agents de sécurité de la compagnie Cunard, des centaines de bagages défilèrent sous mes yeux. Le *Lusitania* était un paquebot comme j'en avais croisé plusieurs durant mes voyages vers les Amériques, au Japon et en Méditerranée. Une masse flottante comprenant deux mille cent soixante-cinq passagers, dont cinq cent soixante-trois de première classe, et un équipage de huit cent deux personnes, commandé par le capitaine William Turner, un vétéran de cinquante-huit ans. Je n'étais pas au courant qu'au début du conflit le navire avait été réquisitionné par la Royal Navy, comme croiseur auxiliaire pour des fonctions de guerre. On me rapporta plus tard que, pour cette croisière fatidique, le *HMS Juno*, un croiseur chargé de sa protection, fut relocalisé par le Premier Lord de l'Amirauté Winston Churchill.

À midi, avec plus de deux heures de retard sur l'horaire prévu, nous levâmes l'ancre sous la musique de l'orchestre et le salut des passagers amassés sur les ponts. Avec mon cha-peau boule, mon complet trois-pièces et ma redingote neuve, je captai immédiatement l'attention de jolies dames de la haute. J'avais vécu suffisamment dans le giron des riches et des puis-sants pour copier leurs belles manières. Le premier jour, mon attitude décontractée fit croire à mon appartenance au fleuron de la belle société.

— C'est mon cuisinier, tua dans l'œuf Vanderbilt.

À mes dépens, j'avais oublié que ses pairs détestent que l'on piétine leurs plates-bandes, surtout si l'on n'appartient pas à leur engeance. Pour lot de consolation, je me rabattis sur la lecture de *Robinson Crusoé*. Au-delà de l'opulence et des mondanités coutumières à bord, les conversations abordaient essentiellement le cataclysme européen. Et Monsieur accordait son attention à des actrices célèbres et au consul de Cuba à Liverpool, Julian de Avala. N'existant plus qu'en tant que personnel de sa suite, je fus ignoré des huiles de première classe.

Le lendemain, je surpris Diego de Fruttos à s'exercer à l'escrime sur le pont avant, avec une dextérité sidérante. Il joutait contre le vent avec une rapière, esquivant les vagues martelant la coque comme autant d'adversaires. Si une bourrasque le déstabilisait, il pivotait des hanches pour reprendre une position plus adaptée. Les épaules décontractées, il attaquait systématiquement. Je ne perdis rien des mouvements fluides de ses mains gantées. Ce septuagénaire sec comme une trique, chauve et portant des lunettes, au teint cuivré par le soleil, arborait un sourire permanent et une moustache soigneusement taillée.

— *Buenos dias*, vous semblez intéressé, *hombre*? me dit-il après une heure de combat contre les éléments.

Malgré son âge, il ne paraissait pas essoufflé.

— J'admire, répondis-je.

Après s'être présenté comme étant « Diego de Fruttos gentilhomme *de Espana* », il se pencha vers un long sac de cuir pour en dégager une rapière identique à la sienne.

— *Vamos*, apprenez plutôt! me proposa-t-il d'un accent chantant.

Il me remit l'épée et des gants que j'enfilai.

— En garde! fis-je en le saluant avec l'arme devant le visage.

D'un bond, il cibla mon front. Au sifflement de la lame, mon corps se pétrifia. Mes yeux louchèrent sur la pointe à deux millimètres de mes sourcils.

— Inconscient! vociféra-t-il. Un duelliste ne sanctionne pas ses chances en viles civilités. Il jauge son adversaire en silence. La parole est énergie, un fiel vital qu'il économise avec parcimonie, car le combat est commencé, alors que la rapière repose toujours dans son fourreau.

Averti, je pourfendis, comme maître Jaspard me l'avait montré avec sa canne, en ligne droite vers son plexus. Lame immobile, l'Espagnol reflua et enchaîna d'un pas vers moi. J'exécutai un mouvement identique, mais tournai sur la jambe avant, pour que mon corps se retrouve en parallèle avec le sien quand il arriva en fin de poussée. Je le bousculai alors de mon épaule, mais je me sentis absorbé par le vide, car il se retira en reculant d'une enjambée. Happé par le col, je me retrouvai au sol. Avec le tranchant de sa rapière sur la gorge. Il me remit debout d'une poignée amicale.

— *Bien!* s'exclama-t-il. Je n'attendais pas cette parade.

Cinq minutes plus tard, au bar, je lui expliquai la méthode de combat de l'instructeur Jaspard. Mon histoire sembla réellement le fasciner.

— Allons à Londres, me proposa-t-il enthousiaste. J'aimerais le rencontrer.

J'acceptai. Ainsi, j'eus l'infime honneur d'aborder la science du maître d'armes Diego de Fruttos. Il pratiquait l'escrime depuis la tendre enfance. Indépendant de fortune, le Madrilène n'avait envisagé d'autre métier que celui des armes. Au fil d'une bouteille de muscadet, il me dévoila qu'il était le dernier fils d'une famille d'aristocrates, où l'on avait longtemps pratiqué le duel.

— Un édit royal en a sanctionné l'usage par de lourdes peines de prison. Je me suis déjà battu, mais jamais jusqu'à *la muerte*, seulement au premier sang. En dehors de l'épée, point de salut ! affirma-t-il quasi religieusement.

D'un air de joyeux drille, il recommanda du vin. Il extirpa ensuite de son sac un gros manuscrit rédigé à la plume et, en le déposant sur le comptoir, il m'exposa le but de son voyage :

— Mandaté par l'Association d'Escrimeurs de Madrid, j'ai accompli un parcours dans une trentaine de contrées, afin d'inventorier les filiations de mon art. Depuis la mort en 1600 de Jeronimo Sanchez de Carranza, fondateur de mon style, la *Destreza*, traduisez, *amigo*, par « Dextérité », ses disciples ont dispensé son enseignement au-delà des cultures hispanophones. Nos techniques se retracent en Italie, dans les anciens Pays-Bas espagnols belgo-bataves, au Portugal, en Californie jusqu'en Amérique latine, en France autant qu'aux Philippines. Dans ce manuscrit se trouve l'inventaire des techniques d'une des formes de combat qui demeure jusqu'à ce jour une des plus meurtrières imaginées par un esprit guerrier. Pour preuve, un de ses adeptes, Don Miguel Perez de Mendoza, est parvenu à vaincre en un seul duel des dizaines de bretteurs chevronnés près du Palacio Real de Madrid.

— Comment ? insistai-je, perplexe.

Autour de nous, les passagers dégustaient des cocktails sous le tangage en nous regardant du coin de l'œil. Diego demanda au barman de déboucher un troisième muscadet, que je fis inscrire sur l'ardoise de Vanderbilt. En verve, il repositionna sa *Destreza* dans le contexte de la fin de la Renaissance, où les armées confrontées à la puissance des balles de mousquets abandonnèrent les armures. Il m'expliqua que l'idée du fondateur, Sanchez de Carranza, était de fluidifier des formes et des techniques devenues possibles, car libérées du poids des cottes de mailles et des protections métallisées. Dans les grandes lignes, cette méthode appliquait des principes circulaires et économiques de déplacements, adaptables à une panoplie variable de lames et même de pistolets, afin de couvrir un maximum de surface en un minimum de mouvements.

— Ne tergiversons point en concept, *hombre*. Éclusons ce nectar, jouissons de son ivresse et donnons-nous rendez-vous à l'aube, me proposa-t-il. Ce moment privilégié où émerge la clarté apaisante de l'astre solaire atténue les affres du souffle ultime. Je vous y donnerai une leçon. Considérez qu'elle vous sera fatale. Car ouïssez, dans les arts de combat se révèle une finalité sans équivoque, la *muerte*!

Il vida son verre et me quitta, son manuscrit sous le bras et son sac sur l'épaule.

— *Adiós*!

Le lendemain, sur le pont humide et glissant, il me fit marcher, rapière et dague en main, les bras détendus, les lames pointées vers lui. En me suggérant de le suivre à distance d'épée, il bougeait en m'obligeant à me déplacer selon des pas précis. Après plusieurs heures sous le soleil, le vent et les mouvements du navire, mes muscles se relaxèrent et l'ensemble finit par ressembler à une danse sociale.

— Rien d'autre que de s'harmoniser avec son opposant! ajouta-t-il finalement. Ce qui est figé meurt, *hombre*. Le mouvement est *vida*!

Quand l'histoire que je jouais au duelliste avec un vieil original arriva aux oreilles de Vanderbilt, ce dernier répliqua:

— Qu'il s'amuse! À l'époque où nous vivons, la vie est courte.

Le jour suivant, de Fruttos mit en branle les hostilités. Nous initiâmes la pratique martiale elle-même et nous fîmes parler l'acier trempé dans le gymnase. Il augmenta le rythme progressivement, jusqu'à ce qu'il devienne infernal. J'esquivais désespérément les assauts de sa rapière, pendant qu'il me taquinait les côtes de sa dague. Alors qu'à l'ouest, dans un vortex hors contexte, le Styx des tranchées subissait l'apocalypse dantesque des canonniers, que des zombies stigmatisés par la mitraille vomissaient le dernier sang, nous joutâmes à l'épée d'une manière obsolète, dans une bulle hors du temps, lui d'Artagnan, moi débutant. Surnommés par les passagers « les cinglés aux épées », nous brettâmes comme des fous jusqu'au septième jour de mai. Nous étions sur le pont, Diego de Fruttos m'enseignait la manière d'absorber le choc des lames. C'était déstabilisant, car j'avais l'impression de balayer sans cesse dans le vide. Nous ressentîmes une déflagration à la base du navire et ensuite une explosion qui nous fit décoller et déclencha la panique générale. En cherchant à joindre les postes de sauvetage, les passagers couraient dans tous les sens. Terreur ! Je me souviens d'avoir vu des canots pendre le long de la coque, d'ailleurs la plupart ne purent être descendus à flot. L'embarcation craquait de partout. J'avais enfilé un gilet de sauvetage accroché à un des postes de secours ; j'aperçus Diego avec son précieux sac attaché au dos, tenant son gilet en main. À l'évidence, il n'y aurait pas de canots pour nous. Il fallait sauter dans l'océan glacial, comme des dizaines d'autres infortunés. Varlopée par le vent, la mer était striée de grosses vagues qui avançaient sur nous comme autant de lignes d'assaut successives.

— *Vamos con Dios !* me sembla-t-il entendre entre les gémissements métalliques de la coque.

Durant le grand plongeon, j'eus une pensée pour Monsieur, qui m'avait salué au dîner. Où était-il ? Plouf ! Je peinai à me maintenir à la surface, je nageai à me déchirer les épaules. Le

Lusitania s'enfonçait à vue d'œil. Autour de moi, des têtes émergeaient des vagues huileuses et des îlots de débris. Je criai le nom de Diego de Fruttos, je voulus faire demi-tour, mais je fus happé par un rouleau qui m'entraîna vers les abysses. En remontant, j'avalai et respirai de l'eau de mer qui me fit vomir. Des remous me contraignirent à une autre apnée. La vision de l'Inconnu effleura mon esprit. En hypothermie, je perdis connaissance. Accroché par une gaffe, je fus le cent quarantième survivant hissé des flots par William Bull. Pour un rôtisseur, être recueilli ainsi par un pêcheur, quel paradoxe ! Son embarcation me ramena sur la terre ferme, où je repris peu à peu mes sens.

Avant cet épisode qui marqua un tournant de la Grande Guerre, tout le monde se souvenait des naufrages du *Titanic* et de l'*Empress of Ireland*, en 1914, avec ses mille et douze morts dans l'estuaire du Saint-Laurent. Celui du *Lusitania* se révéla fondamentalement différent, car il résulta de l'acte délibéré d'un sous-marin allemand. D'après les rapports de la Cunard et du bureau d'assurance Loyd, il fut coulé le 7 mai 1915, à 14 heures 25, près du Fastnet, à environ quarante kilomètres, soit douze miles marins, au large de la pointe sud de l'Irlande, un endroit mentionné sur les cartes sous le nom d'*Old Head of Kinsale*. Torpillé par tribord, le paquebot naviguait à dix-huit nœuds vers Queenstown, où généralement les navires des lignes Cunard faisaient escale. Les rapports maritimes affirmèrent que nous sombrâmes en moins de vingt minutes. C'est possible, car en situation d'urgence on mesure mal le temps qui passe. À Queenstown, les Irlandais débordèrent de générosité à notre égard, nous reçûmes des vêtements et du réconfort. Soigné par un médecin durant deux jours, je fus hébergé ensuite au Queen's Hotel, tenu par les Humbert, une famille d'origine allemande. La compagnie maritime Cunard se chargea des frais. Dès mes premiers pas dans les rues, alors que je m'appuyais sur un client de l'hôtel, un photographe fixa mon portrait pour la postérité, on m'y voit vêtu d'une capote d'officier. Il se retrouva à la une de divers journaux. Dans une cabine téléphonique de la Cunard Line, où une salle d'opération médicale improvisée était installée à l'arrière des bureaux, je contactai les Vanderbilt. Ils venaient d'offrir deux cents livres pour toute information.

— J'ignore où est Monsieur, leur annonçai-je.

J'entrepris les recherches dans les trois morgues temporaires installées par les autorités, où des désespérés parcouraient les rangs de cadavres, recherchant des proches disparus. J'oscillai de la tristesse à la colère. Des bagarres éclatèrent, parce que des journalistes de la presse à sensation gravèrent sur pellicule des corps gonflés et putréfiés. Aux États-Unis, dans l'Empire britannique et en France, ces clichés d'horreur servirent à la propagande. À Queenstown, les autorités avaient déjà fait creuser des fosses communes. J'étais mortifié. Dans les rues, on voyait des charrettes tirées par des chevaux, des drapeaux recouvrant les morts. Je passai de la colère au désespoir de ne pas trouver Monsieur.

— Il n'y a plus d'espoir! dis-je cinq jours plus tard, dans la demeure du consul américain Wesley Frost, sur une ligne prioritaire du conseil d'administration des Sociétés Vanderbilt.

Je m'appuyai sur le témoignage direct d'un survivant affirmant qu'Alfred Vanderbilt avait cherché à sauver une femme. Horrifié, j'avais méticuleusement examiné les corps des passagers embaumés de première classe. En parlant à ces voix lointaines, j'avais à l'esprit cet enfant qui pleurait devant les cadavres de ses parents. Son visage et sa voix s'imprimèrent dans ma mémoire jusqu'à ce jour. De la tristesse, je passai aux questions existentielles. Avant de revenir à New York, sur un vaisseau de guerre de la marine américaine, je restai une semaine en Irlande, cherchant des réponses qui poignardèrent dans mon cœur trois points de suspension. Malgré sa fortune, son rang et l'influence qu'on lui accordait, Vanderbilt n'avait pas survécu, tandis que moi, oui. Pourquoi? Pour Diego de Fruttos, ce fut plus dramatique encore. Que se passa-t-il dans sa tête pour qu'il préférât délaisser son gilet salvateur, pour choisir d'endosser son sac de rapières et de dagues, avec son manuscrit consacré à Jeronimo Sanchez de Carranza? En décidant de couler à pic, je crois qu'il préféra mourir, alors qu'il savait que son escrime n'avait plus de sens dans un monde en proie à une guerre totale et technologique, reléguant ses techniques à des archives de musée. Si c'est le cas, j'ai la certitude que ce fut une erreur de sa part, car il aurait pu continuer à transmettre l'esprit subtil de son art. Le reste est fait de chiffres qui façonnèrent l'Histoire: sept cent trois rescapés sur un total de deux mille cent soixante passagers et marins. Le *Lusitania* repose pour la postérité par nonante mètres de profondeur. À la suite du naufrage, le président Wilson menaça les Allemands et exigea des réparations. Craignant l'intervention de ses troupes, Berlin suspendit provisoirement son offensive sous-marine. Dès mon retour à Marble House, au mois de juin, l'affaire s'emballa, après le témoignage d'un survivant qui intenta un procès à la compagnie Cunard. Il affirma que le bruit de la déflagration à l'impact de la torpille fut suivi d'une seconde explosion beaucoup plus violente, ce qui est exact. On parla de munitions embarquées secrètement et d'un tas de suppositions qui alimentèrent pléthore de théories. Que dire? Même s'il émerge occasionnellement des vérités inavouées, il reste que, trop souvent, les sots s'enivrent de conspiration pour épancher la soif de leur imagination défaillante et celle de leur impuissance, devant l'impact d'événements marquant notre mémoire collective.

La fin du début

Les Vanderbilt insistèrent pour que je reste à leur service à Marble House. Malgré mon refus catégorique, ils me proposèrent même de réintégrer mon poste à leur hôtel new-yorkais. Je m'obstinai. En cuisine, l'odeur de la viande sanguinolente me ramenait sans cesse au cauchemar des cadavres, dont j'avais respiré les gaz morbides dans les morgues de Queenstown. Les vapeurs du fumet du poisson m'écœuraient tout autant, me rappelant l'eau saline qui s'était infiltrée dans ma bouche et mes narines. Incapable d'expliquer que j'étais traumatisé, inapte à travailler, je récupérai mes effets au manoir et me réfugiai cet été-là dans l'île de Martha's Vineyard, au large des côtes du Massachusetts. Dans une lettre rédigée à l'attention de Madame Falstaff, j'allai jusqu'à affirmer que mon voyage en Europe avait été annulé. Je vécus ainsi plusieurs semaines dans le déni. Je ne sais si l'Acadienne devina le fin fond de mon histoire, car nous n'abordâmes jamais le sujet. Le courrier que je reçus en retour ne m'incita pas à l'optimisme. Nous fîmes le deuil de deux collègues de l'American Royal Open, le Sénégalais Diouf et Schulz le Bavarois, le premier sous un tir de barrage en Champagne et le second, dans un assaut de tranchées dans les Flandres. De mon côté, le siège social parisien sonnait sans faillir aux abonnés absents. J'entrevoyais la possibilité que l'Ordre des Cinq Cercles appartienne bientôt au passé. Durant de longues balades, contemplant cet océan qui avait failli avoir ma peau, je méditai sur le sens à donner à mon futur. J'allais devoir accepter de vivre avec dans la tête les cris des naufragés d'une journée de mai 1915, le souvenir de Monsieur et de Diego de Fruttos. Je ne pouvais rester oisif et désœuvré, même logé aux frais des Vanderbilt. Il était temps de m'impliquer dans un conflit qui s'était imposé à moi, immanquablement. Je décidai donc à la fin du mois d'août de partir au dominion du Canada, colonie britannique en guerre, alors que les États-Unis ne l'étaient pas. Volontairement amnésique, me considérant comme une victime collatérale d'un épisode dramatique d'une plus large bataille maritime, je n'abordai jamais mon expérience terrifiante du *Lusitania*, avec personne, jusqu'à ces lignes, par égard pour tous ces vrais marins et soldats morts au combat.

Avant de prendre le chemin pour le nord, je fis un crochet par Boston pour vérifier où en était l'enquête sur la mort du frère Seamus.

— Nous n'avons pas été en mesure d'apporter une réponse à ce mystère, concéda le rouquin Gaël Fitzgerald de la police criminelle. La seule certitude est que Mathias Balthazar ne se trouve plus sur le sol américain, cela m'a été confirmé par un fonctionnaire de l'immigration à New York.

— Où serait-il dans ce cas ?

Il n'en savait pas plus. Ensuite, afin d'exorciser mes peurs de la mer, je voguai jusqu'au cœur du Saint-Laurent avec un caboteur de la ligne Cunard. Comme des milliers d'Européens avant moi, j'arrivai au contrôle d'entrée de l'immigration du Canada à Grosse-Île, dans la province de Québec. L'automne pointait. Sous un ciel bleu comme l'acier, les immenses forêts sur les berges du fleuve dévoilaient des couleurs or et sang. Déclaré en bonne santé et avec un visa d'entrée, je posai le pied à Québec.

La famille du frère Boivin, qui exploitait un hôtel à l'intérieur des remparts, à dix minutes de marche de la citadelle, allait m'y héberger durant mon séjour. La cité fortifiée et le port étaient en état de siège. Des tonnes de marchandises s'en allaient ravitailler les soldats de l'autre côté de l'Atlantique. Par centaines, des frimousses de gamins armés jusqu'aux dents, arrivées du centre d'instruction de Valcartier, embarquaient pour le casse-pipe, tandis que des navires-hôpitaux débarquaient des dizaines d'éclopés au visage vieilli prématurément, meurtris dans leurs chairs par le fer et les gaz et dans l'esprit par l'horreur et la terreur. *Service sanitaire de l'armée cherche personnel civil*, clamait une affiche en français, aperçue alors que je flânai sur la Grande Allée, pas très loin du parlement. *Chef de cuisine demandé, nourri et blanchi, salaire en argent comptant et en tickets de rationnement. Expérience exigée*, lus-je tout en bas. La blouse blanche, le pantalon à carreaux, la toque et les sabots seraient les tenues principales que j'aurais à porter jusqu'à la fin de la guerre.

Dans une cantine industrielle aux murs suintants de graisse, financée par les dons de la Croix-Rouge, le défi à relever occulta toute considération gastronomique, au profit du pragmatisme thérapeutique. Assisté d'une cinquantaine d'apprentis et de commis à la formation primaire, j'eus à cuisiner pour des cas extrêmes. Notre base de production alimentaire, située près du Manège militaire, ravitaillait au quotidien un millier de blessés de première ligne, effectif variable chaque heure, à cause des arrivées, des départs vers les cliniques de convalescence ou des cimetières. Nous préparions les repas sur place pour les diviser ensuite en portions individuelles, glissées dans des contenants hermétiques en métal. Avant les services, durant lesquels nous aidions les aides-soignants, nous les répartissions dans des camions ou des véhicules à traction hippomobile, qui s'éparpillaient entre cinq pavillons situés en ville :

- Pavillon des chirurgies courantes: amputations, cas de gangrène, blessures par balles, obus et armes blanches.

- Pavillon des grands brûlés.

- Pavillon des soins respiratoires: pneumonies, pleurésies et autres pathologies pulmonaires. Après l'apparition du gaz moutarde dans le secteur de la ville belge d'Ypres, les gazés du front y devinrent majoritaires.

- Pavillon des cas épidémiques: typhus et choléra. Ce service eut à relever des cas de peste bubonique à cause de la présence de rats infectés dans les tranchées. Ses infrastructures furent également sollicitées à l'apparition de la grippe espagnole en 1918.

- Pavillon des cas psychiatriques: avec l'augmentation croissante de cas de traumatismes, il est à noter que ce département poursuivit ses activités bien après l'armistice.

Sous l'œil scrutateur de l'Inconnu, dont je plaçai le portrait bien en vue dans mon office, nous innovâmes, en collaboration avec des spécialistes en nutrition, qui appliquèrent parfois d'une moue dubitative mes connaissances ayurvédiques des épices. Notre équipe réalisa des miracles, dont nourrir des individus carbonisés, aveugles, sourds, muets, sans bras, sans jambes, sans dents, sans mandibules, aux organes internes essentiels fonctionnant à capacité réduite, aux membres secoués de tremblements nerveux incontrôlés. Notre difficulté majeure fut d'adapter constamment nos mixtures concoctées au cœur d'une cuisine collective pour en faciliter l'ingestion. Banni de la Fraternité, déphasé, je prodiguai une méthodologie culinaire de la survie et de l'horreur. De daube écrasée, en bouillie liquéfiée, de ragoût insipide, en bidoche moulinée, de desserts gélifiés et de compotes de fruits hautement caloriques, ce fut à ce moment-là que moi, le vassal d'Épicure, je devins mon propre maître. Trinkwein aurait compris le degré atteint de folie destructrice.

Chère Évangéline,

Des chaudrons poisseux et des plafonds graisseux : rien de nouveau. Ceux qui meurent ne peuvent se plaindre de la piètre qualité de nos bistouilles, débutai-je invariablement dans mes courriers hebdomadaires destinés à l'Acadienne.

À Québec, les protestations contre la conscription obligatoire se faisaient de plus en plus virulentes. Madame Falstaff m'envoya au printemps 1916 une copie manuscrite du communiqué annonçant que la grande faucheuse avait éliminé Vanneau, à Verdun, abattoir pestilentiel qui fut suivi en juillet par les charniers survolés de charognards gluants de la Somme qui, symboliquement, marqua le glas de la puissance de l'Empire britannique. Nos tentatives de joindre les sièges sociaux de Londres et de Paris demeurèrent au point nul. En avril 1917, les foudres de Mars frappèrent Évangéline au cœur, après la victoire des Canadiens à la crête de Vimy, où son fils Jimmy se désintégra sous un déluge d'obus durant l'assaut ultime. En octobre, en pleine déconfiture des armées royales italiennes, le Bolognais Floriano Ingallina périt à son tour, éventré par une baïonnette autrichienne à Caporetto. Pivot de l'information, que les familles de nos exclus lui expédiaient par courriers de la Croix-Rouge, Évangéline, qui me tenait au courant du moindre fait, ne me cacha pas que sa santé déclinait. Dans une lettre, elle me confia ce que je soupçonnais déjà : elle ne parvenait pas à se remettre de l'épisode meurtrier de la station de chemin de fer d'Helena.

En décembre 1917, alors qu'ailleurs se perpétrait le carnage, il me fut demandé par la Croix-Rouge de me rendre en catastrophe dans la ville sinistrée d'Halifax, avec une vingtaine de cuisiniers. En Nouvelle-Écosse, la ville côtière venait de subir la plus puissante explosion par activité humaine de l'Histoire, à la suite de la collision entre un bateau norvégien et un cargo français chargé d'explosifs. Le boum avait été entendu à quatre cent vingt kilomètres de l'épicentre des navires en flammes abandonnés par leurs équipages. Trente-six heures plus tard, nous arrivâmes sur place. Le blizzard avait recouvert d'un tapis blanc deux kilomètres carrés et demi de dévastation. Cela ressemblait à s'y méprendre à ces photos des états-majors après les tirs de barrage de l'artillerie lourde, avec des bâtiments détruits, des arbres calcinés et des cadavres, encore. Je compris que la survie à de tels cataclysmes ne devait en rien à l'héroïsme, mais seulement à une dose de chance pure. Avec près de deux mille victimes et neuf mille blessés, nous fûmes débordés, jusqu'au moment providentiel où l'aide américaine arriva de Boston. Dans des tentes de l'armée balayées par les vents de glace, nous touillions la soupe populaire avec des masques sur les visages, à cause de l'odeur des incendies et des corps carbonisés et d'une brume pestifère aux relents de cordite. Seul point positif, je retrouvai Évangéline, dont le domicile avait été épargné, puisqu'il se trouvait de l'autre côté de la citadelle qui domine la ville et les installations portuaires jusqu'au bassin de Bedford. Elle vivait avec son chien dans un appartement minuscule aux fenêtres soufflées par l'explosion, à l'instar de toutes celles situées dans un rayon de seize kilomètres de la déflagration.

— *Calvinus*, que c'est bon de te revoir ! me dit-elle en me serrant dans ses bras.

Plongé dans cette détresse, paradoxalement, je vécus les mois les plus heureux de mon existence. Au poste médical, je rencontrai une infirmière. Son tablier et ses bras étaient maculés de sang quand elle émergea de la salle d'opération. Lorsqu'elle retira son foulard blanc, ses longs cheveux de feux roulèrent en cascade. Au moment de se croiser, nos regards fusionnèrent. Ce fut un coup de foudre comme il y en a rarement dans une vie. Mon rayon de soleil au milieu des gueules cassées s'appelait Mary. C'était une rouquine magnifique, grande et mince, drôle et pétillante, avec des taches de rousseur sur le visage et des beaux yeux bleus. En 1915, une attaque au gaz durant la première bataille d'Ypres avait eu raison de son frère Henry. Elle ne parla de lui qu'une fois. À son évocation, je compris que c'était trop pénible pour elle d'aborder le sujet. Nous nous sentîmes presque coupables d'être heureux et de nous aimer, alors que le monde s'écroulait autour de nous. Nous n'aurions pas dû. Mary me fut enlevée le 11 novembre 1918 par la grippe espagnole. J'étais à ses côtés quand elle rendit son dernier soupir. Elle me serra doucement la main avant de s'éteindre, les traits apaisés. Je garde précieusement en mémoire son rire, l'odeur de son parfum, la douceur de son regard et de sa peau. Parfois durant la nuit, la caresse de sa respiration effleure ma nuque. J'ai le sentiment alors qu'elle est toujours avec moi, là, quelque part. Avec le *Lusitania*, Mary est la blessure la plus secrète de mon existence, celle dont le souvenir fait renaître en moi autant de bonheur que de douleur, l'amour dont je ne parle jamais. Après elle, je connus d'autres femmes, mais ce ne fut plus pareil. Je sais maintenant qu'elles sont notre plus grande joie, autant que nos plus grandes souffrances. Lorsqu'on devient conscient que le désir charnel s'estompe avec la décrépitude du corps, il est plus facile d'accepter les aléas de nos relations amoureuses en changement constant. Aussi, dans l'océan de mes rides et de mes articulations qui craquent, je tiens à gratifier d'un sentiment d'amitié profonde et de tendresse infinie celles qui partagèrent mes joies et mes malheurs. En m'apprenant que la vie est la gestion des circonstances, elles furent plus souvent mes maîtres que mes maîtresses. L'amour est difficile à saisir, spécialement pour moi qui en ai perçu le côté éphémère dès l'enfance. Veuvage, célibat, mariage, union libre, choix de la paternité, désir de la maternité, toute manière de vivre a sa raison d'être, chacune n'est ni meilleure, ni moins bonne que les autres. En rechercher une pour en fuir une autre est une erreur, répéter toujours la même l'est tout autant, comme de céder à la peur d'être seul, aux pressions sociales, familiales et religieuses. Laura, Mary, toi la brune et toi la blonde, le temps efface souvent les visages et les voix de celles que nous avons aimées. Au moins, la solitude n'apporte pas que des désavantages, elle octroie une certaine intériorité.

Funeste, l'année 1918 n'était pas encore achevée que nous apprîmes la décapitation par un obus allemand du maître Sousa durant la bataille de la Lys, menée par les troupes portugaises. Après le deuil de l'amour de ma vie, j'affrontai la fin d'Évangéline. Je m'étais rendu à Moncton pour enterrer Mary auprès de son frère, mais, de retour à Halifax, j'appris ce qui s'était passé. Alors que l'Acadienne se rendait tous les jours à la poste dans l'espoir de recevoir des nouvelles de son enfant disparu à Vimy, on ne l'avait pas vue sortir de chez elle depuis quelque temps. Les voisins, alertés par les aboiements intempestifs de son chien, affirmèrent que la police montée trouva son cadavre en partie dévoré par son fidèle compagnon. Je ne peux infirmer ou confirmer, car j'arrivai la veille de sa crémation organisée par Perang de Batavia, Madame Tygris et son mari, Blanchard White. Les glorieux de l'hôtellerie savent que les liens créés par la dureté de ce travail sont puissants, mais nous n'étions plus qu'au nombre de quatre survivants pour tirer notre révérence définitive à Évangéline, l'ultime carré de renégats de l'American Royal Open. Sous un malstrom dantesque de neige qui se confondit avec le sable d'une plage déserte, les feux de l'adieu se consumèrent hors des limites juridiques d'Halifax (« Ici, on enterre nos morts. Le bûcher, c'est pour les sorciers », avait réprimandé un fonctionnaire aux airs de corbeau de malheur), selon les rites funéraires d'un ordre qui nous avait définitivement relégués aux oubliettes.

— Elle a succombé à une attaque vasculaire cérébrale, m'expliqua le lendemain, dans une morgue submergée de cercueils rapatriés d'Europe, le toubib à monocle qui avait enregistré le décès d'Évangéline.

En restant persuadé que la cause principale de son départ résulte du chagrin de la perte de son gamin, je salue ici l'œuvre remarquable d'une très grande dame.

Edward Walter

J'envisageai sereinement de ne plus revenir en Europe. Les souvenirs dramatiques de mon vécu me liaient désormais à quelques arpents de neige. Le continent, que j'avais quitté avant la Grande Guerre, panserait ses plaies sans moi, je n'y discernai plus d'avenir. Je n'ai pas en mémoire qu'à partir de cette date, je tentai de renouer avec l'Ordre des Cinq Cercles. J'existais à mille galaxies des préoccupations de son univers. Il me restait les couteaux de Yasuda, mon *Codex référentiel*, celui du maître, des lettres de recommandation, des objets d'illustres disparus et le cliché de mon Inconnu. Cela me suffisait. Après le périple du *Lusitania* et les bouillies des cantines de la Croix-Rouge pour les moribonds des armées, les alinéas du *Codex référentiel* m'apparaissaient futiles et dérisoires. Profondément meurtri qu'ils restent impunis, j'avais toujours les meurtres de Boivin et de Seamus à l'esprit. De Boston, je me fis envoyer par l'inspecteur Fitzgerald une copie du dossier de l'enquête, surtout le témoignage d'Anthémus Proctor identifiant formellement Mathias Balthazar sur une photo prise par l'Immigration américaine à Ellis Island. Seul Hakim me manquait. J'avais perdu sa trace depuis des années. J'aurais dû lui écrire. Je ne le fis pas. Le Canada et Terre-Neuve payèrent le prix fort, avec soixante mille morts dans les merdiers français et flandriens. Dans ma patrie adoptive, toute l'attention se porta sur les soldats acclamés en héros. Sans la présence de Mary et d'Évangéline, le sentiment de ne rien avoir accompli au front me culpabilisa quelque temps. Mais l'euphorie de la victoire et des défilés militaires déboula rapidement sur des années folles. Dès 1920, le contraste se fit sentir, l'atmosphère redevint festive. Animés d'un sentiment de légèreté retrouvée, des plus modestes aux plus fortunés, les gens sortaient pour oublier la guerre et l'épidémie de grippe espagnole. Alors que l'argent se remettait à couler à flots, je batifolais de jupon en jupon, au gré des fêtes et des débits de boissons. Les États-Unis voisins prirent leur rythme de puissance internationale face à une Europe anéantie. Quand, chez eux, la prohibition tomba comme un couperet, les riches Américains se mirent à voyager en grand nombre au Canada, où les lois sur l'alcool étaient beaucoup plus permissives. Je comptai profiter de la manne. Je quittai Halifax pour Québec, où je travaillai au Château Frontenac jusqu'en 1921. Ensuite, je rejoignis la brigade du Château Laurier à Ottawa jusqu'en 1924. C'est durant ces années que je ressentis mes premières douleurs aux épaules ; je les mis sur le compte de la fatigue plutôt que sur celui des remous mortels du *Lusitania*. Beaucoup d'aristocrates désœuvrés glandaient dans les palaces. Certains complètement ruinés par la guerre se retrouvèrent concierges ou portiers d'établissements qu'ils avaient fréquentés jadis. Envers eux, les comportements avaient changé radicalement. Le personnel de service, surtout les immigrants européens, leur manquait parfois de courtoisie. Je comprenais cette hostilité. Pour un esprit simpliste, cette caste était la cause de dix millions de sacrifiés ; les gens n'étaient pas assez instruits pour comprendre que beaucoup de politiciens, de militaires, de financiers et d'industriels en étaient également responsables. Si je me fiais aux lectures de plusieurs publications, il devenait plausible que les clauses revanchardes du traité de Versailles provoquent un conflit à moyen terme. Dans les années 1920, quand les noms de Trotski, de Staline et d'Hitler s'immiscèrent dans les actualités, je fus saisi d'effroi et de stupeur. (J'avais d'ailleurs conservé les cartes postales que le peintre m'avait vendues au Café des artistes à Vienne.) Le 1er septembre 1923, j'ai le souvenir d'une nouvelle qui me peina parce qu'elle me ramenait à un passé heureux. Au Japon, un tremblement de terre suivi d'un typhon ravagea le Kantô. Yokohama et son Grand Hôtel, avec une partie de Tokyo, dont le quartier des bordels de Yoshiwara, furent rayés de la carte. Aux actualités cinématographiques, je découvris que ces lieux que j'avais connus avec Yasuda, Marmaduke et Zamad n'existaient plus que dans les mémoires. La presse décrivait des tornades de feu réduisant des milliers de proies en cendre, comme autant de souffles combinés d'armées de dragons. On parlait de représailles contre des Coréens, survivants indésirables considérés comme les responsables du chaos. Naïf, je proposai personnellement mon aide à l'ambassade japonaise, mais je ne reçus pas de réponse. Il y eut cent vingt mille victimes, mais le nombre exact resta inconnu. La plupart des Occidentaux quittèrent l'archipel, qui se referma sur lui-même, en proie à une crise morale. Certains journalistes affirmèrent que le Japon laissa son armée impériale prendre de plus en plus d'espace. Avec les résultats que l'on connaît.

En 1925, j'acceptai une place de chef, responsable d'un nouveau département de rôtisserie, à l'hôtel Windsor de Montréal. Dans les grandes institutions, on surenchérissait sur les salaires, car la main-d'œuvre manquait. À mon arrivée sur l'île, métropole du Canada, j'atterris dans une taverne d'une ruelle débouchant sur la place Jacques-Cartier. Derrière le comptoir, sur une étagère, s'étalait la plus grande collection de tord-boyaux de Montréal. Autour des tables, quelques jeunes prostituées grossièrement embijoutées lorgnaient des hommes d'affaires anglophones en quête d'aventures faciles. Quelques immigrants français sirotaient de l'absinthe dans un coin enfumé de tabac à pipe. En écoutant distraitement leur conversation, j'en déduisis qu'ils étaient du métier. Ils fêtaient Dieu sait quoi. Chez les cuisiniers français, il y a toujours une occasion propice pour lever le coude. Après les présentations et quelques verres, nous reprîmes en chœur le grand répertoire des chansons classiques des fourneaux, dont les inévitables : *Les nichons d'Adèle* et *La digue du cul*. Ça se gâta au moment de la fermeture. Ivres morts, les franchouillards venaient de partir. Le dernier blaireau au comptoir était en train de se faire écœurer par des pochetrons patibulaires.

— Laissez-le ! insista le patron bourré. On ferme.

— Oui, précisai-je en tenant la porte du bistrot ouverte.

— C'est pas de tes affaires. Décalisse ! parvins-je à saisir.

Je répondis par un doigt d'honneur. J'avais trop bu. Les malfrats étaient trois, armés de couteaux à cran d'arrêt. Je leur fis face. Je m'occupai de l'affaire comme de la découpe d'une grosse carcasse. Je refis les gestes enseignés durant mon apprentissage. J'attaquai les jointures, que je brisai nerveusement. Je m'emparai du surin d'un de mes agresseurs et je tranchai dans ses parties les plus molles. Instantanément, je coupai dans les chairs des deux autres. Le sang gicla sur les vêtements et sur le sol. Les mecs déguerpirent en couinant comme des gorets à l'abattoir. Ils durent en garder des séquelles. Trinkwein n'avait pas tort quand il disait : « *Ach*, serviteurs du méchoui, nous sommes des escrimeurs qui s'ignorent ! Comme les humains, les animaux les plus gros ont leurs points sensibles, il suffit de les connaître. »

Cela ne nous rend pas invincibles ! eus-je envie de tempérer.

— Edward Walter, se présenta le gars que j'avais tiré d'un mauvais pas, avant de me demander : C'est l'armée qui vous a appris à combattre ainsi ?

— Non ! répondis-je en souriant. Je ne suis pas militaire.

D'un éclair mental, je venais de comprendre une maxime de Yasuda : « Celui qui maîtrise son art possède l'essence de tous les autres. » Peut-être mon ami y voyait-il le secret de toutes reconversions professionnelles ?

— Et vous ? poursuivis-je.

Nous titubâmes vers les quais réservés aux marchandises où seuls les débardeurs s'aventuraient à cette heure tardive. Les grues étendaient leurs ombres comme des griffes effrayantes. Nous ressentions le besoin de marcher pour décuiter. Edward Walter me raconta son passé de vétéran. Depuis sa démobilisation, il s'occupait des soldats inaptes au service, exploitant une compagnie dont je ne parvins pas à comprendre la réelle activité. Le cerveau embué d'alcool, je n'insistai pas. Nous nous quittâmes à l'aube.

— Voici ma carte de visite, me dit-il. Si je peux vous rendre la pareille un jour, ce sera avec plaisir.

J'acquiesçai poliment. Puis j'oubliai. D'ailleurs, je perdis sa carte.

Dans la métropole des années folles, les mœurs changèrent perceptiblement malgré le joug aliénant de l'Église. En contre-poids, les Anglais protestants avaient la mainmise sur l'oseille ; il régnait dans leurs quartiers de l'Ouest et du centre-ville un sentiment de liberté inconnu jusqu'alors, la métaphore d'un accord tacite entre le vin de messe des curés francophones et les pintes de bière des brasseurs anglophones. Dans la rue Sainte-Catherine, croisant des prêtres en soutane et des religieuses en cornettes, on voyait de jolies femmes vêtues de copies d'une petite robe noire de Coco Chanel. Durant les années sombres, les filles qui se déluraient avaient gagné de l'argent en trimant dans les usines de munitions et d'armement. Les temps évoluaient, du moins le pensait-on avant la Deuxième Guerre mondiale. Je bossai dans une institution qui avait vu défiler du beau monde depuis son ouverture : l'actrice Sarah Bernhardt, les écrivains Mark Twain et Rudyard Kipling, et bien d'autres encore. À l'hôtel Windsor de la rue Peel, mes broches faisaient fureur. Je m'introduisais dans la salle à manger avec mes pièces rôties en rotation sur un chariot mobile en argent sous un tonnerre d'applaudissements. Le saucier me suivait avec une vingtaine de ses préparations, des sauces figurant dans la bible culinaire *Le répertoire de la cuisine* des chefs Gringoire et Saulnier. Pour le spectacle, le maître d'hôtel flambait les broches au cognac ou avec un alcool de qualité optimale. En expliquant les modes de cuisson, je découpais directement aux tables, devant la clientèle : une révolution si l'on considère qu'avant la Grande Guerre le droit de lui adresser la parole nous était refusé. Je ne sais si ce fut le cas ailleurs, mais en Amérique du Nord, dans l'hôtellerie, on discernait une volonté tenace de se détacher de la sobriété des services protocolaires. L'heure dérapait vers l'extravagance, à la limite provocatrice. Au cours de soirées trop arrosées, j'ai vu des filles de familles respectables se déhancher sur les tables. C'était toléré, dans une certaine mesure, surtout après une éternité destructrice de zizanie militaire. Cette décontraction communicative découlait également d'une journée de novembre 1917, alors que les propriétaires des franchises de hockey sur glace, qui avaient pour habitude de se réunir dans les salons, avaient fondé la prestigieuse Ligue nationale de hockey. Depuis, on y rencontrait au bar des joueurs de ce sport viril. La majorité venait de milieux modestes, mais on les recevait volontiers. Surtout quand les Glorieux étaient victorieux. Avec la popularité grandissante des matchs, cela importa peu de les voir mastiquer de manière bruyante au restaurant. Dans les salles de réception, les salons et les bars, une clientèle francophone en train de s'enrichir aspirait à s'émanciper. Toute discrète fût-elle, on sentait qu'une élite locale de langue française était en train d'émerger. Elle croisait les Américains mondains de la *Café society*, regroupement international d'artistes et de mécènes qui venaient s'encanailler à Montréal pour fuir les lois interdisant la consommation d'alcool dans leur pays. Souvent excentriques, ils étaient charmants, surtout la déesse du cinéma muet, Dolorès Costello. Je lui tendais son assiette décorée de mes tranches finement découpées et elle me tendait gentiment sa main pour que je l'embrasse. Je me souviens particulièrement des pourboires défiant le bon sens de Joseph Patrick Kennedy, un Irlandais de Boston qui trimballait à chaque visite une maîtresse différente et parfois des types d'origine italienne à la réputation peu recommandable. De temps à autre, Kennedy réservait les suites afin que certains soupers se tiennent loin des regards. Le directeur hôtelier nous envoyait avec la grosse artillerie pour assurer le service. Impassibles, nous assistions aux tractations. L'homme d'affaires passait des commandes faramineuses d'alcool à Samuel Bronfman, président de la Corporation des distilleurs de Montréal. En pleine prohibition, cela avait de quoi surprendre, mais le personnel mettait un point d'honneur à ce que rien ne filtre du *dining room* (comme on l'appelait encore). Comme toujours, je travaillais comme un dingue. Pour décompresser, je sortais dans les cabarets situés à l'angle de la rue Sainte-Catherine et du boulevard Saint-Laurent. Montréal était un pandémonium qui ne semblait jamais vouloir dormir. Ivre de champagne, j'épuisai les stocks lubrifiés des capotes anglaises de l'armée des démobilisés du Canada. Avec les potes de la brigade du Windsor, on fréquentait les rapaces nocturnes de la *Main*[18] et l'on connaissait tous les orifices des belles de nuit du *Red Light*. Tout baignait

---

18 Autre nom du boulevard Saint-Laurent.

dans l'huile et dans un tas d'autres liquides inavouables. Aussi, je ne raisonnai pas de manière objective. Cédant au désir ardent de l'euphorie, je cherchai inévitablement à la retenir. C'est en s'agrippant aux choses agréables qu'on est amené à s'attacher à toutes les émotions, appris-je à mes dépens. Il arrive même parfois que l'on cède au désir de mourir. Ça, j'allais bientôt le découvrir ; le purgatoire s'en venait.

J'embrochais depuis l'adolescence, c'était impossible que le cumul de ces années de rôtisserie ne me rattrape pas au détour. Entre les heures passées devant les fours, les fins de semaine, les jours de fête, et au final, les relations sociales, personnelles et amoureuses sacrifiées, personne ne traverse intact ce métier. Bambocher pour me soustraire à la réalité n'y changeait rien. Aux premières douleurs, quelques années plus tôt, j'aurais dû mettre le bémol, étudier la possibilité d'une autre activité. L'épuisement professionnel était un luxe que je ne pouvais me permettre. D'un point de vue médical, quand j'analyse les raisons qui me mirent sur la touche, je crois que, sans Mary et Évangéline, j'avais perdu mes repères. Hypnotisé par la rigueur de l'ouvrage, je brûlai les deux extrémités de la chandelle. Et j'en payai le prix, physiquement, mentalement. Quelque part, les traumatismes refoulés de mon expulsion de l'Ordre et celui du *Lusitania* devaient immanquablement resurgir, à un moment ou l'autre, sur une partie de mon corps, ou dans ma tête. L'accident résulta de tout ça. Confrontés à ce genre d'épreuve, certains sombrent dans la dépression, la maladie mentale, l'alcoolisme ou le suicide. Aujourd'hui, les aventuriers de la médecine parlent de maladies psychosomatiques. Dans sa sagesse, Trinkwein aurait disserté sur sa théorie de cause à effet. Je suis certain que ce mal émergea car j'avais absorbé trop de négatif, sans prendre le temps de l'évacuer. Dans mon cas, mes épaules m'abandonnèrent. Au Windsor en 1927, année de la traversée de l'Atlantique par Charles Lindbergh, les menus des réveillons résumèrent cette ère de folie : jamais assez. Trop de tout. Après les rationnements d'une décennie, nous régressions aux orgies gastronomiques de l'Empire romain. La direction en rajoutait, défiant la raison. Débordé, épuisé par ce rythme de production, pressé par l'horaire, je glissai sur le sol mouillé avec en main une plaque de rôtis. En me rééquilibrant de justesse, je fis un geste brusque qui réveilla une douleur somnolente. Ce fut comme si on arrachait mes épaules du reste de mon tronc. Sur le coup de l'adrénaline, je m'efforçai de poursuivre le marathon infernal. Pourquoi le fis-je ? me questionnai-je après. Toute mon éducation — et je ne le reproche pas à mes maîtres — reposait sur la dévotion quasi sacrificielle à notre art. Elle privilégiait l'importance de l'activité du groupe par rapport à l'individu. Cette attitude psychorigide était de mise dans la plupart des corporations de ma génération et d'avant. J'imagine que cette abnégation de soi permit de construire les cathédrales... Ce furent d'abord les engourdissements, la paralysie progressive puis totale. M'obligeant à l'inaction, mes épaules cimentées autour de mon cou et sur ma cage thoracique se contractèrent dans une immobilité rebelle. Quelle dérision ! Depuis l'adolescence, j'avais servi un idéal de perfection des braises et du goût, avec pour gratitude finale de parvenir au stade de ne plus être capable d'émincer un oignon. Mes bras perclus de tendinites maigrissaient à vue d'œil.

— Déchirement musculaire aux épaules et inflammation au niveau de la capsule, diagnostiqua un docteur de l'hôpital Royal Victoria en janvier 1928. Oubliez dorénavant tout travail manuel, conseilla-t-il d'un ton laconique. Ce type de blessure prend du temps à guérir.

Ainsi fus-je contraint d'abandonner mes broches. L'Ordre m'avait préparé à la voie que je pensais pratiquer jusqu'à la fin de mes jours. Trinkwein ne m'avait pas enseigné comment en aborder une autre. Je devais donc la découvrir moi-même. Ce passage à vide dura un an. « Fatigué, fatigué ! » me répétai-je un nombre incalculable de fois, comme un disque rayé. Par dépit ou par rage peut-être, par désir de prendre du recul aussi, je m'écartai de toute compagnie cet hiver-là. Assisté du regard bienveillant de l'Inconnu, je n'émergeai de mon appartement à l'angle de la rue Berri et de l'avenue du Mont-Royal que pour acheter le strict nécessaire.

— *Laisse le temps au temps !* ressassait l'Inconnu.

Ma reconversion fut difficile, je l'avoue. Le printemps de 1928 s'attarda déraisonnablement. Le dégel se pointa en avril, mais jusqu'en mai, les trottoirs glissants me contraignirent à rester cloîtré à domicile. À ma première balade, en m'apercevant dans la vitrine d'un magasin, je me fis peur. Le regard vide, le visage émacié, j'étais l'ombre de moi-même. J'avais un peu d'argent, mais j'allais devoir penser à la suite. La rigidité cadavérique du haut de mon corps ne l'entendait pas ainsi. Malgré mes exercices de physiothérapie, je progressai peu durant l'été. Et, à Montréal, l'hiver revient vite. Je ne voyais pas d'issue.

Madame Chen et Docteur Chow

Elle se révéla à moi dans la foule du square Victoria, sous le soleil de l'été des Indiens. Elle portait un ensemble masculin noir avec un col et des attaches de boutons blancs. Le visage lisse partagé d'un sourire impassible, les cheveux courts parsemés de gris, le corps svelte et souple, c'était une Asiatique âgée d'une quarantaine d'années, tout au plus. Comme Diego de Fruttos, elle enchaînait des formes elliptiques, fendant l'espace en harmonie avec quelques agressions imaginaires. Elle semblait flotter dans l'air, aussi fluide que l'eau. Balayant le vide, ses pas caressaient le sol. L'attraction terrestre ne paraissait pas avoir d'effet sur elle. Frappé par son indifférence face aux regards des passants, j'observai son ballet lent aux gestes méticuleux.

— Qu'est-ce donc ? lui demandai-je.

— Taiji quan, articula-t-elle d'une voix aiguë. Cent huit positions dont les enchaînements varient entre trente-neuf et quatre-vingt-neuf mouvements.

— Ce n'est pas une danse, n'est-ce pas ?

— Bien vu ! confirma-t-elle en s'arrêtant. Plutôt un combat combinant le ciel et la terre. Ça vous intéresse ?

— Ça m'intrigue.

— Adoptez mon rythme et mes gestes alors, aussi précisément que je les exécute.

Devant les piétons éberlués, j'entrepris de calquer mes pas sur les siens. C'était comique, plus intense que la lenteur ne le laissait suggérer. Je me sentis raide et maladroit, comme une souche de bois. Quand elle releva les bras à hauteur des épaules, les miens se bloquèrent comme cimentés le long de ma cage thoracique.

— Ohhhhhhhh! s'exclama-t-elle. Sont-ils si lourds ces fantômes qui emprisonnent vos épaules?

Elle glissa sa main droite sous mon manteau. Et du pouce et de l'index, elle se mit à palper mon cou jusqu'aux bras.

— Votre *chi* ne circule plus, évalua-t-elle.

— Le tchiiiii?

— L'énergie cosmique fondamentale.

Je ne compris pas.

— Ces principes sino médicaux seraient longs à développer, évita-t-elle ainsi de s'étendre, en percevant mon étonnement. Par contre, mes connaissances pourraient vous être bénéfiques.

— Mon état se dégrade depuis des mois.

— La guérison débute avec la patience. Je m'appelle Chen. Madame Chen.

— Et moi Sans Loi.

La dame m'expliqua qu'elle exploitait avec son mari un commerce situé à l'angle des rues De La Gauchetière et Saint-Urbain. Je l'accompagnai jusqu'à une maison de deux étages dotée d'une enseigne en bois aux idéogrammes sculptés et d'une inscription: *Tong sen*. Je ne m'étais jamais attardé dans ce quartier, occupé uniquement par des Chinois. Sur plusieurs quadrilatères d'habitations, on se serait cru dans une de ces villes d'Orient où j'avais accosté durant mon périple vers le Japon. À travers la fenêtre, je discernai l'autel traditionnel à l'intérieur ; de l'encens fumait auprès de portraits d'ancêtres. En franchissant l'entrée, je crus qu'il s'agissait d'un négoce d'épices. Des contenants identifiés par des étiquettes envahissaient les tablettes. Des bocaux de vésicules biliaires, de racines et de grenouilles séchées, de pénis et de testicules d'animaux exotiques débordaient d'un étal en bois verni. Derrière un comptoir jonché de balances aux unités de poids méconnues, un homme aux traits délicats, portant un petit chapeau sur le crâne, émincait avec une feuille de cuisine des herbes déshydratées à l'odeur puissante. Il remplit une enveloppe de la préparation, qu'il scella avec de la cire chaude avant de la tamponner d'un bruit sec. Cet attirail d'apothicaire ressemblait à celui de Lady Godavari, qui m'avait enseigné les rudiments de la science ayurvédique à mon arrivée à Londres.

— *Ni hao !* Docteur Chow, le mari du Docteur Chen, se présenta-t-il.

— Sans Loi, bonjour et enchanté, lui répondis-je à mon tour. Préparez-vous un assortiment d'épices pour la cuisine ?

— *Bù*, pharmacie chinoise, précisa-t-il. Dans la prescription que je viens de compléter, on décèle chez le patient la source de son mal, un manque d'harmonie entre le feu et la terre. Cette médication à prendre sous forme de tisane devrait suffire.

— Nos champs d'expertise divergent tout en étant complémentaires, reprit Madame Chen.

— *Shi*, approuva Docteur Chow. C'est la raison pour laquelle nous les exerçons dans deux pièces séparées du rez-de-chaussée.

J'acquiesçai. Quand Docteur Chow me décocha un clin d'œil amical, j'eus l'impression que nous nous comprîmes sans avoir à nous exprimer verbalement. Par je ne sais quel phénomène de chimie interpersonnelle, j'adoptai naturellement ce couple. Au bout du couloir de la boutique, Madame Chen me fit traverser une pièce au plancher de bois, sans meuble, avec des bâtons et des épées dans un coin, des cloisons croulantes de calligraphies et une image au centre.

— Cette gravure représente mon père, Sifu Chen, du temps de sa jeunesse, désigna-t-elle du doigt. Ma mère trouvait ce portrait très ressemblant. Il pratiquait la médecine traditionnelle du *Tchen-tsiou* et le taiji quan. Il désirait transmettre sa science à un fils. Mais, comme tous les hommes sages, il reçut trois filles de l'Univers. À ma naissance, il le reprocha à ma mère. Loin de se démonter, faute de garçon, elle lui suggéra de nous léguer sa connaissance des aiguilles et le style de combat Chen. Ce n'était pas conventionnel. Mais comme nous étions à un océan de mon clan, originaire de Chen-Chia-Kou, un village du nord-est de la Chine, il dérogea à nos traditions. Je naquis dans l'Ouest canadien, au bord d'une voie ferrée. Mes parents soignaient nos compatriotes durant la construction du chemin de fer. Mon père leur enseignait à se défendre. Étant la dernière à me marier, je m'occupai d'eux jusqu'à leur toute fin à Montréal. Ayant suivi leurs époux à San Francisco, mes sœurs ne pouvaient prendre soin de nos parents. Ainsi, ils eurent amplement le temps de me transmettre les subtilités de leurs pratiques. Ils reposent dans le cimetière de notre communauté. Je suis restée ici. J'enseigne le taiji quan entre ces quatre murs. Comme mes ancêtres le firent autrefois. Personnellement, je privilégie cette voie en pleine nature, ou en milieu urbain, même en hiver.

Elle poussa une cloison qui dévoila un bureau, plutôt une bibliothèque contenant une centaine de bouquins écrits en caractères de l'empire du Milieu, avec deux tables, un fauteuil et trois chaises. Sur les murs de papier peint, entre les armoires laquées, apparaissaient huit manuscrits déroulés et encadrés : des plans anatomiques sillonnés de traits et ponctués de points à différents endroits. Un quart d'heure plus tard, je me retrouvai torse nu et en caleçon, assis sur une des tables, les fesses moulées sur un large coussin de soie, mon corps piqué d'aiguilles. Dès que la dernière pointe métallique fut posée dans la plante de mon pied, un courant énergétique me traversa de part et d'autre. La chaleur se mit à irradier autour de mes épaules jusqu'à mon cou, je m'exclamai :

— Dans mon Europe natale, quelques religieux fanatiques d'un autre temps vous auraient brûlée pour sorcellerie !

Madame Chen posa la main sur sa bouche en pouffant de rire.

— Je sais. Le *Nei-King*, livre de médecine remontant à environ deux mille ans, mentionne l'art du *Tchen-tsiou*. Au XVIIIe siècle, les Jésuites de la mission française à Pékin ont traduit cette cure en latin : *acus*, « pointe » et *punctura*, « piqûre ». *Acupunctura*. C'est un processus naturel de guérison. Un flux d'énergie vitale, qui régule tous les organes le long de douze méridiens et sur des points de surface, coule dans le corps humain.

Elle m'étira doucement le bras vers le haut. Malgré une certaine gêne, je sentis mes épaules bouger d'une dizaine de centimètres.

— Rhabillez-vous. Revenez me voir dans trois jours.

— Je n'ai pas d'argent pour vous payer ! rétorquai-je, pétri de l'esprit belge des affaires.

— Vous vous en acquitterez quand cela ira mieux, *xia hui jian*.

— Pardon ?

— À bientôt !

Constatant les améliorations, j'y retournai de deux à trois fois par semaine. Ainsi, au début de l'hiver, j'amorçai le terme de ma traversée du désert. En novembre, je n'envisageai pas encore de reconversion professionnelle, mais une métamorphose me gagna progressivement, dans le corps et l'esprit. Mes épaules se relaxèrent, je les récupérai par millimètres puis par décimètres.

— J'aimerais apprendre le taiji quan, avançai-je à Madame Chen, alors que s'amorçait mon premier mois de décembre hors des cuisines.

Nous flânions devant une boucherie de son quartier, à l'exhalaison écœurante d'abats et de tripes.

— Je n'ai jamais enseigné à quelqu'un hors de ma communauté ! s'exclama-t-elle, surprise. Serez-vous à l'aise, entourés d'élèves aux antipodes de votre culture ?

— Vous venez de résumer toute l'histoire de ma vie, plaisantai-je en songeant à l'Ordre des Cinq Cercles.

— Ce choix ne relève pas d'un désir d'exotisme, j'espère ?

— J'ai toujours pensé que pour un individu vieillissant, il était plus approprié d'entretenir sa capacité de combattre que celle de séduire.

— Pragmatique ! lança-t-elle en se grattant l'occiput. Vous êtes jeune encore.

— Si l'on considère le nombre de vies que j'ai vécues, non !

— Vieux karma, alors, se prononça-t-elle.

Elle venait d'accepter d'un regard amusé et tacite. Je débutai de cette manière dans l'univers énigmatique du taiji quan. Dans Chinatown (comme on l'appelait encore), je m'entraînai assidûment à cet art martial destiné à entretenir la vigueur interne. Cette rencontre avec les docteurs Chen et Chow me conforta en ce fait que nous pouvons croiser sur un coin de rue des êtres insolites qui changent le chemin de notre vie. Notre amitié traversa les années. Leurs enseignements et leurs présences me sont précieux comme un joyau préservé au fond de mon cœur.

Ma reconversion ne releva pas du hasard. À la mi-décembre, au terme d'une séance d'acupuncture, je remontai vers l'avenue du Mont-Royal, redécouvrant l'euphorie proche des réveillons, journées de fébrilités heureuses, dont je n'avais plus profité depuis l'enfance. Le long d'allées grouillantes d'activités, je recommençai à exister sans cuisiner. La neige virevoltait en tourbillons depuis des heures. Je venais de repérer un groupe de garnements se bagarrant à coup de boules blanches. Appréhendant d'en recevoir une en pleine poire, je zigzaguai adroitement entre eux.

— Salut, soldat! entendis-je derrière moi sur la rue Sherbrooke, au carrefour de la rue Saint-Denis.

Malgré les années, je reconnus la voix d'Edward Walter. Le gars que j'avais tiré d'un mauvais pas au soir de mon arrivée dans un troquet de la place Jacques-Cartier se trouvait devant moi, sous une coiffure en peau de castor et un manteau de fourrure.

— T'es un sacré numéro! Tu m'as sauvé la peau, mais tu ne m'as jamais appelé.

— J'ai perdu ta carte de visite, insistai-je en lui serrant la main.

— Je t'invite au restaurant.

Je ne lui avouai pas que cela remontait à quelques payes que je n'avais pas mis les pieds dans un établissement, faute d'argent.

— Taxi! cria Walter en pleine rue.

Une voiture aux roues entourées de chaînes s'arrêta quasi instantanément.

— Rue Sherbrooke Ouest, numéro 1228, précisa-t-il au chauffeur.

— As-tu faim?

— Un peu.

Je rêvais de viande rouge et de vin en cascade. Au restaurant du Ritz-Carlton, le vétéran se plia à mon souhait. Mon allure détonait singulièrement de celle de la clientèle huppée. Je perçus quelques œillades désapprobatrices. Professionnel, le personnel de salle me réserva cependant un accueil courtois. Je compris que l'ex-officier était un habitué de la place (tellement différente du trou où je l'avais rencontré). Familier de ce foisonnement de luxe, je connaissais l'attitude à y adopter. Hautain, je snobai le voisinage. Devant un filet de bœuf Stroganov, mon hôte me détailla ses activités. Fondateur d'une compagnie de sécurité, depuis la fin de son temps d'armée, Edward Walter embauchait essentiellement d'anciens militaires désœuvrés ou handicapés, parfois des policiers ou des gendarmes retraités, qu'il affectait à des enquêtes privées pour des entreprises ou des particuliers. C'était une main-d'œuvre de qualité, dépréciée, évaluée à la négative et sous-utilisée, si l'on se fiait à son expertise. Protégeant divers édifices publics et privés des dégradations, des vols et des incendies, ses vigies patrouillaient dans différents secteurs de la ville.

— Je t'ai vu à l'ouvrage. Je t'engage.

— La violence n'est pas mon mode de vie.

Cette explication parut le satisfaire.

— Ce n'est pas le but, me rassura-t-il. Rien ne t'empêche d'appeler la police en cas de coup dur.

Sur le point de faire le deuil de ma carrière de rôtisseur, je cogitai.

— Tu sais écouter et observer ? aborda-t-il franchement.

— Autant qu'un cuisinier peut le faire ! Et fermer ma gueule, comme je l'ai appris dans des endroits comme celui-ci.

— Alors bienvenue dans ma compagnie.

Il me proposa même un salaire acceptable.

Le retour du jet d'ail

Formé à l'abc du vigie par d'anciens policiers, j'intégrai cet emploi en janvier 1929. En me voyant ainsi vêtu de l'uniforme bleu marine de la compagnie de sécurité d'Edward Walter, l'Inconnu faillit bondir hors de son châssis de bois. Des pompiers m'enseignèrent les rudiments du métier. Il me fut expliqué que j'aurais à affronter le feu à un niveau minimal. Je n'étais certes pas équipé pour éradiquer des incendies. Des vétérans au su des rigueurs des tranchées, des infirmiers et des ambulanciers m'initièrent aux premiers soins. Ma formation en combat à mains nues, personne n'aurait à s'en occuper (sauf Madame Chen, dont je mis un point d'honneur à rembourser les honoraires jusqu'au dernier sou). Je n'eus jamais à utiliser la force, même avec les fripouilles que j'affrontai en diverses occasions. Le secteur qui me fut octroyé se situait à l'ouest de l'hôpital Royal Victoria, à l'intersection de Park et Pine Avenues. Je patrouillai dans des rues aux demeures cossues situées aux flancs de la montagne et aux abords de plusieurs consulats étrangers. Sympathisant volontiers au gré des rondes et des procédures de vérification, je connus rapidement tout le monde. Deux années passèrent en un clin d'œil. Je m'en tirai plutôt bien, si l'on compte les pertes de milliers d'emplois en 1929, après le krach boursier de Wall Street et l'effondrement mondial de l'économie. J'entretins une liaison durant quelques mois avec la comtesse Natalia Orlova, rue Sherbrooke, à la Résidence du Château, un immeuble luxueux, à l'allure de forteresse médiévale et inspiré de l'architecture new-yorkaise, dont j'inspectai régulièrement les recoins. Je m'étais laissé séduire par ses charmes, car cette exilée russe avait de la classe, de la beauté et de la conversation. Elle avait échappé de justesse aux massacres de la révolution d'Octobre. Mais, pour tout avouer, nous explorâmes d'autres sujets plus gratifiants physiquement que les turpitudes de la politique internationale. Notre relation cessa d'un coup. Un soir que je me présentai à son appartement, je me trouvai en face du concierge, qui affirma qu'elle n'y habitait plus. Le lendemain à l'aube, une escouade de la Gendarmerie royale du Canada fit irruption à mon domicile. Inexplicablement, ils fouillèrent de fond en comble mon appartement, de la chambre à coucher jusqu'au salon. Sans rien trouver. Frustrés, ils m'embarquèrent et m'emmenèrent à leur quartier général sur Dorchester, où je fus passé sur le grill par un officier en tunique rouge et au chapeau rond qui m'accusa d'être un espion, parce que je fréquentais Natalia Orlova. En me balançant le *Codex référentiel* de Trinkwein sous le nez, il affirma qu'il s'agissait d'une grille de codes destinés à crypter des messages pour l'ambassade soviétique.

— C'est un ouvrage d'éthique culinaire en volapük, démentis-je. On y parle de travail, de compassion, de partage et d'équité.

— Ahhh-ha! Donc, vous ne niez pas que c'est un livre sur le marxisme! pérora-t-il, triomphant.

— Ridicule, remballai-je d'une logique décapante. C'est comme d'affirmer que la Bible est un manifeste des idées de Marx et de Lénine. Permettez-moi de vous dire, mon petit monsieur, que votre sens de la nuance vole au ras des pâquerettes!

Il maugréa, me traitant d'impie, d'athée et de sale communiste. Et je fus libéré avec le *Codex* en poche. Mon histoire déclencha l'hilarité d'Edward Walter, qui n'y crut tout simplement pas. Je ne connus jamais le fin mot de cette affaire d'espion russe. Quant à la belle Natalia Orlova, je n'en entendis plus parler. Dommage.

Relisant par après le *Codex référentiel*, il m'apparut que j'avais pris la distance nécessaire pour l'analyser librement. Mes souvenirs de l'Ordre s'estompaient, les bons comme les mauvais, sans rancune ni regret. Je ne me voyais plus vivre au rythme endiablé des broches. J'avais donné. Dans l'hôtellerie, tous les commerces se cassaient la gueule, faute de clients argentés. Cuisinant exclusivement pour mes repas, je passai définitivement à autre chose.

Début avril 1931, tuques et manteaux s'effacèrent en quelques jours du paysage aux mille clochers montréalais. Chassant l'hiver plus tôt que prévu, le printemps vira à la canicule sous le soleil de mai, avec pour conséquence que les incendies redoublèrent dans certains quartiers, surtout les plus défavorisés. La compagnie nous recommanda d'accroître les rondes, afin de prévenir les feux. Le 24 juin, à la Saint-Jean-Baptiste, les citadins, grillant du porc, des saucisses et des pièces de volaille sur les balcons, enfumèrent rues et ruelles. Je patrouillai sur Sherbrooke, où s'étiolait une procession religieuse menée par un cureton bénissant la foule de son goupillon au son des *Avé Maria*, et je notai qu'on était moins emboucané qu'ailleurs. Toute déduction faite, les Anglo-Saxons majoritaires du coin ne fêtaient pas le saint patron des francophones canadiens. Pourtant, à la Résidence du Château, une odeur de méchoui me taquina les narines. Au centre de la cour pavée, un jeune rôtisseur tournait une broche à la manivelle. Je reçus un collier d'ail sur la tête.

— Me prenez-vous pour le Dracula de Bram Stoker? m'écriai-je, furieux, en renvoyant les aulx en direction du cuisinier qui me les avait jetés d'une fenêtre au premier étage.

— Excusez-moi, monsieur. Je souhaitais que mon initié ajoute quelques gousses dans la marinade.

En levant la tête, je ne reconnus pas Petite du Valais; elle oui. Comment oublier, il est vrai, un homme qui vous lance un couteau près du visage à une première rencontre.

— Maître Sans Loi! s'exclama-t-elle joyeusement.

Je renouai avec l'Ordre aussi soudainement que la Suissesse venait de disparaître du bord de la fenêtre pour me rejoindre. À l'instant où j'hésitais entre filer ou rester, elle sauta dans mes bras, sans animosité envers le proscrit que j'étais. Elle n'avait plus rien à voir avec l'initiée que j'avais supervisée à l'atelier de maître Vaudois, à Lausanne, avant l'examen du Noble Urbanus. Elle était devenue une femme magnifique et épanouie. Elle me proposa de goûter à la souris croquante de l'agneau; j'acceptai le suprême honneur, moi, le renégat de l'American Royal Open.

— Notre dernière rencontre remonte au Congrès Anubis de Salonique, lui rappelai-je.

— Aux Halles de Baltard, plusieurs affirment que vous êtes mort.

— Affirmation de ceux qui ne sont pas parvenus à nous éliminer.

— Qui?

— Ceux que Razor nous a envoyés pour nous suriner. Ils l'ont appris à leurs dépens.

— Pourquoi une telle hostilité, maître?

— Plus personne ne me nomme ainsi, depuis des lustres.

Instinctivement, je perçus que la situation ne tournait pas rond. Visiblement, Petite du Valais ne comprenait pas. L'intensité pénétrante de son regard m'indiqua qu'elle voulait savoir mes raisons de porter un uniforme de vigie. Je n'eus pas envie de me perdre en explications, j'avais une ronde à terminer.

— Revenez ce soir pour le souper. Nous devons éclaircir certaines choses, insista-t-elle en me remettant sa carte de visite.

J'opinai froidement du bonnet et continuai mon chemin, persuadé de l'impossibilité de revenir en arrière. Tellement d'événements et de visages surgissaient dans ma tête : le cadavre de Seamus, Madame Falstaff, frère Boivin. J'enrageai, à un point tel que je sentis mes épaules se raidir. Il faisait encore clair, mais après le crépuscule, la ville qui fêtait ne tarderait pas à s'illuminer sous les feux d'artifice.

Petite du Valais demeurait au 3535 de la rue Saint-Denis, à quinze minutes de marche de chez moi, une demeure victorienne, dont elle me fit visiter l'atelier. À part son initié et l'indispensable plongeur, elle travaillait seule, comme beaucoup de maîtres que j'avais connus. Sans personnel fixe, elle déléguait le transport, les livraisons et l'organisation des buffets à des traiteurs spécialisés en événements. Devant les couteaux alignés et aiguisés glissés dans les présentoirs de boucherie, les étagères aux épices et aux bocaux de condiments, les crochets et les broches, les portes des chambres froides, le drapeau orné des cinq cercles, je replongeai dans ma première existence. En fixant le portrait de Vaudois, j'entendis :

— La grippe espagnole a eu raison de lui en septembre 1918. La guerre n'était pas terminée, je n'ai pu retourner à Lausanne pour sa crémation…

« Nos maîtres disparus, autant de blessures lancinantes ravivées au gré des souvenirs ! » pensai-je, amer, observant l'âtre où l'initié aperçu à la Résidence du Château rôtissait quatre volailles dodues.

— Initié Jacques de Maliotenam, que nous préparez-vous ? s'enquit Petite du Valais, pour la forme.

— Poulet de Bresse farci de truffes périgourdines ! énonça le jeune autochtone. Souhaitons que maître Sans Loi apprécie.

— Les fumées trahissent quelques délices, initié de Maliotenam. Seul un maître serait digne de vous complimenter. Et je ne le suis plus.

— Nous en causerons après le repas, proposa Petite du Valais, coupant court au dialogue en m'entraînant à l'étage.

Là-haut, elle me présenta son mari, Eugène Brasier, un maître d'hôtel et sommelier genevois, homme jovial et chaleureux qui officiait au prestigieux Beaver Club, institution montréalaise rassemblant les hommes d'affaires les plus en vue. Coquins et bien éduqués, leurs fils, Xavier et Adrien, jeunes adolescents, cessèrent de chahuter dès que nous fîmes les présentations. Après l'apéritif, Brasier nous proposa de nous asseoir à la table, nappée et dressée pour quatre services : gravlax de truite saumonée en entrée froide, consommé de bœuf aux chanterelles, grosse pièce et dessert. Deux bouteilles de vin attendaient nos palais, un blanc, un rouge, pas de la piquette. Au travers de la fenêtre de la salle à manger, on distinguait le carré Saint-Louis, son parc et ses maisons aux façades modelées par de talentueux ébénistes. Le repas se déroula en conversations anodines. Comme si l'Ordre n'eut jamais existé, je comptai les aléas de ma nouvelle routine. La Suissesse céda la jasette à son mari, volubile. Eugène Brasier avait appris son boulot dans plusieurs auberges étoilées à Genève, cité à la prestigieuse réputation hôtelière. Ils s'étaient rencontrés durant un banquet commandé à maître Vaudois par un banquier zurichois. Au début de sa vie commune, le couple avait ressenti l'appel du voyage. D'abord maître errant, le statut de Petite du Valais leur avait permis ce mode de vie. Après avoir travaillé dans plusieurs pays, ils s'étaient installés au Canada. Nous appréciâmes les poulets truffés sans commenter. Au croquant de la peau, on reconnaissait la touche magique de l'Ordre. Une fois les îles flottantes du dessert englouties, le mari et ses garçons quittèrent la salle à manger d'un œil complice.

Le service de café reposait sur un guéridon avec un plateau de biscuits, des alcools et un seau de glace. Était venu le temps des confidences. Tout en sirotant le mélange colombo-brésilien corsé, je jetai les dés :

— J'ai perdu le contact avec l'Ordre au jour de l'attentat de Sarajevo. J'étais à Helena dans le Montana, mandaté par Mathias Balthazar afin d'évaluer si les maîtres réformateurs, sous contrat avec le cirque Barnum, œuvraient dans le respect du *Codex référentiel*. Sans nouvelle du siège social, je venais d'expérimenter un éventail de techniques de cuisson rebelles. J'y reviendrai. Vous d'abord.

— Nous sommes au quartier général du siège social pour l'Amérique du Nord, m'annonça-t-elle. J'en suis la directrice. Les archives de New York, les dossiers de nos membres et de nos activités sont classés dans une mansarde. Il manque le vôtre, celui de Madame Falstaff et ceux de bien d'autres. Ce que je vais vous apprendre m'a été confié par la correspondance que je poursuivis durant la guerre avec maître Vaudois, et par ce que j'ai appris aux Halles de Baltard, lors des dernières assemblées générales. Il y a tant à dire, je ne sais par où commencer, avoua-t-elle en soupirant.

— Entamez au 28 juin 1914, proposai-je.

— L'Ordre ne s'est pas remis des années découlant de ce jour. Si l'on considère que plus d'un tiers des nôtres disparurent. Dès les hostilités, les communications entre les sièges sociaux à l'étranger et le siège parisien se sont amenuisées drastiquement. Nos frères mobilisés ont rejoint les armées dans la plupart des pays, aussi notre fraternité s'est-elle retrouvée amputée de toute structure administrative. En août, avec l'instauration du rationnement et d'une économie de guerre, l'activité des membres est devenue quasi nulle au moment de l'invasion de la Belgique et de la France. Razor Barbakos n'est parvenu à maintenir de l'organisation qu'une apparence purement symbolique durant quatre ans. En 1918, personne n'avait été épargné, même au sommet hiérarchique. Déporté par les Ottomans, Manoukian a disparu durant le génocide arménien. Razor Barbakos n'a pas survécu aux obus tirés sur Paris par la Grosse Bertha. Dès l'armistice, une élection s'est déroulée sous l'auspice du doyen Olafsen. Clarence Marmaduke en a émergé vainqueur. En 1922, au Congrès Anubis de Chelmsford, nouveau siège de l'Ordre, nous avons constaté de visu l'ampleur du carnage. Tant des nôtres manquaient à l'appel. Avec la Révolution russe, un second conflit gréco-turc, un autre dans les Balkans et des tensions sociales sur plusieurs continents toujours colonisés et avec nos membres qui avaient combattu dans des camps adverses, l'Ordre a vécu une crise morale dans un monde à repenser globalement. Durant deux mandats, jouant sur la fibre fraternelle, Marmaduke est parvenu à rassembler quelques forces vives. Mais entre conservateurs et réformistes sont réapparues des divergences au sujet des nouvelles politiques à adopter sur les méthodes de travail et d'enseignement. En 1927, la fin horrible de l'excentrique éleveur de moutons de l'Essex a suscité l'épouvante. Au terme de la guerre, il faut savoir que Marmaduke avait élargi ses activités à la production porcine. Il a succombé à une crise cardiaque dans sa porcherie. Son entourage inquiet a retrouvé les restes de son cadavre dévoré par les cochons.

— De ce destin tragicomique, le Vénérable Wang aurait sans doute commenté : « Tsé ! Situation karmique, il a mangé la chair et celle-ci à son tour l'a dévoré », interrompis-je.

— Pour l'oraison funèbre de Clarence Marmaduke, notre confrérie a évité l'humour caustique de l'ancien disparu, souligna Petite du Valais. Et le vieux N'goma, qui lui a succédé, siège actuellement aux Halles de Baltard. Vous, maître Sans Loi, murmura-t-elle alors d'une voix douce...

— Sans Loi, rectifiai-je avec insistance.

Je commençai mon récit à l'instant où Hakim me remit mon ticket de départ aux Halles de Baltard. J'évoquai nos adieux à la gare. L'un et l'autre étions persuadés de nous revoir. De mon arrivée à Ellis Island, hormis ma mésaventure sur le *Lusitania*, je n'omis rien. Jusqu'au jour de mon embauche par Edward Walter.

— Et voilà !

L'initiée de Lausanne et moi, nous venions de conclure notre voyage au bout de la nuit. L'aube pointait à peine sur le carré Saint-Louis.

— L'Ordre doit élucider cette affaire, trancha Petite du Valais. Me comprenez-vous ?

— Tellement d'années sont passées ! affirmai-je perplexe. Est-ce important ?

— Oui. Je dois en informer le siège social à Paris. Sachez qu'ils vont réentendre parler de vous. Ils n'ont pas le choix d'enquêter.

Étonnamment, après cette rencontre de la Saint-Jean-Baptiste, Petite du Valais ne donna plus de nouvelles. Comprenant que c'était l'été, j'y accordai peu d'importance. Tous les Montréalais décrochent durant cette période, sauf les maîtres du méchoui, dont c'est la haute saison. Étant recasé dans un autre domaine, je ne jugeai d'ailleurs plus essentiel que la vérité émerge. Malgré son accueil chaleureux, je ne comptai pas fréquenter le couple Brasier (du reste fort sympathique) au-delà des règles de courtoisie. Ignorant que mon histoire remuerait la merde jusqu'à Paris, je patrouillai dans mon secteur, mémorisant durant mes temps libres les positions du taiji quan de Madame Chen sur le mont Royal.

Pendant des semaines, avec une dextérité d'horlogère, la Suissesse démonta le rouage de mon récit, ressort par engrenage, auprès des bureaux de la direction générale du cirque Barnum et celui des autorités d'Helena, jusqu'à ceux de l'inspecteur Gaël Fitzgerald à Boston. Recoupée point par point, sous le coup d'une enquête interne, mon odyssée déjantée fut scrupuleusement vérifiée par les membres administratifs du siège social montréalais. À Hartford dans le Connecticut, Anthémus Proctor, qui avait poursuivi ses activités dans l'industrie de l'armement après la guerre, confirma à l'un d'eux la véracité du fabuleux périple de l'American Royal Open, et de sa fin dramatique. Un vendredi soir, au terme du mois d'août, je pris connaissance d'un télégramme me proposant de me rendre le lendemain au domicile des Brasier.

Un petit-déjeuner surprise, annonçait le courrier au nom de Petite du Valais.

Son mari avait préparé un festin : des œufs et du bacon, des saucisses grillées, des cretons, des fèves au lard et des crêpes, une salade de fruits et du gâteau aux carottes, des tartes aux différentes saveurs et des carafes de jus de fruits fraîchement pressés. Durant tout le repas et malgré l'atmosphère joyeuse, mes hôtes sondaient régulièrement le cadran de l'horloge de la salle à manger. La sonnerie du téléphone résonna et le couple sursauta. Petite du Valais se précipita sur l'appareil.

— Oui, il est là! Je vous le passe, maître, compris-je quand elle me tendit le cornet.

— Longtemps, mon ami. Très longtemps! entendis-je à l'autre bout du fil.

Ébranlé, je reconnus la voix d'Hakim! Il poursuivit :

— Mon frère, ô combien je suis choqué de l'injustice dont vous avez été victime!

— C'est du passé, Hakim, répondis-je, la voix cassée par l'émotion. Ce qui ne te détruit pas te rend plus fort. Somme toute, la formation de Trinkwein m'aura permis de survivre. Si j'ai parfois manqué d'énergie, je n'ai pas manqué de travail. J'ai vécu en dehors de l'héritage professionnel qui me fut légué. Et je ne regrette rien.

— Petite du Valais m'a tout raconté. Je ne peux te parler plus longtemps, ici les choses sont en train de bouger. Mais viens à Paris! Il est indispensable que tu témoignes aux Halles de Baltard.

— Naaan, je suis tanné de ces niaiseries entre réformistes et conservateurs!

— L'accent et le langage colorés de ton pays adoptif ont déteint sur toi! Mais tu es un fils des Trois-Frontières, disait Trinkwein en parlant de toi. Chaque atome de ta personne vibre à l'évocation de tes anciennes terres. Que tu le veuilles ou non, le visage des tiens, son brouillard d'automne, ses cours d'eau, ses forêts, ses villages de pierres et de tuiles, même son histoire, transpirent de ta peau à chaque variation de température. Les neiges infinies, le froid des ours polaires et des Esquimaux n'y changeront rien. Je suis certain que notre Comité des Sages serait prêt à t'entendre.

— Pouahhhh. Désolé, j'ai tourné la page. J'aurai plaisir à te revoir, mon ami, mais la pensée de disserter des subtilités du *Codex référentiel* avec ces vieux croûtons me flanque de l'urticaire!

— Je n'en crois rien. Pour preuve, tu n'as pas manqué d'évoquer le livre. L'âme des nôtres réside toujours dans chaque particule de toi-même. À bientôt.

Il raccrocha.

— La santé de N'goma chancelle, m'informa Petite du Valais. Il doit annoncer la tenue de la prochaine élection aujourd'hui même.

— Comment êtes-vous au courant?

— En début de semaine, la nouvelle est parvenue dans tous les sièges sociaux étrangers. Maître Hakim est prétendant au poste de Grand Élu. Le scrutin se déroulera à la fin du mois d'octobre. Il me reste un mois pour vous persuader de m'accompagner à Paris.

— Une vie entière n'y suffirait pas! rétorquai-je d'un ton catégorique.

La lettre

Un argument me fit changer d'avis : durant le temps où j'avais pratiqué mon art hors du giron des Cinq Cercles, je n'avais jamais retrouvé la symbiose interculturelle qui y régnait. Cela m'avait manqué énormément. Fondamentalement, j'avais été taillé par les burins de diverses cultures, avec respect, bienveillance et professionnalisme. Dans l'Ordre, le schisme entre réformateurs et conservateurs relevait essentiellement de l'idéologie. Un enseignement doit-il respecter littéralement les fondements immuables d'un livre ancestral, ou évoluer dans le sens des sociétés ? Apparemment, personne n'était parvenu à résoudre ce questionnement. Idéaliste impénitent, je me persuadai alors que de témoigner devant les Sages servirait un modèle sociétaire lilliputien de tolérance, inédit autant qu'inconnu, ayant survécu aux décennies chevauchant deux siècles. J'imposai la condition d'être accompagné pour ce voyage par mes pairs renégats. Incapable de retracer le Grec Dimitrios, Petite du Valais parvint à en réunir trois autres. Je retrouvai mes amis à Montréal, la semaine de notre départ. Depuis notre séparation brutale, ils s'étaient débrouillés honorablement. Utilisant des systèmes de cuissons électriques mis au point par Anthémus Proctor, Tygris et son mari Blanchard exploitaient une rôtisserie dans le quartier français de La Nouvelle-Orléans. Ils projetaient d'établir des franchises partout aux États-Unis. Installé à Chicago depuis la fin de la guerre, jamais inquiété par les pègres locales, Perang y avait été le propriétaire d'un restaurant près des célèbres abattoirs. En fait, nous expliqua-t-il, il s'agissait d'une couverture à un débit d'alcool clandestin, établissement qu'il tenait en prête-nom au sinistre Al Capone. Condamné par mon choix de retraverser l'Atlantique sur le *SS Athenia*, un paquebot de la Anchor-Donaldson Line transportant mille cent passagers, j'embarquai donc pour Glasgow, la première étape de notre croisière, en compagnie de Petite du Valais, de son initié Jacques de Maliotenam, de Madame Tygris, de Blanchard White et de Perang de Batavia. J'emportai dans ma malle ma trousse de couteaux, quelques souvenirs et mon Inconnu. Quitte à sombrer, autant le faire avec ce qui m'était précieux.

— *Prépare-toi à des surprises*, affirma Joyal.

Docteur Chen et Docteur Chow ne manquèrent pas de venir me saluer sur les quais. Ils me confièrent qu'ils avaient quelques craintes que je ne revienne pas. Je les rassurai :

— Je suis Montréalais.

PARTIE 4

Lettre posthume

À bord, mes compagnons ne m'épargnèrent pas les railleries, cherchant à découvrir la raison m'incitant à conserver mon gilet de sauvetage sanglé autour du torse durant toute la navigation. Tellement, que j'eus un instant la tentation d'exposer mon traumatisme du *Lusitania*. Je ne le fis pas. Du reste, mon intuition ne fut pas si mauvaise, car le *SS Athenia* n'échappa pas à un destin funeste. Il fut torpillé huit années plus tard, le 3 septembre 1939, à 370 km au nord-ouest de Inishtrahull, en Irlande, par un sous-marin nazi, alors qu'il effectuait un trajet similaire au nôtre. De Glasgow, nous joignîmes Le Havre. En touchant le sol de France, nous anticipions que notre démarche serait chargée d'émotion, surtout pour Perang. Nous avions à l'esprit que notre aîné avait figuré en tête de liste des Élus potentiels, à la succession du premier mandat de N'goma, des années auparavant, avec, entre autres, Madame Falstaff, Clarence Marmaduke, la Baronessa et Razor Barbakos. Malgré une maladie pulmonaire, il fumait comme une cheminée. Petite du Valais l'engueulait pour qu'il arrête de polluer notre atmosphère avec ses cigarettes parfumées au clou de girofle. En bon animiste, Perang répondait en riant comme un con :

— Hahaha. Ce n'est pas grave. Hahaha. On sacrifiera un buffle et ça ira mieux ensuite.

Crachant du sang depuis peu, se sachant condamné, il lui restait le désir de mourir sur sa terre natale lointaine.

— Avant, ronchonnait-il. J'ai envie de voir quelques têtes tomber.

Il n'était pas dans nos desseins de réintégrer l'hémicycle des Halles de Baltard avec des vœux pieux de repentance, mais en approchant de Paris, nous ressentîmes une certaine mélancolie. Celle des choses qui n'ont pas eu lieu, mais qui auraient pu être, celle aussi qu'éprouve un exilé en songeant à son pays. *Saudade*, traduisent les insulaires du Cap-Vert.

Nous logions à l'hôtel Bergère, en face du cabaret des Folies. J'y avais bamboché avec Hakim, du temps de nos jeunesses. La ville, frénétique, était telle que je l'avais quittée, exception faite de la mode vestimentaire et des modèles automobiles. Deux jours après mon arrivée, je retrouvai Hakim au Café Parisien, le bar réservé aux messieurs, situé au rez-de-chaussée de l'hôtel Ritz, au 15 de la place Vendôme. Le bistrot luxueux lui servait de lieu de détente, entre l'Ordre et Aicha, sa jeune épouse qu'il avait rencontrée personne ne savait où, ni comment. Assis dans un fauteuil en cuir noir, il dégustait un Cointreau en feuilletant le journal *Le Figaro*. À 10 heures du matin, l'endroit n'était pas encore enfumé par les cigares. Dès qu'il m'aperçut, sourire en coin, il se dressa et me tendit une main que je serrai longuement. Incapables de murmurer un mot, nous nous sondâmes réciproquement, enregistrant les outrages du temps, rides sur nos visages et calvities naissantes. Une jolie brune, entrevue dans l'autre bar en face, le Café des dames, accueillant exclusivement les femmes, se dirigea vers le comptoir où deux tronches bouffies d'alcool sifflaient des cocktails. Hésitante, elle s'approcha de celui de gauche. Bras dessus bras dessous, ils sortirent ensemble sous le regard amusé du barman et celui du second prétendant, visiblement frustré.

— Cher Sans Loi, ce lieu mythique n'est plus ce qu'il était! Ne le fréquente qu'une génération perdue par la guerre à la recherche de plaisirs éphémères! dit Hakim, l'œil malicieux. As-tu vu cette pouffiasse à l'œuvre?

Il ne me laissa pas le temps de répondre.

— Elle s'appelle Anaïs Nin, écrivaine de renom, coqueluche des salons de la belle société parisienne. Si c'est là notre élite littéraire, proclamons qu'elle rase la fiente des poulaillers. Au bout du zinc, à droite, nous avons Ernest Hemingway, Américain, écrivain, soûlographe et pilier de comptoir. À gauche son rival, Henry Miller, Américain, écrivain, clochard et pochetron. Selon un ballet organisé par le flux de ses hormones, Nin la pouffiasse embarque soit l'un, soit l'autre. Un serveur m'a confié qu'ils partouzent parfois tous les trois. Aujourd'hui, Miller empoche la mise...

— Mauvaise langue! l'interrompis-je.

— J'adore, je l'avoue.

— Heureux de te revoir.

— Je le suis tout autant que toi, mon frère! La colère de ce que l'Ordre t'a fait subir ne diminue en rien la joie de te retrouver.

— Un Cointreau sur glace, commandai-je à un loufiat en lorgnant la consommation sur la table.

— Deux, appuya Hakim. Nous avons quelques verres de retard.

Je rigolai. C'était comme si nous nous étions quittés la veille. Extirpant d'un cartable un dossier qu'il déposa devant moi, il aborda le sujet qui nous rassemblait. En le parcourant du regard, je déduisis à l'en-tête que les pages avaient été dactylographiées au siège social montréalais. Je les scrutai attentivement. Le rapport relatait mon cheminement aux États-Unis et au Canada.

— Tout y est, commentai-je.

— Quelle odyssée ! Et nous n'en savions fichtre rien, coupa Hakim. Quand Mathias Balthazar a mentionné dans ses rapports destinés au siège que tu peaufinais la formation d'initiés dans l'Ouest américain, nous n'avions pas de raison de soupçonner qu'il mentait. C'était ton travail. De plus, vous aviez déjà collaboré à Londres.

Je ne pouvais nier.

— Qu'est devenu ce salopard ?

— Nous n'avons reçu des informations le concernant qu'après l'armistice, alors que l'Ordre émergeait de quatre années de quasi-inactivité. À la fin de 1915, maître Delgada a croisé son chemin à Buenos Aires. Puis il a rejoint Vienne. L'initié Isaac Goldenberg, fantassin dans l'armée austro-hongroise, l'a reconnu dans un train militaire, alors qu'il partait rejoindre son régiment sur le front italien. Balthazar arborait un uniforme des chasseurs de montagne. Depuis, aucune nouvelle ne nous est parvenue.

— Sa mort est-elle à considérer ?

— Statistiquement, oui, mais qui peut la prouver ? questionna tout haut Hakim. À la déclaration de guerre, tu ne peux imaginer le boxon aux Halles. L'armée m'a rappelé en catastrophe. Des officiers nous ont poussés flingue dans le dos dans des taxis parisiens en direction de la Marne, pour arrêter l'avancée allemande... À ma première permission, je suis revenu au siège. Razor dirigeait des courants d'air. Prétextant que notre organisation se ramifiait jusque dans les empires ennemis, le ministère de la Guerre a posé les scellés sur la plupart de nos activités. Le service du courrier était inopérant.

— Cette pensée m'avait effleuré l'esprit à l'époque ! l'interrompis-je.

La raison pour laquelle je n'avais pu joindre le siège m'apparaissait enfin, limpide. Il me conta ensuite que l'état-major l'avait expédié *manu militari* sur la ligne de front dans la région d'Ypres, en Belgique, à la tête d'une compagnie de tirailleurs algériens, à l'endroit précis où les troupes coloniales et celles du dominion du Canada avaient subi les premières attaques au gaz de l'Histoire.

— J'ai failli clamser asphyxié. Seul survivant, j'ai été hospitalisé dans un sanatorium un an et demi, pour conclure mon temps d'armée comme chef cantinier d'une popote roulante bombardée régulièrement par l'artillerie et l'aviation du kaiser. Je suis revenu aux Halles une semaine après la fin de la guerre.

Il n'avait pas chômé. Ainsi, j'appris que durant les tractations du traité de Versailles, beaucoup de nos frères avaient œuvré dans les coulisses des repas où s'était négociée la drôle de paix de l'entre-deux-guerres. Pendant qu'au siège social, quelques membres administratifs s'acharnaient à dresser les listes funéraires, avec en tête Razor le Grand Élu et Manoukian, son prédécesseur. Il y avait parmi ces types des éclopés qui rameutaient désespérément nos survivants à travers le monde. Dès 1920, sous l'égide exceptionnelle du doyen Olafsen, l'Ordre s'était rebâti petit à petit, consacrant au titre de Grand Élu Clarence Marmaduke, buveur impénitent et vétéran de la Somme. Le vieux N'goma lui avait succédé. Dès la normalisation des activités, les antiques disputes sémantiques n'avaient pas tardé à réapparaître.

— Je brigue le poste suprême, m'annonça alors Hakim. Un pan essentiel de notre histoire a ressurgi quand ton destin et celui de Petite du Valais se sont recroisés. Depuis des années, ton nom, celui de Madame Falstaff et de nombreux disparus filtrent dans nos débats, créant un malaise perceptible dans nos assemblées. Notre fraternité a besoin d'éclairer notre passé obscur, si elle veut envisager un futur que je souhaite serein mais que je crains sombre.

— Je témoignerai, pour toi, mon ami. Je m'en tiendrai à cela. Les Cinq Cercles appartiennent désormais à ma mémoire.

— Je comprends, acquiesça Hakim, en éclusant son Cointreau. Retrouvons-nous demain aux Halles, à la réunion de 11 heures.

— J'y serai, avec Madame Tygris, Blanchard White et Perang. Préviens ces schnoques du Comité des Sages que nous occulterons certains règlements en vigueur. Oublie les gibus, les redingotes et autres débilités obsolètes... Ajoutons le prêchi-prêcha moralisateur et récurrent sur le *Codex référentiel*. Je n'ai plus d'épaules, mais une tête assez solide pour asséner des coups de boules redoutables. Et des pointes de pieds qui me démangent à l'idée d'écrabouiller quelques roubignoles. Notre stratégie est *quadri-simple*. On se pointe en quatuor. On témoigne. On répond à vos questions. On décrisse. Pas envie d'entendre les calembredaines usuelles !

— Tout cela nous promet un débat animé ! dit Hakim en se frappant soudain le front du bout des doigts. J'oubliais la lettre ! Pardonne-moi. Les relents de gaz moutarde stimulent en moi des omissions inexcusables !

— Quelle lettre ?

— Celle écrite par feu Trinkwein.

Il me la remit. J'identifiai aussitôt l'écriture sur l'enveloppe, partiellement effacée par les années.

— Dugommier nous l'a envoyée en 1921 par la poste en courrier recommandé. Elle lui est tombée dans les mains alors qu'il rangeait le grenier de sa demeure.

— L'indispensable, je l'avais oublié celui-là ! Il avait hérité de la maison de Trinkwein.

— Exact. Je sais qu'il a épousé une fille des Trois-Frontières. Elle s'appelait Marie Colombe. On la surnommait Marie-Colombe-qui-pue-des-pompes !

— Avec un surnom pareil, je suppose qu'ils formèrent un couple heureux. Qu'est-ce qu'elle raconte cette lettre ?

— Défraîchie par le temps, elle jaunissait dans nos archives. Nous l'aurions ouverte, si nous avions reçu la confirmation officielle de ta mort. Mais je me suis persuadé du contraire. On ne se débarrasse pas facilement de la mauvaise herbe ! Je me casse. J'ai une réunion à 13 heures, avec mon caucus réformateur, puisque j'en suis dorénavant le chef. Bonne lecture et à demain.

Il était midi pile quand Hakim s'éclipsa ; nous avions passé deux heures ensemble. Le barman me proposa le plat du jour, une entrecôte persillée au beurre maître d'hôtel avec des frites. L'estomac retourné par ces retrouvailles et le Cointreau, je n'avais pas faim. Je commandai un café en retournant entre mes doigts la dernière lettre rédigée par maître Trinkwein. En fendant légèrement le dessus du papier avec le plat d'une petite cuillère, j'en humai l'odeur évanescente, captant quelques particules olfactives de mon vieil atelier. Elle datait de deux semaines précédant son décès. Je travaillais à Londres, à l'époque. Alors qu'Ernest Hemingway titubait sur son tabouret de comptoir, je plongeai sans peur cette fois dans un vortex espace-temps de trente ans.

Mon garçon,

J'aurais aimé que nous tournions la broche de l'adieu ensemble, mais, depuis ton départ, mes énergies s'effritent. Je viens de sceller mon testament, que je remettrai demain au notaire. À l'instant de ta lecture, je me serai fondu dans le vide créateur. Grâce à une plume, je te tends la main et te parle une dernière fois. Mes doigts tremblent sur l'encre des mots. Sans moi, je te laisse maintenant le soin d'explorer ton destin. N'oublie pas que je serai toujours à tes côtés et combien tu fus apprécié. À toi de parcourir le marathon solitaire et ingrat des maîtres, toujours à l'ouvrage, alors que leurs convives fêtent et s'amusent, parfois à en perdre tout sens de la retenue. Je te cède le relais définitif. À ton tour d'attiser les braises de la vie, de chercher la cuisson juste dans la sueur de ton labeur. Au-delà du corps et du mental brimés par le travail des ateliers, trempé comme l'acier des lames par la chaleur des fours et l'humidité glaciale des celliers, en parcourant des contrées lointaines, étreignant d'égale humeur la joie des rencontres et la peine des séparations, j'espère que tu trouveras le bonheur. Je souhaite que te vienne alors la sagesse de transmettre à une nouvelle génération la voie pour l'atteindre. Longtemps prisonniers de notre rigueur professionnelle, nous sommes confrontés un jour à la vérité que la perfection de l'art n'existe que dans l'idéal; enseigne ce qui te fut transmis, en l'adaptant au rythme temporel du changement perpétuel.

Et n'oublie pas que tout ce qui se fige meurt.

Quelques lignes plus personnelles maintenant. Il faut que je t'avoue que si je t'envoyai autrefois à l'atelier de Pablo, ce geste me fut ordonné par Manoukian, en représailles du revers public que je lui infligeai, alors que j'esquivai habilement sa question posée sur le Codex référentiel destinée à me piéger. C'était un avertissement pour que je n'interfère pas dans l'élection du Grand Élu. Souviens-toi, c'était durant ta première présence aux Halles de Baltard. Quoique tu fusses victime des tirailleries politiques de l'Ordre, je demeure persuadé que l'Argentine t'aura apporté une expérience bénéfique. Le temps est venu de te parler de l'Inconnu, celui de la photographie, ne pas le faire serait cruel, injuste... Comme tu le sais, le maître s'appelait Joyal. Prestigieux et original, il était mon mentor, mon meilleur ami et mon cousin. Ton père aussi. Sache que tes parents t'aimaient. Je regrette qu'ils n'aient pu te voir grandir et *progresser. Tu es aussi brillant qu'intuitif, farceur et râleur, parfois misanthrope, jamais misogyne, comme Joyal. Personne n'a brisé ce silence de tes origines, à cause d'une ancienne loi abolie par ton père. Grand Élu, il mit fin au système des lignées familiales, afin d'élargir l'enseignement à toutes et à tous. Pour lui, seule comptait la valeur personnelle d'un initié. Qu'importe d'où il vienne et de quelle lignée il provienne. Dans ton cas, être le fils reconnu de Joyal eut été un fardeau. Principalement face aux conservateurs, car il apparut comme un pionnier de la réforme du Codex référentiel, en cherchant un chemin acceptable pour tous de moderniser nos méthodes. Il percevait la métamorphose naturelle des choses et que notre enseignement, s'il ne se concrétisait pas dans un actuel permanent, disparaîtrait immanquablement. Si ces révélations t'attristent ou te heurtent, je m'en excuse. Je n'ai pas eu de fils, mais si le destin m'en eût fait cadeau, j'aurais été fier qu'il te ressemble.*

Bonne route, mon garçon.

Trinkwein

P.-S. - Je dois te poser l'ultime question avant d'entamer mon congé éternel. Élie te la posa autrefois. Tu y répondras quand tu seras prêt :

Pourquoi l'art du méchoui est-il le mode supérieur de cuisson ?

Je fermai les paupières pour contenir mes larmes. Tant de souvenirs frémissaient dans ma tête. Dans une lumière éblouissante, Trinkwein surgit dans mon esprit pour me rassurer et me fit un magnifique sourire en s'éteignant. Je m'étais fait à l'idée de ne pas avoir de père, alors qu'il avait toujours été près de moi sous la forme d'un portrait. Quelle leçon de vie !

— Ça n'a aucune importance, maître, répondis-je tout haut en repliant la lettre. L'art du méchoui est universel.

Hakim

Avant que nous nous présentions, au siège, seul un nombre restreint de membres administratifs avaient étudié le rapport de Petite du Valais. En recommandé postal, le siège social leur en avait fait parvenir un exemplaire dactylographié, avec l'impératif d'en peser consciemment chaque implication. Notre apparition à l'assemblée créa toute une surprise car seuls le Grand Élu, le Comité des Sages et les têtes de listes pour l'élection suprême avaient été informés de notre présence. Cette réunion préélectorale clôturait officiellement le mandat de N'goma du Nyiragongo. Depuis que Mesdames Zamora et O'Malley avaient choisi de se retirer de la course, trois noms de candidats revenaient sur les lèvres : Hakim, un membre administratif innovateur et à l'influence grandissante depuis la fin de la guerre, et deux maîtres techniquement accomplis, mais aux convictions radicales, le Portugais Delgada et l'Élégant Sansom, originaire de l'île de Malte. Dans cette joute, symbolique du renouveau de l'Ordre, l'Algérien partait favori, car ses adversaires divisaient le vote au cœur des conservateurs, au grand dam des pontifes du Comité des Sages. Étant donné qu'en période d'élection, une loi interdisait les sondages, nos membres s'épuisaient en suppositions. Nous arrivâmes en catimini, à deux minutes du début de la réunion. Dès nos premiers pas dans l'enceinte, cinq cent cinquante-cinq regards pointèrent vers nous dans un silence d'outre-tombe. La plupart ne comprirent pas qui nous étions. Hakim désigna nos sièges, avant de rejoindre le sien. Nous nous installâmes à l'extrême gauche de l'hémicycle et Perang, fin observateur, repéra une nouvelle habitude :

— Ils communiquent entre eux avec des petits mots circulants de main en main !

Pourtant, au premier coup d'œil, rien n'avait changé. Cheveux et barbes blanches, les badernes dogmatiques du Comité des Sages siégeaient sur leur séant, telles de pathétiques copies de druides celtiques. Je connaissais de vue le doyen bâtonnier. En poste depuis le décès d'Olafsen, c'était un vieillard originaire du Val d'Aoste. Discret et effacé, il toisait parfois l'assemblée d'un regard de vautour. Derrière lui se trouvaient le Coréen Cheon Park, maître du faux-filet persillé, l'Écossais Mac Allister, le Tunisien Béchir et l'Islandais Görn. Si je me fiais aux souvenirs de Perang, leurs affinités politiques penchaient vers les tendances conservatrices de l'Ordre. En sondant ces visages, inconnus pour l'essentiel, je constatai que la guerre avait rayé une foule de personnalités sympathiques, mais aussi des crapules qui ne répondraient plus de leurs infamies. Appuyé sur une canne, N'goma, affalé sur sa chaise de Grand Élu, rajusta son boubou multicolore d'un geste lent. C'était un vieillard voûté comme un roseau sous le vent et avec des cheveux blancs.

— *Menade bal, püki bal!* déclara-t-il d'une voix de ténor.

Il ne paraissait pas malade, pas encore.

« Une humanité, une langue », traduisis-je mentalement.

— Honorés membres, soyez les bienvenus, continua N'goma. En saluant ici la présence du maître Petite du Valais et de son initié Jacques de Maliotenam, que je vous présente, je déclare ouverte l'assemblée générale. Avant de laisser place à nos débats, j'aimerais marquer ma présence ultime en ce dôme sacré par une prière pour des membres qui marquèrent d'un sceau indélébile l'histoire de notre confrérie et qui méritent l'entièreté de notre respect.

En se redressant sur sa canne, il entama d'une voix émue :

— Vénérés maître Seamus et initié Ézéchiel Brown, Boivin de Québec, Vanneau, Diouf, Schulz, Ingallina, Sousa, Dame Évangéline Falstaff, dans le ciel, il n'y a pas de distinction entre l'est et l'ouest, le nord et le sud, tu ne vas nulle part, car il n'y a nulle part où aller.

Ainsi énoncé officiellement par l'Élu, l'éloge funèbre de membres renégats sema la consternation générale. Suivi par des applaudissements et des coups de sifflet, un « Ohhhhhhh » collectif envahit l'espace.

— Silence, silence ! tonna le doyen bâtonnier en martelant de son maillet un socle en bois. Je rappelle respectueusement au Grand Élu de s'en tenir à son devoir de réserve ! Greffier Hurlusse, versez cette note au dossier des amendes.

En ajustant ses binocles sur le bout de son nez, Hurlusse, qui avait pris un méchant coup de vieux et une trentaine de kilos, inscrivit le procès dans un livre noir. En acquiesçant humblement, N'goma esquissa un sourire de nacre. L'Africain venait de planter la graine d'une politique nouvelle. C'était son ultime coup fumant, exécuté alors que sa maladie au terme de sa gouvernance rendait inatteignable toute sanction envers sa personne. Quand les participants furent assis, le bâtonnier reprit la parole en volapük :

— Pour gagner de précieuses minutes, nous grignoterons sur le chrono dévolu aux formalités administratives, ce qui est hors d'usage. À sujet exceptionnel, procédure exceptionnelle.

À l'ordre journalier, des faits qui se sont déroulés en 1914, mais dont nous n'avons été informés que récemment, via un rapport du siège social montréalais. Maître Hakim, je vous cède la parole.

— Ça va chauffer, initié de Trinkwein. Je le sens, je le sens, entendis-je derrière moi, alors que Baphomet l'angora se frotta contre mes jambes.

J'aurais reconnu cette voix entre mille !

— J'écarte de moi l'idée de te saluer d'une empoignade chaleureuse, Noble Urbanus, chuchotai-je. Car je devine que tu auras mis les voiles dès que j'aurai tourné la tête.

— Effectivement, Sans Loi. J'ai une réputation à maintenir, nonobstant ta présence me comblant de joie et d'allégresse. Je serai proche, car je crois que cette assemblée nous réserve quelques surprises.

— Lesquelles ?

— Chuuut, ça commence !

Hurlusse, greffier de l'Ordre, invita Hakim à s'avancer vers le pupitre situé deux marches plus bas que le Comité des Sages. Face aux membres, Hakim prononça en volapük :

— Depuis l'armistice, notre liste des défunts s'allonge inexorablement, car les guerres ne sont qu'abjections et horreur. Je remercie le Grand Élu empreint de sagesse de rappeler aux mémoires sélectives le souvenir de maîtres qui furent traités si cruellement...

— Ils ont bafoué le *Codex référentiel*, entendis-je vers l'extrême droite.

Cette remarque me confirma que le rapport de Petite du Valais pèserait lourd dans la balance électorale. Je réalisai qu'on tombait comme un cheveu sur la soupe d'événements qui nous échappaient complètement.

— Silence, silence! gueula le doyen en postillonnant dans sa barbe.

— Frère Perang, puisque tu es le vétéran de ce quatuor, nos procédures stipulent que tu témoignes en premier, signifia Hakim en tendant l'index vers lui.

Perang se leva en toussant.

— Puisque tu insistes, accepta-t-il. Cependant, n'exige pas de nous de prêter serment sur le *Codex référentiel*, car en son nom des abominations furent commises à nos égards. Il est hors de question de jurer solennellement, tant que la lumière ne sera pas faite sur une exécution commanditée au cœur du siège administratif.

Une voix fusa :

— Blasphème!

— Va te faire foutre, sale macaque! lui répondit Perang en levant le poing en sa direction.

— Sileeeeeence! vociféra le doyen. Greffier, notifiez à l'ordre de séance que jusqu'au terme de la procédure entamée par le frère Hakim, toute interruption sera sanctionnée de l'expulsion immédiate de l'assemblée.

Stylo en main, Hurlusse s'exécuta en pouffant d'un rire satisfait. L'oreille attentive, N'goma s'amusait comme un adolescent. Il devinait que, peu importe le résultat, cette séance ferait date dans les archives de l'organisation pour laquelle il avait tant œuvré.

Hakim le gratifiait du meilleur cadeau de départ qu'un Grand Élu puisse espérer. Au terme de son existence, il était en train de partir en beauté pour entrer dans la légende des Cinq Cercles.

— Parle ouvertement, Perang, sans crainte, insista Hakim.

Ainsi, l'Indonésien aborda les technicités de cette surprenante compétition dans le giron de la tournée du cirque Barnum.

— En 1913, maître Falstaff en fut l'âme et l'instigatrice, initiat-il. Et...

Sans rien omettre, il détailla le concept et le trajet de l'American Royal Open. À la fin de son récit, il dévoila à l'assemblée l'ordre d'expulsion signé par Razor Barbakos et les membres du Comité des Sages en fonction en 1914. Avec cette brochette de gérontes passés de vie à trépas depuis belle lurette, cette preuve flagrante ne prêtait qu'à des conséquences limitées, pensai-je. Stratégiquement, Hakim procéda sans tarder. Décidé à faucher l'herbe sous les pieds de ses détracteurs, l'Élu réformateur potentiel voulait trancher dans le lard jusqu'aux abats. Il pria Blanchard White de venir déposer. À la barre des témoins, le Cajun réitéra les propos de Perang. Quand il s'attarda sur l'épisode de l'attaque dans le Montana, accusant directement Mathias Balthazar, les faces de droite blêmirent. Les maîtres Delgada et Sansom (surnommé par ses ardents partisans le Faucon maltais) ne réagirent pas. Diabolique, Hakim était en train de piéger ses adversaires dans une procédure les contraignant au mutisme, puisque le bâtonnier en avait formulé expressément la demande. Incapables d'intervenir, ils devaient se contenter de subir, de rage contenue. À l'instar de Perang, White ne se priva pas d'exhiber son avis d'expulsion. Alors qu'il reprit place sur son siège, troisième par l'ancienneté, je me préparai mentalement à monter au charbon. L'assemblée, ébranlée, poussa un soupir collectif d'impatience. Elle était en droit de s'attendre à une pause, mais décidé à maintenir la tension qui régnait, Hakim opta de se pencher vers Madame Tygris en lui accordant la parole d'un geste courtois. Magnifique comme la reine de Saba, sa longue silhouette s'étira.

— Maître Tygris, l'invita Hakim d'une voix posée.

— Titre usurpé, exprima l'Éthiopienne. Puisque je ne le suis plus depuis réception de cette lettre.

Elle déplia le document à l'attention du Comité des Sages et l'exposa une vingtaine de secondes aux yeux du doyen bâtonnier.

— Soit, dévia aimablement Hakim. Madame White, nous serions curieux d'apprendre les implications de l'American Royal Open sur votre cheminement professionnel dans la pratique de la rôtisserie.

Analysant cette question d'apparence si anodine, je convins que la tactique ne découlait en rien de l'improvisation. Hakim jonglait avec un temps de parole illimité, imparti par le vouloir du doyen, soit, mais au risque de perdre totalement l'attention de son auditoire. Avec l'atmosphère de l'hémicycle des Halles virant au théâtral, il devait jauger la patience et l'humeur de son public. La beauté et le charme de Tygris semblèrent porter leurs fruits, car la tension se relâcha.

— J'assure que les techniques éprouvées à cette époque n'altèrent pas la qualité des mets. En y ajoutant une dimension industrielle, elle démocratise l'exquis aux gourmets populaires. À condition de respecter les méthodes et les durées de cuisson, les recettes de marinade et surtout la fraîcheur des mets offerts. Durant le Royal, j'ai constaté à quel point le public raffolait d'une chair juteuse sous le craquement d'une peau croustillante et parfumée par les herbes et le gros sel. En créant cette saine compétition, Dame Évangéline n'a fait que transmettre son sens du partage et sa vision délicieuse du monde autour des plaisirs de la table.

— Et la pérennité de nos traditions, alors ? interrompit Hakim.

— Elles forment notre legs et notre patrimoine intemporels. Mais je rejoins entièrement l'avis de Dame Falstaff.

— C'est contradictoire, non ?

— Ça l'est assurément ! Cette opinion m'a d'ailleurs coûté ma place dans l'Ordre que je chérissais tant. Or, comme le pensaient plusieurs frères, il existe probablement une voie médiane.

— Laquelle ?

— Pour la Fraternité, celle de survivre ou de disparaître dans un amalgame de ce qu'il y a de pire ou de meilleur.

— Que nous suggérez-vous ?

— Rien, il m'a été refusé par le comité de discipline d'exercer parmi vous !

— Regrettez-vous, madame, d'avoir participé aux activités de l'American Royal Open ?

— Pas une fraction de seconde, maître Hakim. Nous devions le faire.

— Vivez-vous dans la crainte d'actes répréhensibles de certaines factions intégristes ?

— Plus maintenant, concéda Tygris. Le meurtre de maître Boivin se fond avec les démons de l'oubli, malheureusement. Comme Perang et Sans Loi, mon mari et moi refusons d'en être des victimes. À La Nouvelle-Orléans, nos armes ne sont jamais loin. Avis aux amateurs.

— Ne craignez rien, nous vous croyons ! admit Hakim d'un ton léger. Asseyez-vous, je vous prie. Sans Loi, initié de Trinkwein autrefois, s'adressa-t-il alors à moi, le *Codex référentiel* révèle que le monde tourne autour d'une broche activée par les cinq éléments : le vide, l'eau, l'air, la terre et le feu. Le sous-vide est-il en désaccord avec ce principe ?

— Là, Monsieur Hakim, je décèle une faiblesse primordiale dans les enseignements ! m'exclamai-je en me redressant.

— Laquelle ?

— D'en permettre une interprétation textuelle littérale. Supprimer la présence de l'air dans une viande, c'est autant une interaction que d'en souffler sur la braise. Ne vous a-t-on pas appris les dangers de la dualité ? Rien en contradiction avec le *Codex référentiel* ! Nous parlons dans ce cas de la combinaison du vide et de l'air. Si, au moyen de cette pratique, il ne se passait rien, je ne dis pas. Mais il y a interaction évidente puisqu'il y a conservation de la viande. En sachant que la mort entraîne la toxicité de la chair et que l'absence de l'air en ralentit le processus de putréfaction, qui la rend impropre à la consommation, cette interaction existe donc réellement. Au lieu de s'égarer en sémantiques, vos électrons radicaux devraient explorer de nouvelles techniques !

— Iconoclaste ! m'insulta l'Élégant Sansom. Tu bafoues le serment sacré.

— Ignorant ! rétorquai-je. Tu viens d'en bafouer la subtilité !

Complètement dépassé, le bâtonnier ne réagit pas. Il aurait dû, car N'goma ne l'entendit pas ainsi.

— Dois-je rappeler aux Sages Dignitaires qu'il leur incombe la stricte application des règlements à nos assemblées, chargea-t-il comme un buffle.

D'un œil jubilatoire, Hurlusse enregistra automatiquement la remarque. En silence, le doyen acquiesça du bonnet en direction de N'goma pour lui signifier son accord.

— Je n'ai pas entendu votre réponse, dit N'goma, enfonçant le clou.

— Oui, Grand Élu. Frère Hakim, continuez l'interrogatoire du témoin Sans Loi, confirma l'ancien.

Sansom fut exclu sur-le-champ. Sans un regard pour le Faucon maltais qui quittait la séance, Hakim poursuivit :

— Puisque tu as vécu si longtemps hors de notre fraternité, il serait intéressant d'évaluer ce que tu penses des puristes qui affirment que la modernisation incite l'humain à la paresse et qu'elle avilit les valeurs manuelles.

— Ils se trompent. Dans les hôtels étoilés, j'ai travaillé avec des broches mécanisées. Automatisation ou pas, notre métier demeure d'une rudesse indéniable, si l'on tient compte des heures passées aux fourneaux, des volumes à traiter en respectant les critères de qualité de ces institutions reconnues et si l'on ajoute qu'en dehors de l'Ordre, la violence physique et mentale est constante. La modernisation est devenue inévitable. Elle possède des avantages.

— Lesquels ?

— Madame Tygris vient de les exposer avec grâce et sagesse.

— Confirmes-tu ce qui est écrit dans le rapport de Petite du Valais ?

— Jusqu'à la plus infime virgule, je persiste et signe. D'autant que je suis proscrit de l'Ordre.

— Qu'est-ce qui est important pour un apprenti ? me demanda Hakim.

— La maîtrise de la technique, répondis-je automatiquement.

— Qu'est-ce qui est important pour un maître ?

— La maîtrise de l'esprit.

— Qu'est-ce qui est important pour le maître de l'Ordre ?

— La maîtrise de la transmission.

— De la transmission uniquement ?

— Dans le respect de nos valeurs, mais dans la conscience du changement.

— Tes réponses quasi instinctives me confortent : tu es resté un des nôtres.

— Je le fus, corps et âme, jusqu'à une journée de 1914, dans une station de chemin de fer où nous fûmes lâchement attaqués par des intégristes !

— Démagogie ! protesta le bâtonnier.

— Ces surineurs ne nous sont pas tombés sur le râble par je ne sais quelle théurgie ! répliquai-je sans demander l'autorisation de lui adresser la parole. Des témoignages recoupés par des dossiers de police confirment sans ambiguïté une tentative de meurtre prémédité.

— Effectivement ! approuva Hakim. Par contre, maître Sans Loi, tu dois respecter nos procédures.

— Nullement !

— Affirmatif, car persuadé d'être un renégat, tu es demeuré bel et bien l'un d'entre nous ! Au même titre que les maîtres Perang, Tygris et White, feu Dame Falstaff et ces frères que les tranchées nous ont arrachés ! Noble assemblée, maîtres, initiés et indispensables, ces dernières semaines, j'ai filtré nos archives au tamis de la vérité. Avec le résultat qu'il ne subsiste rien de cette exclusion. Pas une note, pas une ligne, pas un mot, rien, des nèfles, le néant juridique absolu. Un écran de fumée pour déduire que cette exclusion fut signée uniquement par Razor Barbakos et le Comité des Sages, sans être enregistrée par nos administrateurs. Ce qui relève d'une procédure illégale. Dans l'impossibilité d'un témoignage du Grand Élu Razor et des membres du Comité des Sages en fonction aux années des faits, puisqu'ils n'appartiennent plus à ce monde, l'Ordre des Cinq Cercles n'est pas en mesure de réintégrer ces membres, puisqu'ils n'en furent jamais écartés, et certainement pas exclus ! Dès lors, Grand Élu N'goma, Doyen et anciens du Comité des Sages, je conclus ici cet interrogatoire par une demande de poursuite post mortem contre les individus dont les pratiques déshonorantes et criminelles ont nui grandement à notre réputation. Au nom de mon caucus réformateur, que le greffier Hurlusse inscrive cette requête au procès-verbal.

— Accepté ! acquiesça N'goma. Je déclare la séance levée.

Le doyen bâtonnier entérina la demande en frappant de son maillet et Hurlusse referma son bouquin, satisfait. Au milieu des cris et des acclamations, stupéfait, je cherchai le visage de Petite du Valais, mais je trouvai d'abord celui d'Urbanus en train de flatter la nuque de son chat. À côté de lui, la Suissesse cligna des yeux, et je compris qu'elle savait. Cette tactique était prévue depuis le début. Ce n'était ni plus ni moins qu'un coup de force destiné à propulser Hakim à la succession de N'goma. On nous enfila de force une redingote et on nous coiffa d'un gibus.

Revêtir ainsi l'uniforme des maîtres me combla instantanément de joie et de fierté. Sous le regard allumé du vieux N'goma
et celui dépité des membres du Comité des Sages, nous fûmes
portés en triomphe par une foule qui nous trimballa à travers
les échoppes et les marchandises des Halles. C'était un retour
spectaculaire. Celles et ceux qui vécurent cette journée se la
rappelèrent longtemps. Surtout moi.

Vers le second âge des ténèbres

Hakim remporta l'élection avec une majorité des deux tiers, du jamais recensé depuis la consécration de Wang. Cette victoire revint à la jeunesse, consciente des changements, et à la volonté d'en finir avec des disputes interminables qui minaient nos fondements. La lettre de mon maître, surgie du passé, me donna la certitude que ma mission de réformer le système devenait incontournable. Je choisis en pure conscience de naviguer sur le chenal entre modernité et tradition. Il ne faisait plus de doute à mon esprit que je serais incapable physiquement d'affronter la rigueur des ateliers, aussi il me fut proposé de me tourner vers la gestion administrative de nos membres.

— À Montréal, Petite du Valais en a plein les bras, me dit Hakim à l'instant du départ. Je vous confie aux soins de l'un et l'autre.

— Avec le travail qui nous attend, je ne serai pas de trop pour l'assister. Tu parles désormais comme un Grand Élu, ami et frère. L'Amérique est un continent au potentiel infini pour nos enseignements. J'accepte cette tâche avec honneur.

En compagnie du couple Tygris-White, nous rembarquâmes sur le *SS Athenia*, après d'émouvants adieux à Perang, qui décida de vivre ses derniers instants dans sa lointaine Batavia. À mon retour, je me séparai d'Edward Walter en tant qu'employeur, mais nous demeurâmes d'excellents amis. N'goma s'éteignit deux ans plus tard. Je crois qu'il mena la Fraternité avec rigueur et méthode, en toute honnêteté et au mieux de ses possibilités. Le siège social en face du carré Saint-Louis devint notre quartier général pour l'Amérique du Nord. En 1933, Razor Barbakos, Mathias Balthazar et le doyen Olafsen furent condamnés à l'exclusion post mortem par notre tribunal administratif. Leurs actes furent mentionnés dans les archives officielles, mais leur motivation à agir ainsi demeura un mystère. Incapable de vivre dans la rancœur, j'avais cessé de les haïr. Dès son premier mandat, Hakim instaura d'importantes réformes. Nos enseignements inclurent dans nos pratiques des techniques mécaniques. Malgré ma crainte viscérale des navires, je voyageai souvent entre Montréal et Paris, même plusieurs fois au départ de New York, en Zeppelin, pour l'assister dans les décisions importantes. Ce fut une tâche ardue, car, depuis la Grande Guerre, des plaies béantes peinaient à cicatriser. Pour plusieurs de nos frères qui avaient combattu dans des camps différents, la fraternisation revenait à collaborer avec des ennemis d'autrefois. Hakim décentralisa certains pouvoirs aux sièges sociaux locaux. En avril 1937, nous participâmes au Congrès Anubis qui se déroula à Munich, au cœur de l'Allemagne nazie. Hakim fut grandement critiqué pour cette décision. Les conservateurs affirmèrent qu'il commettait une erreur monumentale de l'avoir organisé dans un pays au régime si oppressif. Je pris la défense de mon ami, car j'étais persuadé que de tenir un événement célébrant l'amitié des humains au-delà des races et des religions donnerait un bel exemple de tolérance et de fraternité. J'acceptai l'invitation de retourner en Amérique par le chef qui dirigeait l'équipe de cuisine sur le LZ 129 (le Zeppelin *Hindenburg* reste le plus gros aéronef civil construit à ce jour). Le 3 mai 1937, le destin m'épargna encore une fois, alors que je manquai d'un poil le vaisseau au départ de Francfort. Le 6 mai 1937, en s'approchant de Lakehurst, un aérodrome de la marine américaine dans le New Jersey, le Zeppelin, retardé quelque peu par un orage, s'enflamma au moment de son amarrage. Il y avait quatre-vingt-dix-sept personnes à bord, dont soixante et un membres d'équipage et trente-six passagers. L'accident fit trente-cinq morts dont vingt et un membres d'équipage. Avec Petite du Valais, nous fûmes confrontés à la réalité des années 1930. Le monde ne se porta pas mieux qu'avant 1914. Comme si les humains n'eurent pas retenu les leçons d'un tel carnage. Avec les fermetures des frontières de l'Union soviétique, l'avènement des régimes fascistes en Italie et au Portugal, la montée du nazisme en Allemagne, l'invasion des Japonais en Chine, celle des Italiens en Éthiopie et la guerre civile espagnole, les aléas de l'Ordre allaient bientôt se confondre avec ceux de la politique internationale. Nous conservâmes l'esprit du volapük pour transmettre notre art au-delà des régimes totalitaires en *ismes*. En décembre 1938, mon cher Hakim décéda à la suite d'une maladie pulmonaire, alors qu'il gouvernait pour un deuxième mandat. Je décidai de reprendre le flambeau. Personnellement, j'avais vécu une grande partie de ma carrière hors de la Fraternité. Et je connaissais mal la nouvelle génération. J'ignorais quelles étaient ses aspirations, je m'attachai donc à rester proche des femmes et des hommes de terrain et je fis de la négociation et de la transmission mes chevaux de bataille. Ce *modus operandi* joua en ma faveur au scrutin de 1939, qui me vit accéder au poste de Grand Élu. J'établis le siège de l'Ordre dans un temple maçonnique rue Sherbrooke Ouest. Dans mon discours d'accession, je répétai la phrase d'Évangéline au jour d'ouverture du désormais mythique American Royal Open :

— Transgressons les règles, afin de ressentir la pureté et la beauté des techniques ancestrales.

Je parvins à insérer une phrase de justesse au serment philosophique :

> Au Codex référentiel, *libre interprétation, tu laisseras, conscient du temps qui changera.*

Plus personne ne s'en souvient, car cette résolution fut acceptée le 1er septembre 1939, jour de l'attaque de la Pologne par les hordes d'Hitler. Incapable de changer une ligne du *Codex référentiel*, au risque d'ouvrir la boîte de pandore du schisme, dans les éditions qui parurent sous ma direction, je fis inclure le manuscrit en trois parties que je rédigeai durant mon aventure épique dans l'Ouest américain :

Méthodologie référentielle contemporaine

- *Déontologie et nouvelles technologies*
- *Combinaison des éléments*
- *Synthèse des contradictions philosophiques du* Codex référentiel.

Il aurait été trop compliqué de renégocier chaque alinéa. À cause du conflit, mon mandat fut prolongé avec l'aval de la majorité des maîtres. En 1946, je relançai le processus électoral en même temps que la première tenue du Congrès Anubis d'après-guerre. Montréal accueillit des membres venus de partout, certains étaient des survivants de l'Holocauste. Pour plusieurs générations de maîtres et d'initiés, je resterai à jamais le Grand Élu montréalais qui présida aux destinées de notre fraternité durant les heures sombres de la Seconde Guerre mondiale. Je trouve étrange cette interprétation de mes pairs, car dans mon cœur, je demeure le renégat qui s'affirma durant la Première dans les cantines de l'horreur. Hormis cela, il ne m'appartient pas de conter ces années qui meurtrirent l'Histoire pour une seconde fois. Ne pouvant, dans ce qui fut réalisé durant ma gouvernance entre 1939 et 1946, être en même temps juge, procureur et avocat, je dois en toute humilité confier le soin de cette biographie à un autre. Il ne manquera pas de mentionner qu'à l'époque, je cachai soigneusement dans mes tiroirs des cartes postales signées par le pire criminel de l'humanité.

Le boulevard

Ce 27 octobre 1962, je suis le dernier à porter le gibus et la redingote à nos assemblées. Aujourd'hui, j'ai l'honneur de siéger parmi les Sages. Je suis le gardien de notre mémoire et de nos traditions, comme le fut Wang autrefois. On m'a donné le titre de doyen, mais aussi celui de maître iconoclaste. Les anciens aiment rappeler mon premier surnom, Sans Loi! Il est, je crois, le plus révélateur d'entre tous. Toutes sortes de légendes planent à mon sujet. Je ne démens jamais. Je privilégie le mystère au pouvoir.

— Le vieux est un radoteur! murmurent parfois entre eux les initiés et les jeunes maîtres.

Cependant, ils apprécient ma compagnie. Pour preuve, ils se pressent pour écouter mes histoires d'une époque qui n'existe plus que dans les rêves. À ceux qui me prennent pour un excentrique, je réponds que je suis un rôtisseur issu d'une tradition lointaine. Malgré mon âge, je demeure ce gamin des Trois-Frontières qui s'échappait de l'emprise de sa grand-mère, à la recherche de quelques émerveillements. Je n'ai pas eu d'enfant, pas que je sache. Souvent, celles et ceux qui sont dans mon cas se le font reprocher par des rejetons qui n'ont pas compris que nous ne choisissons pas totalement notre destinée. La rencontre de l'être aimé n'est pas un dû, mais un privilège de chaque seconde. Je pense à Mary. La vie est une pièce de théâtre dans laquelle nous interprétons un rôle, l'un n'est pas moins important que l'autre. Le mien fut de transmettre. En ce qui me concerne, l'enseignement est sur le même pied d'égalité que la procréation, comprendre cela est acquiescer au processus essentiel de la vie, l'indissociabilité de nos actes. J'ai longtemps rêvé d'un endroit où les communautés pourraient vivre en paix. Je l'ai trouvé au Québec. J'ai fini par adopter ses hivers interminables et froids, sans jamais oublier d'où je viens. Je me demande même parfois si je suis d'ici ou de là-bas. Au final, j'ai découvert que l'immigration est une nation en soi. On devrait tous suivre sa voie et cette voix intérieure qui nous murmure où aller. Quand les maîtres actuels ronchonnent que notre métier fout le camp, je leur réponds qu'ils se trompent. Rien ne disparaît, notre art se transforme naturellement. Je ne reproche rien à notre époque, sauf qu'il y manque les personnages hauts en couleur d'autrefois. En quittant Chinatown, je remonte le boulevard Saint-Laurent. Près de Dorchester, les odeurs de soupe aux nouilles des cuisiniers chinois flirtent avec mon odorat. L'esprit du Vénérable Wang se trouve là, quelque part entre des étals croulants de victuailles. Le restaurant grec au coin de la rue Prince-Arthur me rappelle Nicos, et plus haut le *Delicatessen* et le tailleur de pierres tombales Berson me ramènent à Salonique avec Ioudaios. Plus bas, passant devant la rôtisserie de poulets, le nom de Sousa le Portugais me vient à l'esprit. Trinkwein m'a enseigné à vivre l'instant présent, mais j'avoue avoir un penchant malicieux à évoquer le passé. Le temps est notre ami, il est un ver à soie. On prend ce matériau brut, son travail le transcende en le transformant en quelque chose de magnifique. En rentrant chez moi, je perçois la tension à son paroxysme. Les passants, les radios, les téléviseurs et les journaux parlent d'une guerre imminente. D'ici quelques heures, le président Kennedy, le rejeton du trafiquant d'alcool que je servis au Windsor durant les Années folles, donnera l'ordre de bombarder les sites de missiles soviétiques installés sur Cuba. Bientôt notre terre disparaîtra et, de tout ce que j'aurai écrit, rien ne restera. Le moins drôle dans cette histoire, c'est que j'ai enterré tout le monde. La grande faucheuse m'a oublié dans son agenda. Au crépuscule de mon existence, j'en reviens aux trois principes transmis par mon maître :

Il y a ce que nous voyons, entendons et ressentons.
Il y a ce que nous interprétons.
Il y a ce qui est réellement.

Le compte à rebours atomique est enclenché. Les survivants en reviendront aux méthodes archaïques du feu et des broches pour leur donner l'énergie de tout rebâtir. Car après tout, les broches sont pratiques. Pas besoin de casseroles, pas besoin de four, juste un feu et une viande. Au-delà du vide, de l'air, de l'eau, de la terre et du feu, le voilà, le secret caché du *Codex référentiel*: la simplicité. Ainsi, la boucle est bouclée. Quoi qu'il se passe, il me reste peu à tirer d'une vie déjà tellement remplie. Le taiji quan de Madame Chen me tiendra en forme jusqu'à demain, peut-être. Prêt au départ, je garde en mon cœur ces hommes et ces femmes croisés le long de mon chemin. Rois et maquereaux, princesses et prostituées, truands et artistes, banquiers et mendiants, docteurs et malades, je les ai tous respectés. On dit que je suis un expert de la marinade. Ce n'est pas faux. Je pourrais écrire une thèse sur le sujet. Avec des résultats surprenants, j'ai presque tout essayé, même des mélanges avec un thé aux odeurs de bacon fumé. Mes pairs affirment que je suis un maître du couteau, un titre dont je ne me vante pas, car j'ignore s'ils l'attribuent à ma dextérité à trancher la viande derrière un buffet ou au récit d'une aventure regrettable dans une taverne de Montréal…

Tellement de bêtises se propagent, autant que de mauvaises vérités à entendre. La nouvelle génération parle de moi comme d'un rebelle loyal et intègre. Et parfois, elle murmure que je suis complètement tordu. C'est le plus beau compliment qu'elle puisse me faire.

Doyen Sans Loi. Montréal, 1962.

Remerciements

Je remercie mes éditrices de m'avoir permis cette intrusion littéraire hors de mon univers d'espions. Je suis reconnaissant de l'appui de l'équipe des éditions Tête première : plonger dans l'univers du roman classique m'a procuré autant de plaisir que d'angoisses ! À toi, Marie-Chantale Gariépy, fidèle parmi les fidèles, surgissant de l'ombre pour me libérer des craintes de sortir des sillons profonds du polar...

Lionel Noël

De janvier 2008 à août 2016

Cet ouvrage est composé en Leitura, corps 9,5
ainsi qu'en Replica Pro, corps 14 (titres)
et entièrement produit au Québec.

Achevé d'imprimer en novembre 2016 sur les presses
de l'imprimerie Marquis.